Thomas Boelker
Wolfgang Webelhuth

durch **dick** und dünn

Das Buch für Stomapflege und Harnableitung

2. Auflage
überarbeitete und erweiterte Neufassung

Unter Mitarbeit von
Dr. Franz Raulf
Prof. Dr. Gerhard Zöller

durch **dick** und dünn
Das Buch für Stomapflege und Harnableitung

ISBN 3-9805493-2-1
2. Auflage 2003

Gesamtherstellung: Druckhaus Schmücker, Menden

Inhaltsverzeichnis

Times change 7

Ein Blick zurück nach vorn
Die Entwicklung der Stomatherapie in Deutschland 9

Teil 1 von Thomas Boelker

Input & Output
Physiologie des Verdauungstraktes 15

Auswege
Indikationen für Darmstomata 17

Kompetent & prominent
Grundzüge der Stomachirurgie
von Dr. Franz Raulf 23

Start & Ziel
Orientierung und Perspektiven für die Pflege 29

Von Anfang an
Aspekte praeoperativer Betreuung 33

The days after
Aufgaben in der postoperativen Phase 39

So oder so
Grundsätze und Alternativen in der Stomaversorgung 43

Hautnah
Was bedeutet Hautpflege für Stomapatienten? 49

Die Alternative
Irrigation – Leben ohne Beutel 53

Take that
Versorgungsprodukte - ein Überblick 57

Wenn's kompliziert wird
Chirurgische Intervention bei Problemstomata 61
von Dr. Franz Raulf

Prominent – schön wär's!
Stomakomplikationen und wie man damit umgeht 67

Specials
Problemlösungen für besondere Fälle 77

Teil 2 **von Wolfgang Webelhuth**

Zwischen Quelle und Mündung
Anatomie und Physiologie des harnableitenden Systems 87

Nah am Vorbild
Wenn die Harnblase ausfällt
von Prof. Dr. Gerhard Zöller 93

Let it flow
Wichtige Gesichtspunkte urologischer Pflege 105

Topf und Deckel
Anspruch und Wirklichkeit in der Stomaversorgung 109

Gewusst wie
Pflegekonzepte und Problemlösungen 115

Uro-Specials
Externe, transurethrale und percutane Harndrainage 123

Ableiten, Auffangen, Fixieren
Versorgungsprodukte für die Urologie 131

Teil 3 **von Thomas Boelker & Wolfgang Webelhuth**

Bridge over troubled water
Die Entlassung aus der Klinik und wie man dafür Brücken baut 137
Thomas Boelker

Life must go on
Leben mit dem Stoma
Thomas Boelker 141

Rien ne va plus
Störungen der Sexualfunktion
Wolfgang Webelhuth 147

Zum guten Schluss 151

Appendix

Stichwortverzeichnis 155

Bildnachweis 158

Literaturnachweis 159

Kontaktadressen (Fachverbände, Firmen) 161

Zeichenerklärung:
Das 👁 weist darauf hin, dass der vorangehende Text
von einem Bild oder einer Zeichnung begleitet wird (siehe Abbildung).

Times change

Eins-zwei-drei im Sauseschritt, läuft die Zeit, wir laufen mit... Fast 7 Jahre nach Erscheinen der Erstausgabe unseres Buches im Dezember 1996 hat sich die Welt weiter verändert, im ICE-Tempo. Natürlich hat sich auch in den Themen Stomapflege und Harnableitung einiges getan – so haben wir unser Buch dementsprechend überarbeitet, aktualisiert und erweitert.
Dennoch bleibt GOOD COMPANY, gemalt auf einen Bauzaun in Toronto im Sommer 1990, das Leitmotiv für unser Projekt.

Der Titel unseres Buches – *„durch* ***dick*** *und dünn“* – symbolisiert neben den fachlichen Deutungen gerade auch die Verbindlichkeit im Umgang mit Kollegen und Patienten als eine besondere zwischen-menschliche Qualität – das war und ist uns wichtig!
Und ebenso bleibt es unser Wunsch, dass dieses Buch einen entscheidenden Beitrag zu einer besseren Betreuung und Versorgung der betroffenen Menschen leistet.

Thomas Boelker & Wolfgang Webelhuth,
im Mai 2003

Ein Blick zurück nach vorn

Die Entwicklung der Stomatherapie in Deutschland

Stomatherapie – was ist denn das? Oft war diese Frage in den zurückliegenden Jahren zu hören. Immer häufiger aber erleben wir es heute, dass die Arbeit der Stomatherapeuten *(offiziell: Examinierte Pflegende mit Weiterbildung Stomapflege & Inkontinenz)* inzwischen bekannt und geschätzt ist. Wann hat diese Entwicklung ihren Anfang genommen und welchen Wirkungsradius hat die Stomatherapie heute?

Die Wiege der Stomatherapie steht in Cleveland im US-Bundesstaat Ohio – natürlich in den States, wo sonst? Und wie oft war auch dort Selbstbetroffenheit der Impuls für Innovation. Norma Gill, eine Krankenschwester, erlebte Ende der 50er Jahre die Grenzen der pflegetherapeutischen Möglichkeiten für Stomapatienten am eigenen Leibe, baute danach Stomatherapie in Cleveland auf und gründete wegweisend im Jahr 1961 die erste Schule für *Enterostomal Therapy.*

Wie bei vielen anderen Errungenschaften der Neuzeit dauerte es auch hier fast 20 Jahre, bis die neue Idee über den großen Teich den Weg nach Deutschland fand:

- Zunächst ließ die Uni-Klinik Erlangen im Jahr 1977 die Krankenschwester Frau Anneliese Eidner, später ihre Kollegin Frau Gaby Huch, in Cleveland zu Stomatherapeutinnen ausbilden. Erlangen hat Cleveland auch in den Folgejahren als Ausbildungsstätte bevorzugt.
- Im Jahr 1978 fand an der Uni-Klinik Düsseldorf der 1. Weiterbildungskurs für Stomatherapie in Deutschland statt. Die Leiterin dieses Kurses, die deutschstämmige Amerikanerin Frau Nortrud Schindzielorz, beschrieb die damalige Situation wie folgt: „Das Baby war geboren, nun musste es trocken gelegt werden ...“
  Dieser bildhafte Vergleich beschäftigte Frau Schindzielorz möglicherweise so intensiv, dass sie kurze Zeit später – „in guter Hoffnung“ – die Betreuung der Düsseldorfer Kurse an Frau Helene Schmitz übergab, die selbst an dem ersten Düsseldorfer Kurs teilgenommen hatte.
- Im Jahr 1979 wurde die **DVET** (*Deutsche Vereinigung der Enterostomatherapeuten)* gegründet.
- Anfang der 80er Jahre wechselte das Düsseldorfer Modell seinen Standort. Prof. Kievelitz exportierte die Weiterbildung bei seiner Berufung zum Chefarzt der Chirurgie an die Städtischen Kliniken Duisburg, wo bis 1987 Frau Schmitz, danach Frau Christine Langguth bis 1990 die Kurse begleitete.
- Die weitere Entwicklung wurde durch eine berufspolitische Entscheidung maßgeblich beeinflusst: im Jahr 1985 schloss sich die DVET korporativ dem Deutschen Berufsverband für Pflegeberufe **(DBfK)** an. Eine Arbeitsgruppe der DVET entwickelte in den folgenden Jahren das Konzept für ein neues Weiterbildungsmodell, das schließlich im Jahr 1987 am

DBfK-Bildungszentrum Essen in die Tat umgesetzt wurde. Dies geschah auch aus der Überzeugung, dass Weiterbildungen in der Pflege selbstverständlich an Weiterbildungsinstituten für Pflegeberufe unter verantwortlicher Leitung von Pflegenden, und nicht – wie in Deutschland traditionell verbreitet – von Ärzten durchgeführt werden müssen.

Die Grundmodelle von Düsseldorf wie auch in Duisburg erfüllten mit 320 Unterrichtsstunden die Bedingungen für eine internationale Anerkennung der Ausbildung im **WCET** (*World Council of Enterostomal Therapists*). Im Essener Konzept wurde die Stundenzahl auf zunächst 390 erweitert und die Form der praktischen Ausbildung modifiziert. Diese ca. 3-monatige Form der Weiterbildung wurde bis 1993 beibehalten.

- Nachdem im Jahr 1990 die Ausbildung an den Städtischen Kliniken Duisburg eingestellt wurde und die Kurse am Bildungszentrum in Essen bis zuletzt (1993) trotz begonnener Integration des Themas Inkontinenz und Erweiterung der Gesamtstundenzahl auf 430 Std. problematische Aspekte aufwiesen, beschritten **DVET und DBfK** einen neuen Weg. Nicht zuletzt auch aus berufspolitischen Erwägungen wurde eine 2-jährige, berufsbegleitende Weiterbildung (~ 800 Std.) konzipiert, die eine mit anderen Fachweiterbildungen vergleichbare Qualifikation und die entsprechende Fachanerkennung zum Ziel hat. Dieses Konzept fördert besonders die Eigenständigkeit der Pflege und baut auf die Vermittlung von so genannten Schlüsselqualifikationen wie z. B.:
  - Qualifizierung der Wahrnehmungs- und Beobachtungsfähigkeit,
  - analytisches Pflegeverhalten,
  - kommunikative Fähigkeiten,
  - die Fähigkeit, pflegerische Prioritäten zu setzen.

  Einige Themenbereiche, die im Laufe der Jahre an Bedeutung gewonnen haben (z. B. Wundversorgung, Onkologie und Schmerz, Geriatrie, Präsentations-Kompetenz), bekommen auch entsprechend mehr Raum, denn dieses Konzept ist flexibel umzusetzen und den aktuellen Entwicklungen und Erfordernissen in der Pflege anzupassen.

  Dieses vom Fachverband unterstützte Konzept wird heute in Deutschland von zwei Weiterbildungsträgern angeboten:
  Bildungszentrum Ruhr in Herne
  Diakonisches Institut für soziale Berufe in Dornstadt
- Alternativ bietet seit 1995 die DAA in Kassel eine 3-monatige Weiterbildungskonzept an. (~ 500 Std.)

Neben den Fachweiterbildungen tragen auch verschiedene Fortbildungsangebote dazu bei, die Stomapflege in Deutschland auf sichere Füße zu stellen. Angeboten werden Info-Veranstaltungen und auch Kurzseminare, z. B. von Herstellerfirmen. Darüber hinaus bieten einige Stomatherapeuten an Kliniken oder auch an Pflegeinstituten mehrtägige Seminare an. Solche Seminare sind eine sinnvolle und fachlich ansprechende Alternative für interessierte Pflegende, denen die

Teilnahme an längerfristigen Weiterbildungen aus unterschiedlichen Gründen nicht möglich ist. Nicht zuletzt leisten immer mehr sog. „Kurzfortbildungen" von Stomatherapeuten im Rahmen von Innerbetrieblicher Fortbildung, in Sanitätshäusern, Altenpflegeheimen und Pflegeschulen einen wichtigen Beitrag, Interesse zu wecken und das Niveau in der Betreuung und Versorgung von Stomapatienten zu verbessern.

Fort- und Weiterbildungsangebote in der Pflege werden durch Fachliteratur unterstützt. Neben den Buchangeboten ist besonders das *Magazin Stoma + Inkontinenz* zu empfehlen. Dieses seit nunmehr über 10 Jahren erscheinende Pflegejournal ist im deutschsprachigen Raum das einzige, das exclusiv die Themenbereiche Stomapflege, Inkontinenz und nun auch das Thema Wundversorgung behandelt. Herausgeber ist der im Jahr 1993 umbenannte DVET **Fachverband Stoma und Inkontinenz e.V.** Mit dieser Umbenennung des Fachverbandes wurde nicht zuletzt der Entwicklung Rechnung getragen, dass zunehmend gerade das Thema „Inkontinenz" ein klares und deutliches Gewicht bekam. Der in den vergangenen Jahren stark umstrukturierte Fachverband engagiert sich heute als Berufsverband der Pflege in Deutschland mit einem reichhaltigen, regelmäßigen Fortbildungsangebot.

Die Umbenennung des Fachverbandes birgt noch ein letztes Geheimnis: warum nennen sich einige „Weitergebildete" immer noch ***„Enterostomatherapeuten"***? Dass dieser Begriff seine Wurzeln im Amerikanischen hat – der Weltverband trägt ja den schönen Namen **WCET** *(World Council of Enterostomal Therapists)* – reicht als Begründung kaum aus, auch nicht, dass man ihn so schön kürzeln kann (**ET**!). Denn zweifelsfrei steht das griechische Wort *„enteron"* für Darm. Ebenso unbestritten wurden aber von Anfang an auch Urostomien versorgt.
Mit dieser Namensverirrung befinden wir StomatherapeutInnen uns übrigens in bester verwandtschaftlicher Gesellschaft: heißt doch auch die Interessensgemeinschaft der betroffenen Stomaträger nicht etwa *URILCO* oder *ILUCO*, sondern nur **ILCO**...

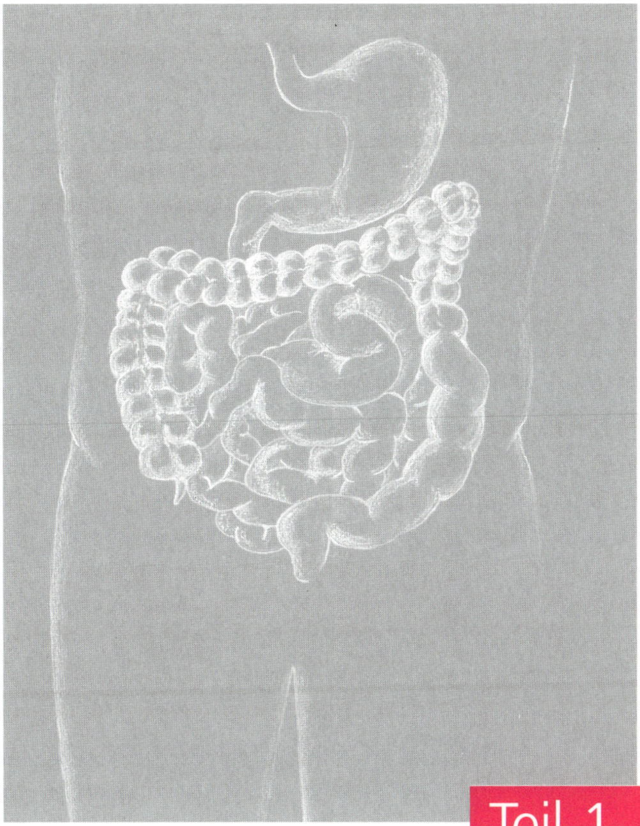

Teil 1

von Thomas Boelker

Input & output

Physiologie des Verdauungstraktes

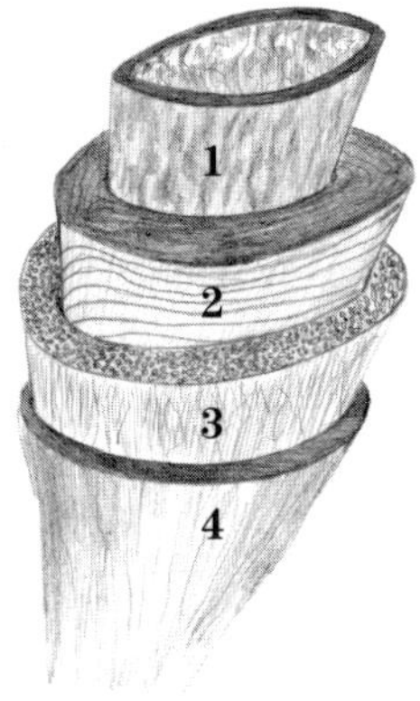

Wandaufbau der Organe des Verdauungskanals

1. Mucosa
2. Ringmuskulatur
3. Längsmuskulatur
4. Serosa (Adventitia)

In diesem Kapitel sollen die anatomischen und physiologischen Grundlagen des Verdauungstrakts kurz zusammengefasst dargestellt werden.
Vereinfacht ausgedrückt ist der Verdauungstrakt ein durchgehender Kanal vom Mund bis zum After. Die Prinzipien im Wandaufbau dieses Kanals bleiben „von oben bis unten" die selben **(👁 Skizze Wandaufbau, s. o.)**, es verändert sich das Lumen sowie die Innenschicht (Mukosa) der Organe und damit verbunden auch ihre Funktion.
Grundsätzlich dienen die Verdauungsorgane dazu, dem Organismus notwendige Lebens-Mittel zur Verfügung zu stellen. Dies geschieht über Einfuhr, mechanische Zerkleinerung und Durchmischung (Mundhöhle + Magen), schließlich über die biochemische Spaltung (Dünndarm) in brauchbare Teile. Diese werden über die Darmwand in das Blutgefäßsystem aufgenommen, das als Verteilernetz jede Körperzelle erreicht.

Der unbrauchbare Ökomüll wird auf der letzten Wegstrecke vorkompostiert und entwässert (Dickdarm), und schließlich wird er abgeladen (Anus) ...

Lassen Sie uns nach dieser – wie gesagt – vereinfachten Darstellung der Abläufe das Ganze noch einmal etwas genauer unter die Lupe nehmen: mechanische Zerkleinerung und Durchmischung der aufgenommenen Nahrung finden in der Mundhöhle statt; hier beginnt auch die Andauung des Polysaccharids Stärke durch das Enzym Ptyalin in Disaccharide. Ptyalin ist Bestandteil des Speichels, der seinen Anteil an der enormen Gesamtmenge der Flüssigkeit hat (+ Magensaft, Galle, Bauchspeichel, Darmsekrete bis zu 10 Liter/Tag !), die den Verdauungskanal durchläuft. Nach dem aktiv peristaltischen Transport der Nahrung (testen Sie's mal im Kopfstand!) über die Speiseröhre wird im Magen weiter durchmischt und „desinfiziert" – die Salzsäure der Magendrüsen bewirkt dies ebenso wie die Aktivierung des Eiweiß spaltenden Enzyms Pepsin aus der Vorstufe Pepsinogen. Somit findet im Magen schon eine Andauung der Eiweiße statt. Neben der Produktion des Vit.B_{12}-Intrinsic-Factors hat der Magen vor allem auch noch Speicherfunktion: er gibt den Nahrungsbrei dosiert in umsetzbaren „Portiönchen" an den Dünndarm weiter.
Nun sind wir also da, wo die bio-chemische Umsetzung unserer Nahrung hauptsächlich geleistet wird. Der Löwenanteil der Nahrung kann in der Form, wie wir sie zu uns nehmen,

nicht vom Organismus verwertet werden. Der Dünndarm stellt nun praktisch die „Benutzeroberfläche" für die Spaltung der Nährstoffe in ihre Grundbausteine so wie deren Resorption dar.

Die Spaltung selbst leisten Enzyme aus der Dünndarmwand, vor allem aber der Bauchspeicheldrüse (Amylasen, Disaccharasen, Lipasen, Peptidasen). Die in der Leber produzierte Galle bereitet die Fette mit Hilfe der Gallensäuren durch Emulgierung auf die Spaltung vor. Galle und Bauchspeichel fließen über die *Vater'sche Papille* im absteigenden Teil des Zwölffingerdarms in den Dünndarm.

Im Endeffekt sind erst die Grundbausteine Aminosäuren, Monosaccharide, Fettsäuren und Glycerin gebrauchsfertig, d. h. resorbierbar. Die Resorption läuft über die Dünndarm-Schleimhaut, die zu diesem Zweck über faszinierende Strukturen zur Oberflächenvergrößerung (Falten, Zotten, Villi, Krypten) verfügt und effektiv eine Resorptionsfläche von der Größe eines Fußballfeldes bietet !

Der Dünndarm besteht bei einer Gesamtlänge von 5-7 m aus den Abschnitten Duodenum (ca. 20 cm), Jejunum (2/5) und Ileum (3/5). Im Endabschnitt des Ileum (terminales Ileum) werden die Gallensäuren über den so genannten entero-hepatischen Kreislauf zu 90% rückresorbiert und der Leber für die Produktion der Galle wieder zugeführt. Ebenso ist das terminale Ileum Resorptionsort für das synthetisierte Vitamin B_{12}.

Über die so genannte *Bauhin'sche Klappe*, eine Schleimhautwulst mit Ventilcharakter, fließt der Speisebrei in den Dickdarm (Colon), der eine Länge von ca. 1,5 m hat. Seine Aufgaben sind vor allem:

- die Rückresorption von Wasser und Elektrolyten,
- die Stuhlbildung über Gärungs- und Fäulnisprozesse,
- die Ausscheidung des Stuhls.

Das Profil des Dickdarms entnehmen Sie bitte der Skizze auf Seite 13.

Die Ausscheidungsphysiologie ermöglicht uns die für unsere Lebensqualität äußerst wichtige *Kontinenz*, d. h. die Ausscheidung ist kontrollierbar. Dies ist uns auch möglich durch eine praeanale sensible Zone (*linea dentata*), über die wir spüren, ob wir es bei Drang mit „Luft, Land oder Wasser" zu tun haben.

Das darauf nerval abgestimmte Kontinenzorgan ist primär der Analsphinkter, der einen inneren unwillkürlichen und äußeren, willkürlich aktivierbaren Anteil hat. Arterio-venöse Schwellkörper (*plexus haemorrhoidalis*) unterstützen die „Abdichtung".

Die Dauer der Wegstrecke von oben bis unten hängt von verschiedenen Faktoren, natürlich auch von der Eindickungsfunktion des Colon, ab. Entscheidend ist aber vor allem, welchen Anteil die so genannten Ballaststoffe (v. a. Cellulose in Vollkorn, Gemüse und Obst) im Speiseplan haben.

Wie der Name schon andeutet, sind diese Stoffe Ballast für den Organismus, d. h. unverdaulich und nicht resorbierbar. Ballaststoffe sind im Prinzip Füllstoffe – sie füllen das Darmlumen, dehnen die Darmwand auf und regen dadurch die Darmmuskularis zu verstärkter Peristaltik an. Je mehr Peristaltik, umso schneller der Transport!

Soweit, so gut – wenn alles gesund ist ...

Auswege

Indikationen für Darmstomata

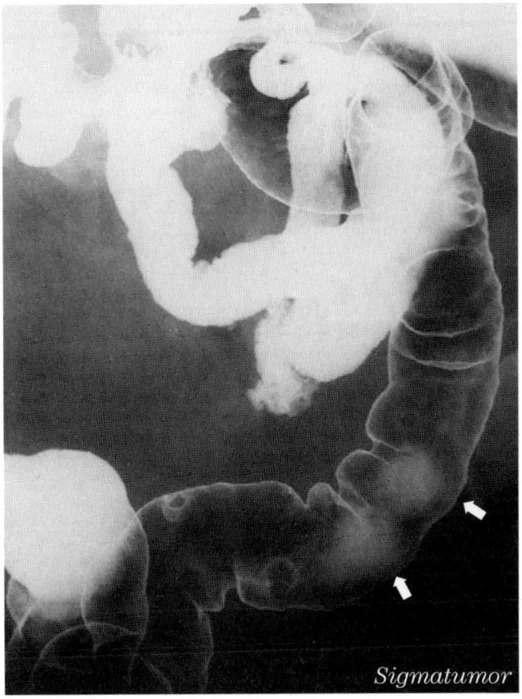

Künstliche, d. h. operativ geschaffene Stuhlableitungen, sind im gesamten Verlauf des Dünn- und Dickdarms möglich:

- Jejunostomien
- Ileostomien
- Coecostomien
- Transversostomien
- Descendostomien
- Sigmoidostomien.

Des weiteren werden unterschieden so genannte „*doppelläufige*" sowie „*endständige*" Stomata.

Doppelläufige Stomaanlagen im Dünn- oder Dickdarm **(Seite 21)** entstehen, indem eine Darmschlinge durch eine Bauchdeckenöffnung über Hautniveau mobilisiert und anschließend die *Vorderwand* dieser Schlinge eröffnet wird. Dadurch ergeben sich zwei Öffnungen des Darms mit einem zuführenden *oralen* (Richtung Mund) und einem abführenden *aboralen* Schenkel (Richtung After).

Endständige Stomaanlagen werden bei Resektion des Rektums incl. Analsphinkter erforderlich, sind aber auch als sog. *Hartmann*-OP machbar, indem der Darm endständig ausgeleitet und der aborale Rest-Darm blind verschlossen wird **(Seite 22)**, wobei der Sphinkter erhalten bleibt.

„Kontinente Stuhlableitungen" wurden in verschiedener Weise mit unterschiedlichen Techniken versucht, haben sich aber nicht durchgesetzt. Erinnert werden sollte an die *Kock'sche Tasche* als Alternative zur konventionellen Ileostomie, an die *Würzburger Sphinkterplastik* nach Schmidt und Bruch sowie an den *Erlanger Magnetverschluss* nach Feustel.

Die Indikationen zur Stomaanlage, wie sie in der nachfolgenden Tabelle aufgeführt sind, haben nicht alle dieselbe Wertigkeit – daher möchte ich im Folgenden nur die Erkrankungen ansprechen, welche am häufigsten zur Stomaanlage führen.

Das Coloncarcinom ist die für Stomapatienten häufigste Grunderkrankung mit

Indikationen für Enterostomien

Colostomie	**Ileostomie**
Carcinome (Colon, Unterleibsorgane)	Coecum-Ca, Colitis ulcerosa
Ileus, Divertikulose/itis	Morbus Crohn, Familiäre Polyposis

- Anastomosenschutz nach kontinenzerhaltenden Operationen
- Verletzungen des Darms (z. B. Pfählungstrauma)
- Strahlenschäden nach Radiotherapie
- NEC (Nekrotisierende Enterocolitis) bei Neugeborenen
- Kongenitale Missbildungen (z. B. Atresien)

immer noch steigender Tendenz. Die häufigsten Hypothesen für die Entstehung dieser Erkrankung deuten auf ernährungsbedingte Ursachen hin, denn in „Wohlstandsländern" wie den USA und Deutschland spielen die Coloncarcinome eine herausragende Rolle. Hier hat die ballaststoffarme *fast-food-Ernährung* die Zeit der Nahrungspassage durch den Verdauungskanal verlängert. Dadurch hat der Stuhl mit all den cancerogenen Inhaltsstoffen unserer Nahrung eine deutlich verlängerte Kontaktzeit mit der Darmschleimhaut. Beim Colon-Ca sind als wichtige Praecancerosen die Familiäre Polyposis sowie die Colitis ulcerosa (👁) bekannt.

Unter den Coloncarcinomen steht die Lokalisation im Rektum an erster Stelle, gefolgt vom Sigmacarcinom.

Für die Diagnostik ist von Bedeutung, dass ein großer Teil der tiefer sitzenden Rektumcarcinome durch die digitale Austastung des Rektums frühzeitig erkannt werden kann.

Die Symptomatik ist typischerweise geprägt von veränderten Stuhlgewohnheiten sowie Blut im Stuhl. Dies wird fatalerweise nicht selten sowohl vom Patienten (spart den Gang zum Arzt) als auch vom Hausarzt auf ein bereits bekanntes Hämorrhoidalleiden zurückgeführt, was dann erhebliche Therapieverzögerungen bedeutet.

Die typischen Metastasierungsorgane beim Coloncarcinom sind die lokalen Lymphknoten, hämatogen sind es Leber (über die V.portae) und Lunge (über die V.cava inf.).

Für die therapeutischen Möglichkeiten ist es von großer Bedeutung, in welchem Stadium sich der Tumor befindet und wo er lokalisiert ist. Sofern kurativ operiert werden kann, wird ein kontinenzerhaltendes Verfahren angestrebt. Ist dies bei tief sitzenden Rektumcarcinomen nicht möglich, ist die Abdominoperineale Rektumexstirpation die Methode der Wahl. Sie bedingt die Anlage einer endständigen Sigmoidostomie. Sehr beeinträchtigend für die Patienten ist die radikale Ausräumung im kleinen Becken. Die hierbei

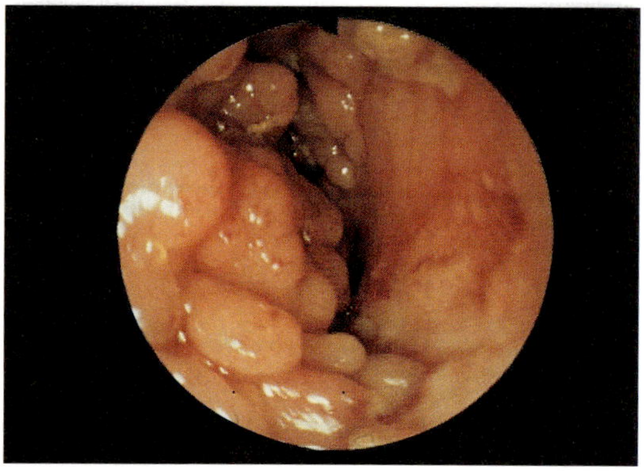

Carcinomatöse Entartung auf dem Boden einer Colitis ulcerosa

resultierende große Wundhöhle, die meist primär verschlossen und für einige Tage drainiert wird, verheilt in der Regel sehr langsam, verursacht Schmerzen und natürlich Sitzbeschwerden.

Die Durchtrennung/Schädigung wichtiger Nervenfasern für die Organe des kleinen Beckens (Harnblase, Sexualorgane) ist bei der gewollten Radikalität dieser Operation kaum zu vermeiden. Dies hat fast immer Miktionsbeschwerden und Störungen der Sexualfunktion zur Folge. (**s. Seite 149**)
Im inoperablen Spätstadium der Erkrankung, das oft als Ursache für einen Ileus entdeckt wird, stehen – je nach Lokalisation – die endständige Sigmoidostomie mit blind vernähtem Rektumstumpf nach Hartmann sowie doppelläufige Stomata im terminalen Ileum oder im rechtsseitigen Quercolon zur Wahl. Lokal begrenzte Resektionsverfahren, wie z. B. mittels Lasertechnik werden selten angewandt und führen allenfalls zur kurzfristigen Passage einer Tumorstenose.
Adjuvante Chemotherapie sowie eine Radiotherapie sind nicht als kurativ zu betrachten, sondern bezwecken bestenfalls eine positive

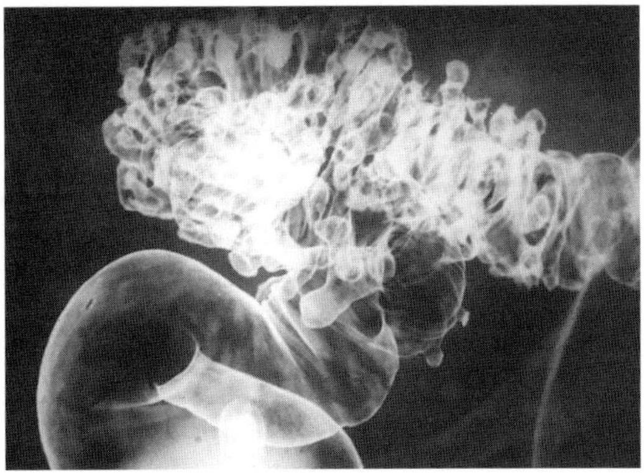

Darstellung von Divertikeln im Colon-Kontrasteinlauf

Beeinflussung des Krankheitsverlaufs und der Lebensqualität.

Die Colondivertikulose (👁) ist eine weitere, besonders oft im Sigma lokalisierte Erkrankung, die zur Stomaanlage führen kann. Nach *Neuhaus* handelt es sich bei der Entstehung von Divertikeln um ein multifaktorielles Geschehen, das – im Sinne einer klassischen Zivilisationskrankheit – offensichtlich auf einen Mangel an ballaststoff- und faserreicher Nahrung zurückzuführen ist. Der daraus resultierende segmentale *Colon-Hochdruck* begünstigt an den entsprechenden Schwachstellen die Divertikelbildung.
Da meist nicht bekannt, treiben sie den Divertikelträger ggf. notfallmäßig mit Divertikulitis und akutem Abdomen in die Klinik, wo dann in einer Not-OP nicht selten ein geplatzes Divertikel mit Peritonitis vorgefunden wird. Da die Strukturen dann in der Regel massiv entzündlich miteinander verbacken und operativ nicht darstellbar sind, stellt die protektive Stomaanlage auf Zeit (doppelläufig oder nach Hartmann) die Methode der Wahl dar. Das Stoma wird dann nach einigen Monaten zurückverlegt, nachdem der erkrankte Darmabschnitt entfernt wurde (zwei- oder dreizeitiges Vorgehen).

Die Familiäre Polyposis oder auch Adenomatosis Coli ist von Interesse, weil sie in *100%* der Fälle entartet. Die unzählbaren Polypen **(👁)**, die bei dieser – wie der Name verdeutlicht – erblichen Erkrankung im Colon vorkommen, erlauben keine effektive, praeventive Diagnostik mehr. Bei Bestehen einer Familiären Polyposis ist daher vor dem 20. Lebensjahr eine totale Colek-tomie indiziert. Als 1. Variante kann diese unter Belassung eines Rektumstumpfes und

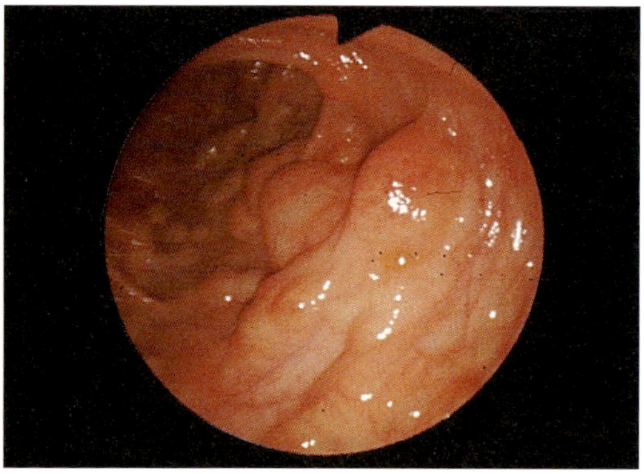

Familiäre Polyposis

endoskopischer Abtragung aller Polypen durchgeführt werden. Der Verlust der Eindickungsfunktion des Dickdarms hat häufige, dünnflüssige Stuhlgänge zur Folge. Absolut gewährleistet und praeoperativ überprüft sein muss daher bei diesem operativen Vorgehen ein intakter, schlussfähiger Analsphinkter. Hierfür ist es unerheblich, ob eine konventionelle Anastomose oder ein Ileo-rektaler Pouch als OP-Technik gewählt wurde.
Aus den genannten Einwänden ergibt sich die Prokto-Colektomie als alternative OP-Methode. Diese bedingt die Anlage einer Ileostomie, wobei zu bemerken ist, dass ein gut angelegtes Ileostoma funktionell und in puncto Lebensqualität einem nicht schlusssicheren Analsphinkter bei ileo-rektaler bzw. ileo-analer Anastomose vorzuziehen ist.
Diese Empfehlung gilt übrigens auch bei entsprechender Anamnese für Patienten mit **Stuhlinkontinenz**, zumal die betroffenen Menschen eine enorm starke psychosoziale Belastung auszuhalten bzw. zu kompensieren haben. Die Stoma-Option wird aber leider nur selten ins Spiel gebracht. Lässt sich ein Stoma dem Patienten zu schlecht „verkaufen“? Erlebt ein Chirurg die Stomaanlage als „Niederlage“, da er dem Patienten kein makelloses Operationsergebnis präsentieren kann? Allzu oft gewinnt man den Eindruck, dass die Anlage eines Stomas um nahezu jeden Preis vermieden werden soll, das Kriterium „Lebensqualität“ aber zu wenig Beachtung findet.

Schließlich stellen die chronisch entzündlichen Darmerkrankungen, der **Morbus Crohn** (👁) und die **Colitis ulcerosa**, in manchen Fällen eine Indikation zur Anlage eines künstlichen Darmausgangs dar. Da beide Erkrankungen bis heute zu den vielen gehören, deren Ursache nicht erklärt ist, muss man sich

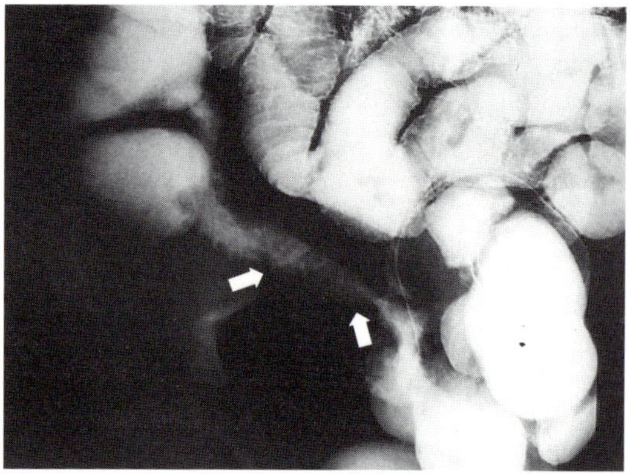

Langstreckig stenosierender Morbus Crohn (s.Pfeile) im terminalen Ileum

auf eine symptomatische Therapie beschränken. Im Erscheinungsbild zeigen diese Krankheitsbilder einige Parallelen, wie die Durchfälle und auch die typische Incidenz im 3. und 4. Lebensjahrzent.
Die **Colitis ulcerosa** ist auf das Colon, und hier histologisch auf Mucosa/Submucosa begrenzt. Typisch sind die blutig-schleimigen Durchfälle, das toxische Megacolon als lebensbedrohliche Komplikation. Zudem gilt die Colitis ulcerosa als Praecancerose.

Der **Morbus Crohn** (früher: Ileitis terminalis) zeigt als besondere Merkmale den möglichen Befall an jeder Stelle des MDT. Besonders häufig befallen sind das Colon und das terminale Ileum, darüber hinaus aber auch extraintestinale Organe wie Haut, Augen, Gelenke. Dies bedeutet in der Konsequenz, dass der Morbus Crohn im Gegensatz zur Colitis ulcerosa durch Proktocolektomie nicht kurativ therapiert werden kann. Histologisch betrachtet, befällt der Morbus Crohn alle Darmwandschichten, was häufig zu Fistelbildungen, z. B. entero-vesikal, entero-vaginal, entero-cutan, führt. Zudem kommt es infolge der Entzündungsschübe sehr häufig zu Stenosierungen in den befallenen Darmabschnitten.

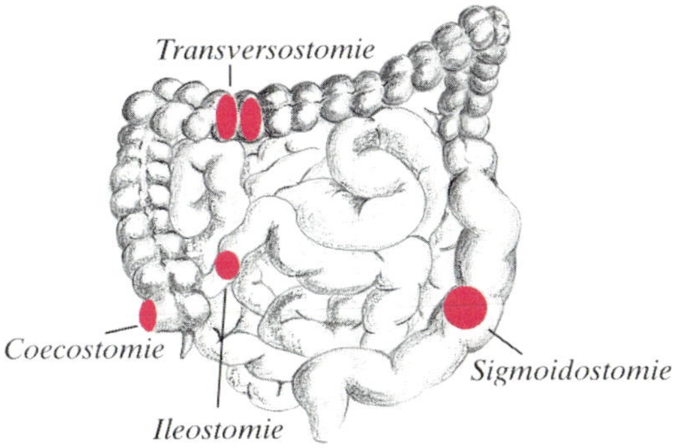

Stomalokolisationen

Für jede der genannten Erkrankungen stellt ein künstlicher Darmausgang einen *Ausweg* dar. Die operativen Möglichkeiten bestimmen dann die Zielsetzungen:

- Die endständige Sigmoidostomie hat kurativen Charakter, wenn ein tiefsitzendes Rektumcarcinom in frühem Stadium entdeckt und durch eine Abdomino-perineale Rektumamputation radikal entfernt wurde.

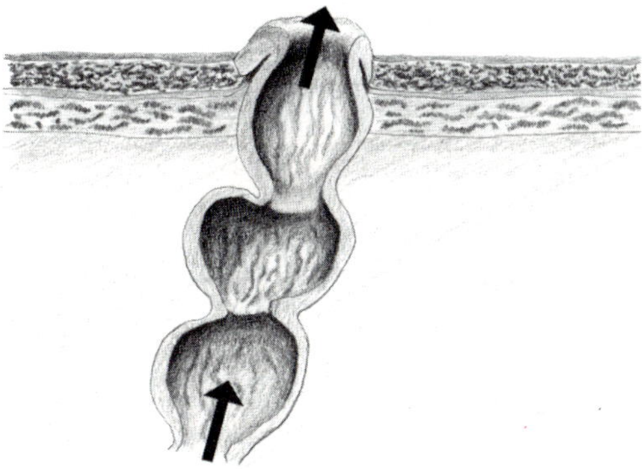

Endständiges Stoma

- Die protektive Stomaanlage (👁 doppelläufig oder endständig mit blind vernähtem aboralem Stumpf nach *Hartmann*) ist ein zeitlich begrenzter Schutz für Anastomosen, bei Fisteln, bei akuten Divertikulitiden, bei hochakuten Schüben der chronisch-entzündlichen Darmerkrankungen.
- Palliativen Charakter haben Stomaanlagen bei inoperablen Tumoren. Hier stellt der Darmausgang tatsächlich den „letzten Ausweg" für den Stuhl dar, der sich sonst aufgrund eines Ileus nach oral stauen

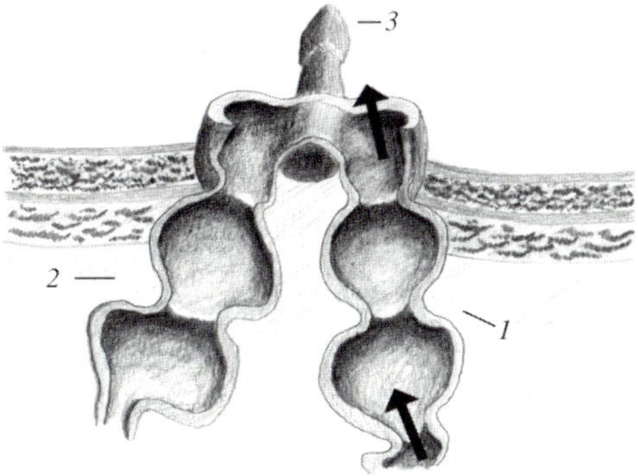

Doppelläufiges Stoma
1 = oraler Schenkel; 2 = aboraler Schenkel; 3 = Reiter

würde und schlimmstenfalls zum Stuhlerbrechen führt. Palliative Stomaanlagen sind in der Regel doppelläufig, wobei der aborale Schenkel zur Drainage des praestenotischen Darmabschnitts erforderlich ist. Bei inoperablen, tief sitzenden Rektumcarcinomen kann u. U. auch eine OP nach Hartmann in Betracht kommen.

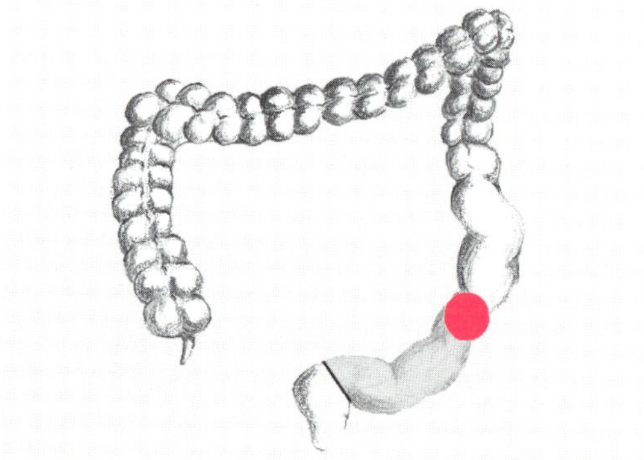

OP nach Hartmann

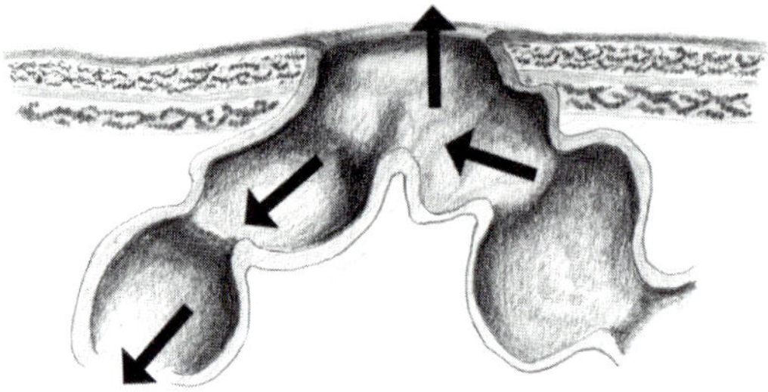

Coecostomie – notfallmäßige Stuhlableitung ohne Blockade der Stuhlpassage

- Die Anlage einer Coecostomie (od. Coecalfistel) muss heute als veraltet betrachtet werden, da sie bei seitlichem Vernähen der Coecalwand in die Bauchdecke den Stuhl nicht vollständig ableitet und auch für die pflegerische Versorgung überaus problematisch ist. (👁)
- Die Proktocolektomie ist bei Patienten mit Familiärer Polyposis sowie Colitis ulcerosa ebenfalls als kurative Therapie zu verstehen. Für diese Heilung muss mit der erforderlichen Ileostomie ein hoher Preis gezahlt werden. Besonders den Patienten mit langer Leidensgeschichte bei chronisch entzündlicher Darmerkrankung ist der Preis im Endeffekt aber nicht zu hoch. Der Gewinn an Lebensqualität ist bei weitem höher einzuschätzen.

Kompetent & prominent

Grundzüge der Stomachirugie

von Dr. Franz Raulf

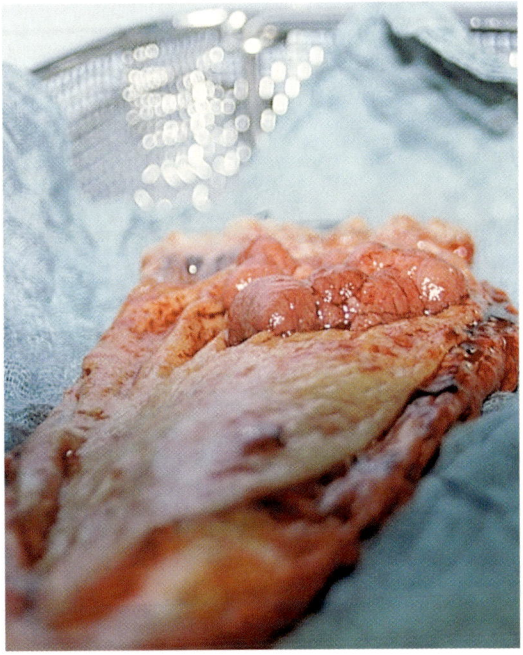

In der Chirurgie erleben wir derzeit einen Wandel der operativen Techniken hin zu weniger invasiven Maßnahmen. Dabei wird – vielleicht dank der Gentechnik – hoffentlich in der Zukunft auch eine Fortentwicklung im Bereich der medikamentösen und sonstigen nicht operativen Therapieformen einsetzen, um Operationen mit ihren besonderen Risiken noch weiter zurückdrängen zu können.

Wir erleben andererseits auch eine Entwicklung hin zu ausgedehnteren Eingriffen mit weiterentwickelten Operationstechniken und weit reichenden Konsequenzen für den Betroffenen, deren erfolgreicher Ausgang mitunter aber das Überleben sichert oder auch die Lebensqualität im Vergleich zu früher durchgeführten Operationsverfahren erheblich verbessert.

Indikationsstellung

Als typisches Beispiel für diese letztgenannte Entwicklung kann die Behandlung des Rektumcarcinoms gelten. Während frühere Chirurgengenerationen die Indikation zur abdomino-perinealen Rektumexstirpation mit permanentem Stoma sehr viel großzügiger gestellt haben, verschieben wir in der Chirurgie heute die Resektionsgrenze am Rektum immer weiter nach distal, bis hin zur Extremform der intersphinktären Proktektomie. Dieses ist unter Wahrung der Radikalität des Eingriffs möglich, nachdem die pathologisch-anatomischen Kriterien für die radikale Tumorexstirpation klar definiert sind. Wir können in Kenntnis dieser Grundbedingungen des Eingriffs eine individualisierte Risikoabschätzung und somit auch eine auf den Einzelfall bezogene Indikationsstellung für oder gegen ein resezierendes Verfahren wählen. Das Ausmaß des distalen Sicherheitsabstandes ist in den letzten Jahren in Anhängigkeit von der Eindringtiefe (T-Stadium) des Tumors eher eingeschränkt worden. Beim T1- und T2-Tumor ist eine Resektion noch sinnvoll, wenn der Tumor nicht in die Beckenbodenmuskulatur eingebrochen ist. Eine komplette Lymphknotendissektion umfasst die totale Exzision des Mesorektums (TME). Hierdurch lässt sich die Rate der Lokalrezidive

erheblich senken. Die Überlebensrate ist in diesbezüglichen Statistiken ebenso hoch wie in anderen Statistiken bei Operationen ohne TME aber mit adjuvanter Radiochemotherapie. Der kleine T1-Tumor (Durchmesser nicht über 2 cm) kann mit kurativem Anspruch lokal exzidiert werden, da das Risiko einer Lymphknotenmetastasierung kleiner ist als das Mortalitätsrisiko bei der Rektumamputation.
Dennoch führt diese individualisierte Indikationsstellung möglicherweise nicht zu einer Abnahme der Häufigkeit von Stomaanlagen. Wenngleich die Früherkennung des colorektalen Carcinoms eindeutig dazu führt, dass frühere Stadien des Rektumcarcinoms zur Behandlung kommen und dabei dann eher die Stomaanlage vermieden werden kann, erleben wir derzeit noch keinen signifikanten statistischen Rückgang des colorektalen Carcinoms. Bei der zunehmenden Alterung der Bevölkerung ist somit davon auszugehen, dass dieser für die höheren Lebensalter typische Tumor in der Gesamtzahl eher noch zunehmen wird.

Wir haben nach wie vor bei den chronisch-entzündlichen Darmkerkrankungen kein griffiges konservatives Therapiekonzept mit dem Anspruch einer dauerhaften Ausheilung der Erkrankungen. Bei der Colitis ulcerosa steht mit dem ileoanalen Pouch ein etabliertes Verfahren zur Vermeidung des permanenten Stomas zur Verfügung. Dennoch gibt es eine Diskrepanz in der Bewertung der Lebensqualität nach einem solchen Eingriff zwischen Betroffenem und operierendem Chirurg. Die Aufklärung vor einer solchen Operation muss dem Patienten nach wie vor auch die Möglichkeit eines Stomas anbieten, da die postoperativ gehäuften Entleerungen mit

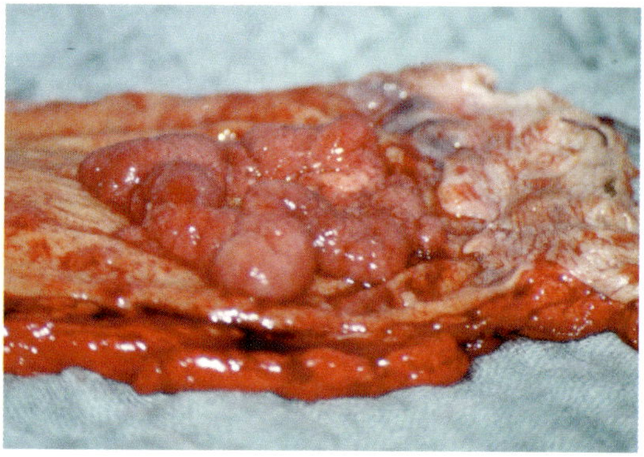

„5-Mark-Stück-großes" Rektumcarcinom praeanal

Kontinenzproblemen verbunden sein können und auch die Pouchitis im Einzelfall eine deutliche Belastung darstellt. Beim Morbus Crohn ergibt sich häufiger die Notwendigkeit einer Stomaanlage. Die etwas saloppe Schätzung der Anzahl der Stomaträger in Deutschland auf etwa 100000 Betroffene ist somit sicherlich nach wie vor möglich und wir können nicht davon ausgehen, dass sich an dieser geschätzten Zahl in den nächsten Jahren etwas Entscheidendes ändert. Im Rahmen der skizzierten Ausweitung operativer Indikationen zu radikaleren Eingriffen ergibt sich dann ebenfalls häufiger die Indikation zur temporären Anlage eines protektiven Stomas. Aufgrund der Fortschritte in der Anästhesie und der Intensivmedizin sind wir heute auch bei älteren Patienten in der Lage, mehrzeitige operative Verfahren zu indizieren und somit das protektive Stoma im individuellen Fall großzügig in das Therapiekonzept mit einzubeziehen. Zur operativen Behandlung der analen Inkontinenz aufgrund von Sphinkterverletzungen nach Entbindungen oder analen Operationen werden beispielsweise zunehmend Sphinkterrekonstruktionen durchgeführt. Bei ausgedehnten Schäden in der

Muskulatur hat die protektive Vorschaltung einer Colostomie einen fest umrissenen Stellenwert.

Zusammenfassend lässt sich für die Indikationsstellung zum Enterostoma somit sagen, dass wir derzeit weniger darauf zielen, die Stomaanlage unter allen Umständen zu vermeiden und die Zahl der Stomaträger in Deutschland somit entscheidend zu reduzieren, als vielmehr darauf, eine höchst individualisierte, auf den Einzelfall in der konkreten Situation bezogene Entscheidung zu treffen. Diese kann sowohl den Typus des Stomas als auch die Anlagetechnik oder den Zeitpunkt des operativen Eingriffes beeinflussen.

Operative Taktik

Im Kapitel *„Input & Output"* sind die Anatomie des Colorektums und der Wandaufbau des Dickdarms beschrieben, und im Kapitel *„Auswege"* werden die typischen Stomata mit ihren Standardindikationen, den Lokalisationen am Ileum und Kolon, mit wichtigen Hinweisen auf die jeweils speziellen operativen Techniken und späteren Versorgungsprobleme dargestellt. Aus chirurgischer Sicht bedürfen diese Kapitel keiner weiteren Ergänzung.

Es soll im Folgenden lediglich auf spezielle Aspekte hingewiesen werden, die sich für den Chirurgen insbesondere vor dem Hintergrund ergeben, dass er bei einer individualisierten Indikationsstellung das Bestreben haben muss, für den einzelnen Patienten mit der Stomaanlage das Optimum an Erfolg zu erreichen. Das Optimum des Erfolges liegt in einer ausreichenden Radikalität bei Tumorerkrankungen mit möglichst dauerhaftem Überleben und gleichzeitig der maximal möglichen Lebensqualität für den Stomaträger, selbst wenn die Stomaanlage nur als temporäre Therapiemaßnahme indiziert ist.

Präoperative Planung

Die praeoperative Planung der Stomaanlage folgt zum einen anatomischen Notwendigkeiten, die sich aus den Gesetzen der radikalen Tumorchirurgie ergeben und zum anderen zunehmend häufiger auch Kosten-/Nutzenanalysen. Diese betreffen insbesondere die Indikation zu temporären Stomata. Der Operateur entscheidet im Einzelfall, ob die angelegte Anastomose ausreichend sicher erscheint oder ob eine vorgeschaltete Enterostomie den besseren Heilungserfolg verspricht. Dabei ist selbstverständlich die Erfahrung und Technik des Operateurs entscheidend. So kann die Empfehlung beispielsweise nicht dahin gehen, grundsätzlich bei jeder tiefen Rektumanastomose eine doppelläufige Ileostomie vorzuschalten. Bei der Entscheidung ist das Risiko des Zweiteingriffs der Stomarückverlagerung zu bedenken, das sich gerade bei älteren Patienten auch quantifizieren lässt.

Bei der komplizierten Divertikulitis, die nicht notfallmäßig operiert wird, ist auch weiterhin eine Indikation zur Anlage einer Diskontinuitätsresektion nach Hartmann (Blindverschluss des aboralen Darmschenkels) zu akzeptieren. Es muss der Entscheidung des Operateurs überlassen bleiben, ob er das Risiko der Anastomosierung bei eingetretener Peritonitis ohne Schutzcolostomie in Kauf nimmt, ob er in dieser Situation mit Vorschaltung einer doppelläufigen Ileostomie anastomosiert oder eben das vielleicht besonders sicher erscheinende OP-Verfahren nach Hartmann bevorzugt.

Vor jedem operativen Eingriff erscheint es unerlässlich, dass der Operateur selbst den Patienten untersucht, um die anatomische Situation im Bereich der Bauchdecken zu beurteilen und zusammen mit dem Stomatherapeuten die Position für das zu erwartende Stoma präzise festzulegen. Auch vor Notfalleingriffen ist es möglich, eine Markierung vorzunehmen, wenngleich der Patient in einer solchen Situation häufig keine unterschiedlichen Körperhaltungen einnehmen kann. Man erkennt aber oft auch im Liegen bei einem solchen Patienten Narben im Bereich der Bauchdecken und kann die Fixpunkte Narbe / Rippenbogen / Spina iliaca festlegen und ein Stoma markieren. Durch die Arbeit der Stomatherapeuten und ihre Kritik an unseren chirurgischen Ergebnissen wissen wir heute sehr genau, dass eine solche praeoperative Planung des Stomas unbedingt von Nöten ist, um Fehlpositionierungen zu vermeiden.

Bei den chronisch-entzündlichen Darmerkrankungen ist die Planung vor dem operativen Eingriff ungleich komplexer als bei malignen Grunderkrankungen. Die Behandlung eines Patienten mit einem Morbus Crohn ist auch für den Chirurgen eine Langzeitbehandlung. Das Konzept der Stomaanlage ergibt sich erst aus der längeren Beobachtung des Krankheitsverlaufes. Zudem betrifft diese Erkrankung häufig junge Menschen, die eine erstaunliche Toleranz gegenüber den mit der Krankheit verbundenen Problemen haben und die somit erst nach vielen Gesprächen und einer längeren intellektuellen Auseinandersetzung mit den Möglichkeiten einer Stomaanlage auf dieses Konzept eingehen können.

Es gibt Befundkonstellationen, die den Chirurgen schon früh an ein Stoma denken lassen, da es hierbei unwahrscheinlich erscheint, dass der Kontinenzapparat auf Dauer erhalten werden kann. Eine solche Situation liegt beispielsweise vor bei einem ausgedehnten analen Fistelsystem in Verbindung mit einer schweren Proktitis Crohn und einer narbig-entzündlichen Stenose im unteren Rektum. Hier könnte man den Krankheitsverlauf u. U. durch eine frühe Stomaanlage abkürzen und einen Gewinn an Lebensqualität erreichen. Diese Sicht der Dinge hat aber zunächst nur der Chirurg und nicht der betroffene Patient. Aufgrund eigener Erfahrungen muss angemerkt werden, dass dann nach einer solchen gemeinsam von Patient und Chirurg durchlittenen Vorbereitungsphase eher eine endständige Colostomie oder Ileostomie als ein doppelläufiges Stoma angelegt werden sollte. Dabei ist beabsichtigt, dass der Patient eine möglichst komplikationsarme Enterostomie erlebt, da man bei einer großen Anzahl der betroffenen Patienten davon ausgehen muss, dass die Stomaanlage für eine längere Zeit erfolgt. Möglicherweise muss auch nach der Rückverlagerung im weiteren Krankheitsverlauf nach Jahren nochmals ein Stoma angelegt werden. Man muss darum in einem solchen Fall entscheiden, ob man nicht die komplikationsträchtige doppelläufige Stomaanlage bewusst zu Gunsten des endständigen Stomas vermeidet. Der größere operative Aufwand bei der Reanastomosierung eines solchen Stomas kann aufgrund des jüngeren Lebensalters der Patienten bewusst in Kauf genommen werden.

Operatives Vorgehen

Das operative Vorgehen sollte sich möglichst exakt nach der praeoperativen Planung sowohl der Indikationsstellung als auch der Stomaposition richten. Diese banale Aussage unterstreicht den Wert einer auf den Einzelfall bezogenen Planung des Eingriffs. Dabei kann es nicht hoch genug eingeschätzt werden, dass der Chirurg selbst den endoskopischen Krankheitsbefund kennen sollte. Die Planung einer tiefen Rektumanastomose ohne vorherige Rektoskopie durch den Chirurgen erscheint nicht glücklich, wenngleich die Tendenz eher dahin geht, dass der Eingriff von Endoskopikern oder Radiologen indiziert wird. Der Vorteil der endoskopischen Befundinspektion durch den Chirurgen liegt in der besseren Einschätzung der Notwendigkeit einer Stomaanlage, die dann dem Patienten schon praeoperativ mitgeteilt wird. Hierdurch wird ein besonderes Vertrauenverhältnis geschaffen.

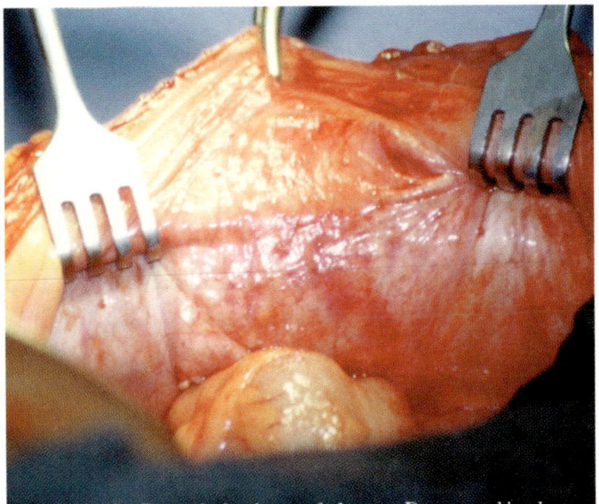

Durch die Bauchdecke geführter Darmzylinder

Die Grundelemente einer korrekten Stomaanlage werden im Kapitel *„Start und Ziel"* hinreichend benannt bzw. sind durch die Analysen von Stomakomplikationen definierbar. Das Problem des adipösen Patienten mit entsprechend fettreichen Bauchdecken bedingt, dass sich Kompromisse in einem solchen Fall sehr nachteilig in einer frühen postoperativen Stomaretraktion äußern können. Eine Fixation des ausgeleiteten Darmschenkels mit resorbierbarem Nahtmaterial an der Durchtrittsstelle des Peritoneums und am Faszienvorderblatt erscheint sinnvoll. Diese Fixation kann aber keinesfalls das Risiko einer unzureichenden Mobilisation des Darmes ausgleichen. Eine sichere Vorbeugung einer Paracolostomiehernie durch diese Maßnahme bzw. durch die weitergehende Fixation des zuführenden Darmschenkels am Peritoneum der seitlichen Bauchwand ist nicht belegt. Der Fasziendurchtritt sollte nicht zu weit gewählt werden. Direkt postoperativ ist ein leichtes Ödem bei ansonsten guter Blutversorgung des Stomas physiologisch.

Die Fixation des Darms an der Haut sollte mit nicht resorbierbarem Nahtmaterial erfolgen. Dabei sollte die Darmwand allschichtig extramucös durchstochen werden und durch die Rückstichnaht mit der Haut ein glatter Schleimhaut-/Hautübergang geschaffen werden. Eine leicht prominente Anlage erscheint unter versorgungstechnischen Gesichtspunkten vorteilhaft. Die Prominenz und auch der Durchmesser nehmen in den ersten postoperativen Monaten ab. Somit empfiehlt es sich, den Darm etwa 1 cm prominent einzunähen. Das nicht resorbierbare Nahtmaterial sollte rechtzeitig entfernt werden, um sternförmige tiefe Einschnürungen am Schleimhaut/Hautübergang zu vermeiden.

Analog zur Nahtfixation des Darms an den Bauchdecken ist anzumerken, dass auch die Verwendung eines sogenannten Reiters beim doppelläufigen Stoma nicht die Spannung kompensieren kann, die sich durch eine unzureichende Mobilisation des Darms ergibt. Die Verwendung eines Reiters erscheint andererseits auch bei ausreichend mobilisiertem Darm angebracht zur sicheren Blockade des Stuhlflusses. Aus Gründen der besseren

Versorgung sollte aber auf die Nahtfixation der Reiter verzichtet werden. Auf diese Weise wird es möglich, die Basisplatte auf der Haut unter dem Reiter anzubringen. Nach adäquater Mobilisierung des Darmes kann auch die Verwendung eines subcutan ausgeleiteten Reiters ausreichend sein. In einem solchen Fall ist die unmittelbare Umgebung des Stomas glatt, so dass ein normales 2-teiliges Versorgungssystem verwendet werden kann. Ein solches doppelläufiges Stoma sollte aber auch bei Einsatz eines subcutanen Reiters prominent angelegt werden.

Selbstverständlich sollte die Hautincision für das Stoma kreisrund gewählt werden. Dies gilt auch für die Anlage eines doppelläufigen Stomas. Das doppelläufige Stoma, das notfallmäßig im Ileus angelegt wird, wird auf dem OP-Tisch eröffnet. Es erscheint wenig sinnvoll, den Ileuszustand zu verlängern und das Stoma erst am darauf folgenden Tag mit dem elektrischen Messer zu eröffnen. Die primäre Eröffnung bietet zudem den Vorteil, dass das Stoma anschließend selbstverständlich genauso sorgfältig wie das endständig angelegte an

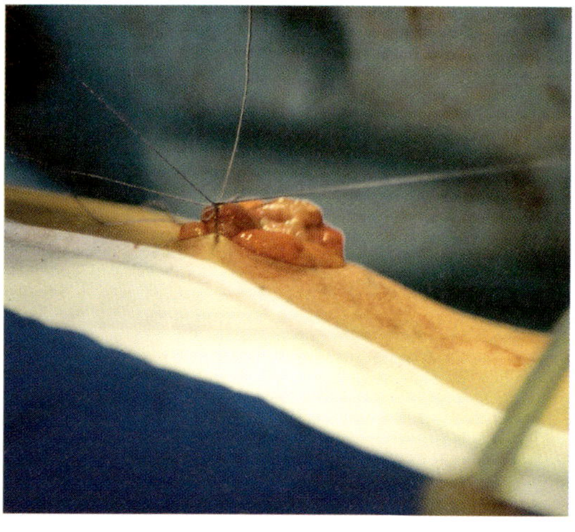

der Haut fixiert wird und ein glatter Schleimhaut-/Hautübergang erreicht wird.
Vielfach erfolgt 10 bis 14 Tage postoperativ mit dem elektrischen Messer eine Durchtrennung der Hinterwand des Darmes auf dem noch liegenden Reiter. Hierbei wird dann der Reiter entfernt. Die Rationale dieses Vorgehens soll die bessere Blockade des vorverlagerten Darmes sein. Das Vorgehen erscheint völlig überflüssig. Es traumatisiert den Patienten und erschwert die anatomische Situation für die spätere Rückverlagerung.

Die **laparoskopische** Anlage eines doppelläufigen Stomas kann vorteilhaft sein. Insbesondere beim adipösen Patienten lässt sich durch dieses Vorgehen eine ausreichende Mobilisation des Sigmas erreichen. Andererseits gelingt beim schlanken Patienten die Vorverlagerung häufig durch die zirkuläre Stomaöffnung, so dass in diesem Fall die zwei zusätzlichen Trokarincisionen überflüssig sind. So wird der Begriff des *minimal-invasiven* Vorgehens eigentlich überstrapaziert.

Für das Ileostoma gelten analoge Operationsprinzipien. Es ist immer eine besonders prominente Anlagetechnik anzustreben. Ein nicht prominent angelegtes Ileostoma wird mitunter gutachterlich als Kunstfehler bewertet. Auch bei der doppelläufigen protektiven Ileostomie ist es möglich, den zuführenden Schenkel des Stomas prominent anzulegen. Die Verwendung eines 2-teiligen Versorgungssystems bzw. eines Beutels mit „Fenster“ erleichtert auch hier die Inspektion und ggf. die Palpation des Stomas in der frühen postoperativen Phase. Dies erscheint zur Beurteilung der Durchblutungsverhältnisse wichtig und ist bei einer problematischen Stomaanlage sogar von ganz erheblicher Bedeutung.

Start und Ziel

Orientierung und Perspektiven für die Pflege

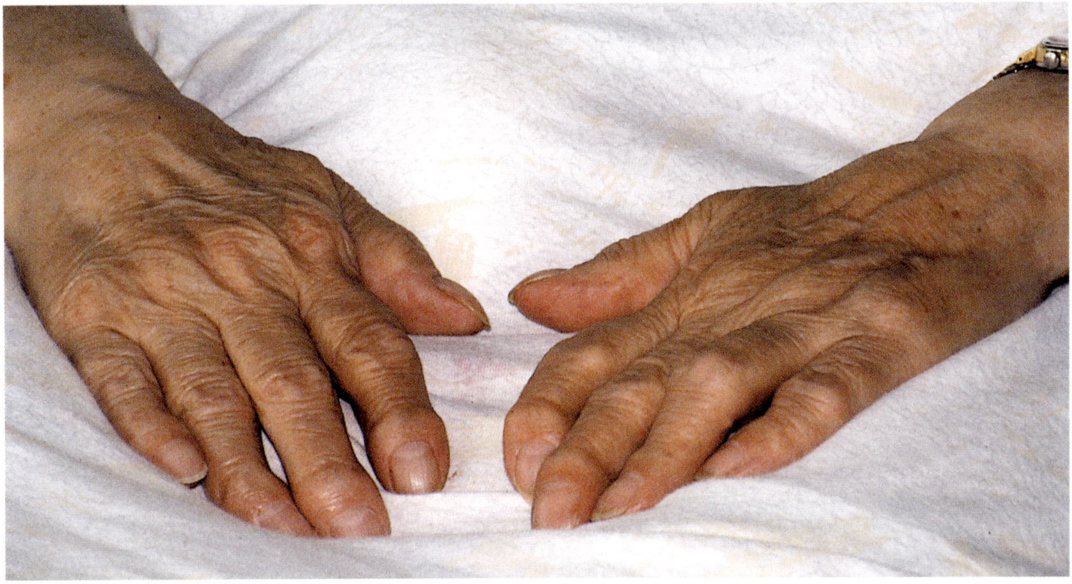

Der Mensch, der aus seiner ganz einzigartigen, persönlichen Lebenssituation heraus zum Stomapatienten wird, erlebt enormen Stress. Alle Ebenen des Menschseins werden stark berührt und Belastungsproben ausgesetzt. Gravierende Einschnitte in das Körperbild, die Auseinandersetzung mit der Grunderkrankung und den Konsequenzen im sozialen Umfeld stellen eine Extremsituation für den betroffenen Menschen dar.

„*Was gab es Erniedrigenderes als diese herabgelassenen Hosen, diese hingekauerte Haltung, diese erzwungene hässliche Nacktheit? Was Hilfloseres und Demütigenderes als den Zwang, das peinliche Geschäft vor den Augen der Welt zu verrichten? Notdurft! Allein ihr Name verriet das Gequälte. Und wie alles, was man unter unabweisbarem Zwang tun musste, erheischte sie, um überhaupt erträglich zu sein, die radikale Abwesenheit anderer Menschen ...*“, so skizziert Patrick Süßkind in seiner Erzählung *Die Taube* die Situation eines Obdachlosen – verblüffende gedankliche Assoziationen zur Situation von Stomapatienten.

Für die Pflegenden gilt es nun, konzeptionelle Fragen zu überdenken, ausgehend von der ärztlichen Entscheidung für die Stomaanlage über viele kleine Schritte bis hin zur Re-Integration des Betroffenen in seinen Alltag.

An dieser Stelle sei es erlaubt, die Beratungsfunktion der qualifizierten Pflege zu betonen. Pflegende sind in aller Regel näher „am Puls des Patienten". Diese Vertrauensbasis gibt dem betroffenen Patienten den Raum, Fragen ins Gespräch zu bringen, die durchaus auch ärztliche Entscheidungskompetenz berühren. Pflegende mit entsprechender Weiterbildung sollten sehr wohl in der Lage sein, mit Kompetenz, Augenmaß und Sensibilität auf solche Fragen zu reagieren. Dies schließt nicht aus, im Einzelfall auch einmal zur Stomaanlage „zu raten", auch wenn der Patient von ärztlicher Seite vorher anders beraten wurde. Ich denke besonders an Patienten, deren Lebensqualität durch ihre Krankheit im Alltag gravierend eingeschränkt wurde, wie z. B. bei Stuhlinkontinenz oder Colitis ulcerosa. Die Lebensqualität ist der entscheidende Gradmesser und darf in den Beratungsgesprächen nicht einfach ausgespart werden!

Die Einweisung in eine Klinik geschieht meist nach Konsultation des Hausarztes. Die Krankheitsvorgeschichte kann sehr unterschiedliche Merkmale aufweisen – dieser Charakteristik ist in der weiteren Betreuung Rechnung zu tragen. Relativ symptomarmen, zuweilen sogar symptomfreien Anamnesen (z. B. Zufallsbefunde bei Gesundheitsvorsorge und Routine-Checks) stehen extrem schmerzvoll und belastend erlebte Jahre von PatientInnen mit Morbus Crohn oder Colitis ulcerosa gegenüber. Ein entsprechender Leidensdruck erhöht verständlicherweise die Akzeptanz für die „Notlösung" Stoma, bedeutet bei einer erheblich jüngeren Patientengruppe aber auch eine völlig andere psychosoziale Ausgangssituation.
Daher ist die gründliche Information der Helfenden über ihre Patienten sehr wichtig. Wer nicht weiß, worum es geht, verliert die Orientierung und auch eine klare Perspektive. Notwendige Informationshilfen sind das Gespräch mit dem Arzt sowie ein Blick in die Krankenakte. Die Eigeninformation sollte vor dem Erstkontakt mit dem Patienten möglichst lückenlos sein. Sie verschafft dem Pflegenden den nötigen Background für das Gespräch mit dem Patienten.

Das Erstgespräch dient der Kontaktaufnahme und sollte in ruhiger Atmosphäre stattfinden. Das Gespräch ermöglicht es, eine Beziehungsebene auf einer Vertrauensbasis zu schaffen, die das Fundament aller weiteren Bemühungen darstellt. Wichtige Informationen können ausgetauscht werden, wie z. B. die Frage nach bekannten Allergien oder auch die „Übersetzung" ärztlicher Erklärungen, welche oft genug für den Laien unverständlich oder auch unter zu großem Zeitdruck vermittelt werden.
Information schafft Sicherheit und ermöglicht Perspektiven. Desinformation hingegen verunsichert und führt zu Hilflosigkeit und Resignation! Darüber hinaus ist echtes Teamwork unter den Betreuenden gefragt. Der Patient registriert in seiner Krisensituation sehr genau, ob die Atmosphäre stimmt oder die eine Hand nicht weiß, was die andere tut. Und natürlich spürt er später auch genau, wer die Stomaversorgung gerne und selbstverständlich übernimmt und wer sie am Liebsten meidet.

Nach der OP sollte mit dem Operateur ein Austausch über die durchgeführte Operation erfolgen, denn das operative Vorgehen hat – so oder so – immer bestimmte Konsequenzen für die Pflege.

Folgende Fragen sind zu klären:

- Was für ein Stoma ist angelegt worden?
- Wie viel Darm wurde reseziert?
- Welche Stuhlkonsistenz ist folglich zu erwarten?
- Welche medizinische Prognose hat der Patient?
- Hat die Stomaanlage kurativen oder palliativen Charakter?
- Sind bereits Metastasen vorhanden? Wenn ja, wo?
- Sind postoperativ Therapien (Chemo/Radio) geplant?
- Ist bei der OP die Stomamarkierung berücksichtigt worden?
- Ist das Stoma spannungsfrei, prominent und rund angelegt?

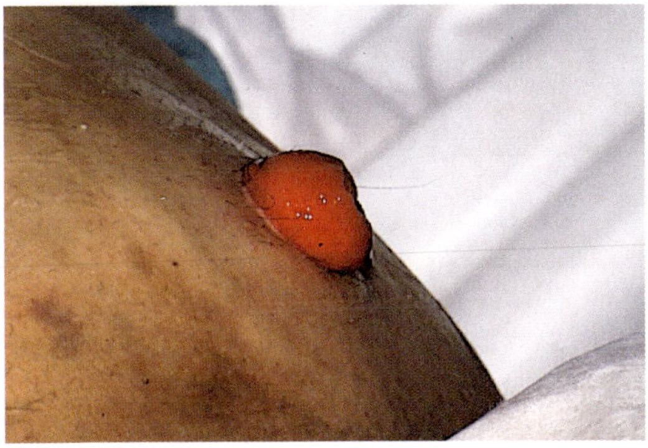

Hervorragend: prominentes, entspanntes Sigmastoma!

Natürlich ist es empfehlenswert, die Antworten auf diese oder ähnliche, für die Pflege und Betreuung relevanten Fragen zu dokumentieren. Hierfür ist es vielleicht hilfreich, ein zusätzlich beigefügtes Doku-Blatt zu nutzen.
Während ein nicht prominentes Ileostoma offen als Kunstfehler gehandelt wird, muss auch eine ausreichende Prominenz für die Colostomie gefordert werden. Manche Chirurgen bevorzugen die Stomaanlage in Hautniveau und „verkaufen" sie ihren Patienten mit der Bemerkung: „Das sieht man dann nicht so..." Sie übersehen in dieser *Eleganz des Augenblicks* die versorgungstechnische Tragweite ihres Handelns, denn der Patient muss sein Stoma möglichst über Jahre versorgen, d. h. auch sehen und sicher abdichten können. Dies ist bei prominenter Stomaanlage ungleich einfacher.

Ein Stoma spannungsfrei anzulegen, ist nicht in jedem Fall möglich, weil dies auch abhängig vom Ernährungszustand des Patienten ist. Operationstechnisch betrachtet, tanzt der Chirurg auf einem schmalen Grat: zum einen muss er das Mesenterium/Mesocolon weit genug mobilisieren, um das Stoma spannungsfrei einnähen zu können, auf der anderen Seite muss er durch seine Schnittführung und Nahttechnik sicherstellen, dass die Gefäßversorgung des mobilisierten Darmstücks gewährleistet bleibt.
Im Bemühen um eine pflegefreundliche Stomaanlage unterstreicht der Chirurg die Bedeutung seiner Arbeit für die Versorgung des Stomas und die Lebensqualität seines Patienten. (👁)
In diesem Zusammenhang ist es auch nicht unerheblich, darauf hinzuweisen, dass ein rund angelegtes Stoma dem Patienten die spätere Versorgung seines Stomas erleichtert, da runde, industriell vorgestanzte Öffnungen für die Beutel und Basisplatten bei allen Versorgungsmittelfirmen zur Verfügung stehen.

Nach der OP wird das Stoma primär zur Pflegesache. Das beweist nicht zuletzt die bekannte Tatsache, dass die meisten Hausärzte das Stoma ihrer Patienten nie gesehen haben.

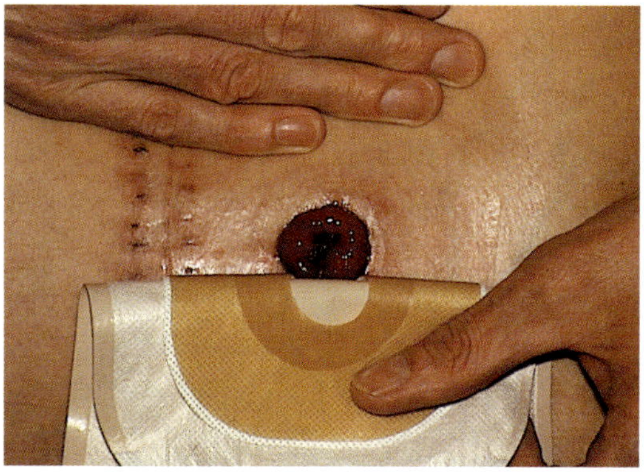

Prominente, kreisrunde Colostomie – ideal mit 1-teiligem Beutel (vorgestanzte Öffnung) zu versorgen (hier : Integrale Elite®, B.Braun-Medicare)

Für die Pflege ist das übergeordnete Ziel die **Rehabilitation** und Rehabilitation beginnt bekanntermaßen – spätestens – sofort!
Unter diesem Leitgedanken lassen sich nun einige markante pflegerische Ziele herauskristallisieren:

- Psychische Stabilisierung durch Begleitung von Anfang an
- Schutz der peristomalen Haut durch eine sicher abdichtende Versorgung
- Förderung der Selbstständigkeit des Patienten, auch durch Auswahl einer für ihn umsetzbaren Versorgung
- Vorbereitung auf den Alltag – praktische und informative Hilfen in Klinik und häuslichem Bereich.

Diesen Leitlinien folgen die speziellen Aufgabenstellungen für die prae-und postoperative Phase, wie sie in den folgenden Kapiteln behandelt werden...

Von Anfang an

Aspekte praeoperativer Betreuung

Die prae-operative Phase der Patientenbetreuung wird auf der einen Seite geprägt von „technischen Vorbereitungen" des Patienten auf die OP. Vorbereitende Untersuchungen, die Darmreinigung und die Rasur des OP-Gebietes sind ebenso erforderlich wie ein Gespräch mit dem Anaesthesisten.
Auf der anderen Seite kommt der Kommunikation mit dem Patienten eine besonders wichtige Bedeutung zu.
Gespräche haben zum Teil informellen Charakter, sie können Orientierungshilfen vermitteln. Ebenso bieten sie immer eine Chance, dem Patienten das geben zu können, was er in seiner Krisensituation am Dringendsten braucht:
Begleitung von Anfang an!

Bei Stomapatienten ist neben den erwähnten OP-Vorbereitungen eine weitere Maßnahme zwingend erforderlich: die Stomamarkierung.

Das Gespräch

„... und wie wohl tut ein Wort zur rechten Zeit!" (Sprüche Salomos 15,23)

Voraussetzungen und Vorbereitungen

Das Gespräch ist ein wesentlicher, ja elementarer Bestandteil im Aufgabenspektrum der Pflege. Es ist kein starres Element, sondern von vielen Faktoren abhängig - so stehen wir immer wieder vor neuen Situationen und Herausforderungen.
Gleichwohl sollte das Gespräch mit dem Stomapatienten – und hier insbesondere das Erstkontaktgespräch – gut vorbereitet sein:

- der Patient sollte vorher aufgeklärt sein über seine Grunderkrankung und die Indikation zur (möglichen) Stomaanlage
- die äußeren Bedingungen sollten stimmen (ruhige Atmosphäre, geeigneter Zeitpunkt).

Der Patient spürt in seiner Krisensituation sehr gut, ob sein Gegenüber „frei" und ganz

für ihn da ist oder unter Zeitdruck steht.
Die Pflegenden sollten für die Gespräche mit ihren Patienten gerüstet sein - schon für den Erstkontakt ist es unerlässlich, über ein paar Dinge klar im Bilde zu sein, die im Vorkapitel bereits angesprochen wurden (OP-Indikation, Prognose, Infostand).
Gute Information über die Patienten ermöglicht erst wirklich individuelle Betreuung und Versorgung, wie auch fachlich qualifizierte Anleitung und Beratung.

„Sorge im Herzen bedrückt den Menschen, aber ein freundliches Wort erfreut ihn!"
(Sprüche Salomos 12,25)

Wozu dienen Gespräche ?
Das Gespräch hat grundsätzliche, aber auch eine sehr vielschichtige Bedeutung in der Krankenpflege. Auf die Betreuung von Stomapatienten bezogen, stehen folgende Aspekte im Vordergrund ...

Informationen erfassen
Informationen sind Voraussetzung für sensitive und ebenso kompetente Betreuung. So kann eine Information wie z. B. über die bekannte Pflasterallergie eines Patienten nicht nur die Auswahl der Versorgungsprodukte beeinflussen, sondern auch unnötige Beschwerden/Schmerzen verhindern – eben dadurch, dass auf Pflasterränder verzichtet wird, auf Pflaster überhaupt und schon gar auf das „braune" (👁)
Durchaus wichtig kann es sein, zu erfahren, dass der Ehepartner einer älteren Patientin vor 3 Jahren an inoperablem Colon-Ca gestorben ist und auch ein 33-jähriger Enkel vor 2 Jahren an Darmkrebs erkrankte. Dieser konnte kontinenzerhaltend operiert werden, litt dann allerdings sehr unter einer sich anschließenden Chemotherapie. Durch solche Informationen werden Ängste und depressive Stimmung der Patientin noch verständlicher!
Ein anderer, 45-jähriger Patient arbeitet in einer Großküche und äußert Bedenken, diese Tätigkeit als Stomaträger möglicherweise aus hygienischen Gründen nicht mehr ausüben zu können. Erst vor 5 Jahren hat der Patient gebaut, muss daher natürlich noch fleißig abbezahlen...
Solche oder ähnliche Informationen können nicht erfragt, sondern wollen wirklich gewonnen werden, d. h.: ich muss zuhören, sensibel dafür werden, was der Patient mir mitteilen will, was ihn im Ganzen ausmacht.
Fragen an den Patienten haben hierbei eher beiläufigen Charakter, sollen ihn nie in die Rolle eines Interviewpartners bringen, dürfen ihn nicht bedrängen.

Informieren und Vorbereiten
Schon im Gespräch vor der OP ist es u. U. angezeigt, dem Patienten bestimmte Informationen zu vermitteln, z. B. die Möglichkeiten der Versorgung eines Stomas. Bei der

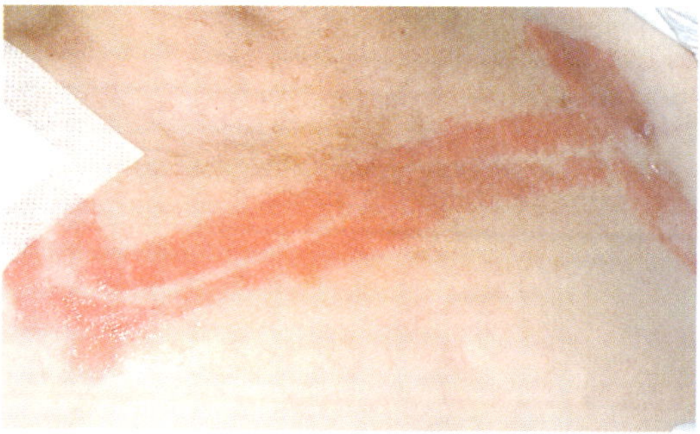

„Negativ-Abdruck" von braunem Pflaster (Zinkoxyd-Klebefläche) – die bekannte Pflasterallergie war in der (Pflege-)Anamnese nicht erfasst!

Vermittlung von Informationen hängt vieles davon ab, was der Patient wissen will, wonach er fragt.

Eine Hilfe kann hierbei sein, dem Patienten nach einem ersten Gespräch eine Informationsbroschüre an die Hand zu geben (werden von fast allen Firmen, die Versorgungsmittel vertreiben, kostenlos zur Verfügung gestellt!), die er sich in Ruhe durchlesen kann, um dann später auf einzelne Punkte zurückzukommen.

Informationsweitergabe ist ein Prozess, kein zeitlich eingegrenzter Vorgang. Sie umfasst z. B.:

- prae-operative Vorbereitungsmaßnahmen wie die orthograde Darmspülung, die Stomamarkierung
- die Möglichkeit der post-operativen Betreuung auf einer Intensiv-Station
- post-OP spezifische Problemfelder wie Miktions- oder auch Potenzstörungen
- Hinweise auf Selbsthilfegruppen wie die ILCO oder die DCCV, auf Wunsch auch Vermittlung von Besucherdiensten.

Ob und wann welche Information weitergegeben wird, ist von verschiedenen Fragestellungen abhängig :

- ist sie zwingend notwendig?
- was können wir dem Patienten aktuell zumuten?
- woran ist er interessiert?
- was können wir wirklich fundiert beantworten?

„Wer wahrhaftig ist, der sagt offen, was recht ist, aber ein falscher Zeuge betrügt."
(Sprüche Salomos 12,17)

Hilfen im Umgang mit der Angst und der Wahrheit

Zwangsläufig sind wir bei Stomapatienten, die zumeist die Krebsdiagnose als Grund für die Stomaanlage vor Augen haben, mit dem Phänomen ***Angst*** konfrontiert. Angst kann sich konkret darstellen als Angst vor OP und Narkose, vor Krebs, dem Stoma, dem Sterben, Angst vor „der Wahrheit" ...

Im Umgang mit Ängsten unserer Patienten ist es unsinnig, ihnen klarmachen zu wollen, sie „bräuchten keine Angst zu haben." Die Angst ist nun mal da! Und wenn man sagt: "Aber nein doch, Sie werden nicht sterben...", dann lässt man den Kranken umso mehr allein.

Angst will verstanden sein, braucht Ohren, die zuhören. Sicher gibt es keine Patentrezepte für den Umgang mit angsterfüllten Patienten. Die Angst ernst zu nehmen, sich Zeit zu lassen, aber auch Zuwendung in jeder Form, wie z. B. Hand halten, Streicheln, je nach Bedürfnis des Patienten, kann sehr wohl tun und helfen, Angst abzubauen.

Wahrheit ist meist ein Komplex von Informationen, die der Patient in der Regel nicht auf einen Schlag verdauen kann. Die Vermittlung der Wahrheit ist als Wegstrecke mit vielen Stationen zu betrachten, wobei der Arzt selbstverständlich die primäre Aufklärungspflicht hat.

Für uns Pflegende ist die Gesprächssituation sehr oft konfliktbeladen, wenn der verantwortliche Arzt den Patienten entweder überhaupt nicht oder ohne das notwendige Fingerspitzengefühl aufgeklärt hat. Sicherlich ist es belastend, „Hiobsbotschaften" zu überbringen. Lüge hingegen belastet alle an Therapie und Pflege Beteiligten, erschwert die Kommunikation und isoliert am Ende den Patienten. Verantwortungsbewusst mit der

Wahrheit umzugehen bedeutet aber auch, dem Patienten nicht die Hoffnung zu rauben, die er noch hat. Am Ende spürt er selbst am besten, wie es um ihn steht und so ist es nicht nur einfühlsamer, sondern auch sinnvoller, die schließlich unvermeidliche Wahrheit wie einen „Mantel zum Hineinschlüpfen" hinzuhalten als sie ihm wie einen nassen Lappen um die Ohren zu hauen.

Eine ehrliche Aufklärung gibt dem Patienten letzten Endes die Chance ...

- die ihm verbleibende Zeit bewusster zu leben, sie sinnvoller zu planen,
- seine Familie vorzubereiten, seine Geschäfte ordnen zu können,
- sich mit Sinnfragen des Lebens und Sterbens auseinandersetzen zu können. Ist der Patient nicht der Betrogene, wenn unaufrichtig mit ihm gesprochen wird?

Die persönliche Einstimmung auf solche „Krisengespräche" spielt keine unwesentliche Rolle :

- Fällt es mir (allzu) leicht, über „die Wahrheit" zu sprechen?
- Welches sind meine Motive und Ziele, wenn ich mich für die Wahrheit entscheide?
- Rede ich auf den Patienten ein, oder ermutige ich ihn behutsam, sich in Worten auszudrücken?

Auf viele dieser Fragen gibt es keine patentierten Antworten, aber auch diese Frage muss erlaubt sein: Was wird aus dem Vertrauen, das Patienten uns entgegenbringen, wenn sie erfahren oder spüren, dass sie belogen werden? Kann nicht Enttäuschung zu Misstrauen, Bitterkeit und Selbstisolation führen?

Wahrhaftig und glaubwürdig zu sein bedeutet nicht unbedingt, in direkter Weise reden zu müssen. Vielmehr ist es auch ein Weg, wenn man unrealistische (Wunsch-)Vorstellungen des Patienten nicht bestätigt oder verstärkt.

Begleiten

Einen Menschen in Not zu begleiten, umfasst mehr als tiefgehende Gespräche. Es geht darum, sich zu dem Patienten zu gesellen, damit er spürt, dass wir ihm nahe sind. Solche Begleitung erfordert keinen großen Zeitaufwand. Die alltäglichen Routine-Begegnungen in der Pflege bieten dazu ausreichend Gelegenheit. Was Begleitung erfordert, ist die Bereitschaft zur Solidarität mit dem kranken Menschen, Aufmerksamkeit für seine Probleme und vor allem für das, was ihn gefühlsmäßig beschäftigt.

Im musikalischen Bereich bedeutet **Begleitung**, *die zweite Partie zu spielen: ohne eine eigene Melodie zu spielen, unterstützen ein oder mehrere Instrumente den Solisten, damit* ***seine*** *Melodie besser zur Geltung kommt.* (Lexikon)

Das ist eine ausgezeichnete Umschreibung dessen, was Begleitung in den helfenden Berufen sein sollte. Denn wenn ein Begleiter – erfüllt von den besten Absichten – während der Begleitung statt der zweiten Partie dauernd die erste Geige spielen will, dann hört er auf, ein guter Begleiter zu sein. Es ist seine Aufgabe, die zweite Partie zu spielen und die Geduld aufzubringen, den Kranken so zu bejahen, wie er ist.

Über manchen meiner Gedanken zum Patientengespräch sind schon dicke Bücher geschrieben worden, und so könnte auch ich noch von ungezählten Begegnungen und Gesprächen berichten, die mich mit Patienten verbinden, mich ihnen näher gebracht, sie mir verständlicher gemacht haben. Meine Arbeit lebt von diesen Erlebnissen und fordert immer wieder neu eine aktive innere und praktische Auseinandersetzung. Zu groß ist die Bedeutung des Gesprächs in den helfenden Berufen, als dass wir uns dieser Herausforderung entziehen könnten.

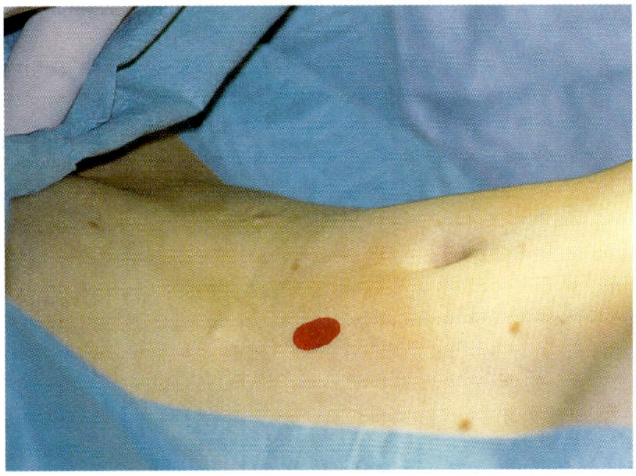

Grenzlinien für die Stomamarkierung – Leiste, Bauchnabel, M. rectus abdominis, Rippenbögen.

Die Stomamarkierung

Die Bedeutung der prae-operativen Kennzeichnung einer geeigneten Lokalisation für die Stomaanlage auf der Bauchdecke des Patienten kann nicht genügend hervorgehoben werden. Warum ist das so?

Entscheidende Leitlinie für die chirurgische Arbeit muss die spätere (Selbst-)Versorgung des Patienten sein. Die Kriterien für die Auswahl einer „passenden" Stelle können aber nicht mehr ausreichend beurteilt werden, liegt der Patient erst einmal auf dem OP-Tisch. Die hier vorgegebene flache Lagerung, phasenweise sogar „Flitzebogen-Überstrecklagerung", gaukelt dem Operateur ein unkompliziertes, womöglich spiegelglattes Bauchdeckenrelief vor – die Realität bietet oft ein völlig anderes Bild. Für die Wahl der Stomalokalisation sind folgende Aspekte von Bedeutung:

- Die Beurteilung der Bauchdeckenverhältnisse sollte in den verschiedenen Positionen des täglichen Lebens vorgenommen werden. Im Liegen sind die Konturen der Bauchdecke relativ unkompliziert – diese Position dient nur zur Orientierung an den Rändern des M. rectus abdominis Stehen und vor allem Sitzen und Bücken – das sind die Positionen, in denen die Bauchdecke ihr „wahres Gesicht" zeigt, hier wird auch die Stomaversorgung den höchsten Belastungsproben ausgesetzt!
- Die Markierung sollte idealerweise im Team vorgenommen werden: Patient + Pflegende + Operateur. Der Patient selbst kann manche Kriterien besser einschätzen, sollte daher konkret miteinbezogen werden. Die Pflegenden beachten auf dem Hintergrund der Pflegeanamnese sicherlich am besten die versorgungsrelevanten Aspekte der Stomalokalisation. Der Operateur wird mehr Einsicht und Verständnis für die markierte Stelle haben, wenn er an der Entscheidungsfindung beteiligt war.
- Die Markierung sollte in aller Ruhe, vielleicht zu einem vereinbarten Termin, vorgenommen werden.
- Als vertikale Grenzlinien sind die Ränder des Musculus rectus abdominis zu beachten. Der Muskel kann am liegenden, auf die Ellenbogen gestützten Patienten in der Regel gut ertastet werden. Er bietet für das Stoma einen strafferen „Rahmen" und somit bessere Hernienprophylaxe als dies früher die Flankenmuskulatur für die berühmt-berüchtigten „Seitenausgänge" konnte.
- Ein weiteres wichtiges Kriterium ist es, das Stoma für den Patienten möglichst

sichtbar zu platzieren – hierdurch werden günstigere rehabilitative Voraussetzungen für die Selbstversorgung des Patienten geschaffen. Zweifellos sind aber gerade diesem Markierungs-Ziel durch zu wohlgenährte Bauchdecken immer wieder Grenzen gesetzt.

- Das Stoma sollte möglichst weiten Abstand zu Bauchnabel, Narben, Falten und Knochenkanten haben (Beckenkamm, Rippenbögen).
- Unbedingt berücksichtigt werden müssen die Gürtellinie und somit auch die Kleidungsgewohnheiten des Patienten. Die Anforderungen an die „ideale Stelle" relativieren sich dann manchmal, wenn ein Mann z. B. immer weite Hosen mit Hosenträgern trägt oder eine Frau gerne weitgeschnittene Kleider.
- Die erwähnte Idealposition wird – so viel sei verraten – nur selten gefunden. Schließlich sind Modellbäuche ebenso selten und ältere, oft voroperierte und narbenverzierte Bauchdecken bieten halt ein anderes Panorama. So ist die Suche nach einer geeigneten Stomalokalisation meist eine Suche nach einer akzeptablen Kompromisslösung.
- Manchmal ist das operative Vorgehen noch unklar. Die Entscheidung ergibt sich dann erst nach Eröffnung der Bauchdecke. Für solche Fälle empfiehlt es sich, Alternativmarkierungen zu setzen, z. B. sowohl im rechten Oberbauch für eine doppelläufige Transversostomie bei palliativem Vorgehen als auch im linken Unterbauch für ein endständiges Sigmastoma.
- Angezeichnet wird die Markierung mit wasserfestem Stift und evtl. – je nach Situation und psychischer Stabilität des Patienten – mit Hilfe eines Versorgungsbeutels, der zum Zweck der Simulation bei den verschiedenen Bewegungsmustern auf die Haut geklebt wird.

The days after

Aufgaben in der post-operativen Phase

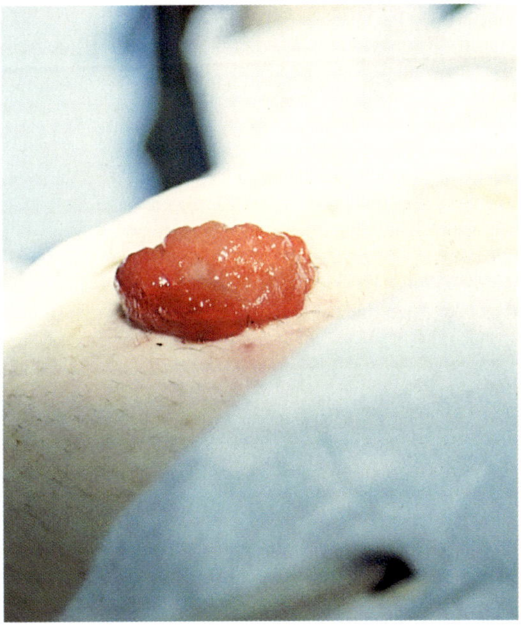

Die ersten Tage nach der Operation verbringt der Patient in aller Regel auf einer Intensivstation. Folgende Punkte sind neben der seelischen Verfassung des Patienten im Rahmen der Krankenbeobachtung besonders zu beachten:

- die oedematöse Anschwellung des Stomas
- die Durchblutung des Stomas
- die Kontrolle der Ausscheidungen
- die Dichtigkeit der Stomaversorgung
- die Beobachtung der peristomalen Haut

Das Stomaoedem

Eine postoperative Anschwellung des Stomas im Sinne eines submucösen Oedems ist als völlig normal zu werten. Ursachen hierfür sind das Manipulieren am Darm sowie das Einnähen der Stomaränder in die Haut. Wichtig für die Verlaufsbeobachtung ist es, dass sich ein solches Oedem zurückbildet.

Ist das nicht der Fall oder nimmt die Schwellung möglicherweise sogar zu, so können andere Faktoren dafür verantwortlich sein:

- bei Reiterversorgungen steht der Reiter vielleicht zu stark unter Spannung – das Problem erledigt sich, wenn der Reiter rechtzeitig gezogen wird (10.-12. Tag).
- zu enge Einzelknopfnähte – auch hier entspannt sich die Lage nach zeitgerechter Entfernung der Fäden.
- die Bauchdeckenöffnung kann zu eng sein – dann handelt es sich um ein Stauungsoedem, welches auch entstehen kann ...
- ...durch Zunahme des intraabdominellen Drucks z. B. bei inoperablen Tumoren.

Durch gute Krankenbeobachtung erkennen Pflegende frühzeitig den Verlauf sowie die Entwicklung eines Oedems und handeln entsprechend. Bildet sich ein Oedem nicht wie erwartet zurück, ist der behandelnde Arzt unverzüglich zu informieren.

Die Durchblutung

In den ersten post-operativen Tagen ist darauf zu achten, dass das Stoma ausreichend durchblutet ist (s. a. transparenter Beutel!).

Die Farbe der Schleimhaut ist in der Regel Indiz dafür, ob die Durchblutung gut ist oder gestört. Dunkelrote bis schwarze Färbung kann allerdings auch infolge einer *Melanosis coli* bei jahrelangem Laxantien-Abusus

vorkommen – hier hilft die Anamnese, den Befund zu differenzieren.
Gräulich-schmierige Beläge sprechen allerdings eine andere Sprache: es handelt sich um nekrotisches Gewebe. Wird dies festgestellt, ist der Arzt sofort zu informieren, der darüber zu urteilen hat, ob die Nekrose oberflächlich auf die Schleimhaut begrenzt oder als Totalnekrose einzustufen ist. Ein solche Entscheidung kann nicht unbedingt ad hoc erfolgen. Bei verdächtigem Befund ist es daher umso wichtiger, das Stoma engmaschig zu beurteilen (sinkt es unter Hautniveau ab?). Wenn sich der Verdacht auf Totalnekrose bestätigt, kommt nur eine Stomaneuanlage mit Relaparatomie in Frage.
Handelt es sich hingegen um oberflächliche Schleimhautnekrosen, so heben sich diese mit der Zeit ab – das kann durch Adhäsivpuder (*Convatec*) forciert werden, hat aber lediglich kosmetischen Effekt.

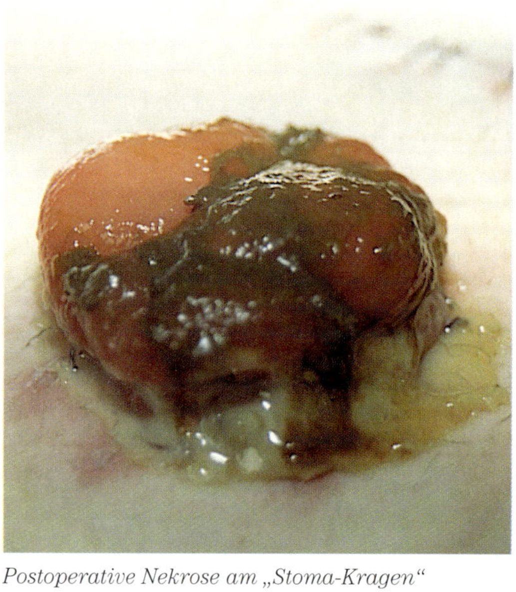

Postoperative Nekrose am „Stoma-Kragen"

Pflegerisch kann auf die Ursachen für Durchblutungsstörungen am Stoma nicht eingewirkt werden. Diese sind entweder in Grunderkrankungen des Patienten (z. B. Diabetes) oder auf chirurgischer Seite zu suchen (zu aggressive Nahttechnik, unter zu starker Spannung stehender Darm, zu großzügige Skelettierung des Darms am Mesenterium).

Kontrolle der Ausscheidungen

Je nachdem, ob eine Stomaanlage nach gezielter Reinigung des Darms erfolgte oder nicht, ist mit Stuhlgang sofort (unvorbereiteter Darm bei Notfall-OPs) oder erst nach Tagen zu rechnen – schließlich ist der Darm dann praktisch leer und bekommt erst nach einigen Tagen Nahrung angeboten!
Trotzdem produziert der Darm Stuhl aus Verdaungssekreten, Schleim, abgelöstem Epithel und scheidet diesen auch aus. Bei Ileostomien geschieht dies früher, bei Colostomien je nach Restdarmlänge später. Mehrere Tage ohne Stuhlgang können hier durchaus toleriert werden, vorausgesetzt die Darmperistaltik hat ihren Dienst wieder aufgenommen, was mittels Stethoskop überprüft werden kann. Auch der Abgang von „Winden" spricht für vorhandene Peristaltik. Angemessen ist hier also eine „Politik der ruhigen Hand", die erfahren ist und gelassen warten kann, bis die Dinge ihren Lauf nehmen. Schließlich kann die Stuhlentleerung auf Anordnung des Arztes durch Gabe von Lax-Suppositorien via Stoma unterstützt werden.

Dichtigkeit der Stomaversorgung
Beobachtung der peristomalen Haut

Der Zustand der peristomalen Haut muss nicht unbedingt *kontrolliert* werden, denn solche Kontrollen ergeben sich ja automatisch im Rhythmus der Versorgungswechsel. Äußert der Patient keine Missempfindungen wie Jucken oder Brennen im peristomalen Bereich (unter der Platte), und ist die Versorgung ganz offensichtlich dicht, besteht kein zwingender Grund zum Wechsel. Grundsätzlich gilt, dass es der Haut unter den modernen Hautschutz-Adhäsivplatten solange gut geht, wie diese abdichtend und abdeckend ihren Dienst tun. Dies gilt allemal für den Zeitraum, in dem noch gar keine Ausscheidungen aus dem Stoma geflossen sind. A propos geflossen – der Stuhl ist normalerweise immer zunächst flüssig, bei Colostomien ebenso wie bei Ileostomien. Und in diesem Zusammenhang soll nicht unerwähnt bleiben, dass sich viele Patienten sehr erschrecken, wenn sie den ersten, flüssigen Stuhl riechen. Auch hierbei wird Angst und

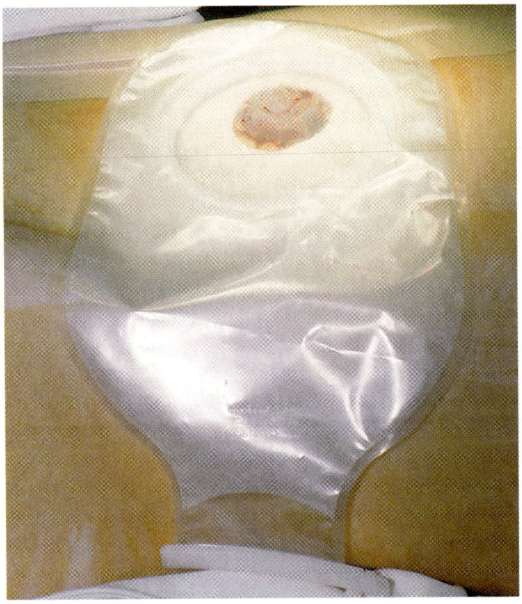

Zur Seite geführte, im OP angebrachte Post-Op-Versorgung bei einer Sigmoidostomie (Biotrol System, B.Braun-Medicare)

Unsicherheit durch klare Information abgebaut, dass nämlich dieser unangenehme Geruch mit der post-operativen Phase zu tun hat und nicht, weil der Stuhl jetzt aus dem Stoma kommt!

Die postoperative Stomaversorgung

Das Versorgungsmaterial muss in der postoperativen Phase besonderen Anforderungen genügen:

- Die Ausscheidungen sind flüssig.
- Die Durchblutung des Stomas muss kontrollierbar sein, ohne dafür die Versorgung erneuern zu müssen.
- Es sollte möglich sein, das Stoma austasten oder auch ein Suppositorium verabreichen zu können, ohne die Versorgung entfernen zu müssen.
- Bei doppelläufigen Stomaanlagen muss für die Auswahl der Versorgung ggf. die Länge des *Reiters* berücksichtigt werden
- Beachtet werden müssen auch die Platzverhältnisse – oft liegen Bauchwunde/ -Verband und Stoma/-Versorgung sehr nah beieinander.
- Die Bauchdecke des frisch operierten Patienten reagiert in aller Regel äußerst empfindlich auf jegliche Manipulation, besonders aber auf Druck.
- Der Patient verbringt die ersten Tage sicher überwiegend in der „Horizontalen", soll aber auch in angemessener Weise mobilisiert werden.
- Nochmals sei betont, dass bereits bei der postoperativen Versorgung Hinweise aus der Pflegeanamnese wie z. B. die allergische Disposition eines Patienten Berücksichtigung finden müssen!
- In den ersten 48 Stunden ist der Haut-Schleimhaut-Übergang am Stoma als primäre Wunde zu betrachten. Diese

hygienisch-rechtliche Auslegung wird natürlich durch das geöffnete Keimreservoir beim Dickdarm ad absurdum geführt. Aber sicher ist eben sicher ...

Vor dem Hintergrund dieses Anforderungsprofils sollte eine post-operative Versorgung folgende Kriterien erfüllen:

- Die Erstversorgung im OP sollte mit einem ***sterilen*** *Post-OP-Set* vorgenommen werden.
- Der Beutel sollte in der post-operativen Phase immer ***transparent*** sein, um eine unkomplizierte Beobachtung von Stoma und Ausscheidungen zu gewährleisten.
- Eine Versorgung, die ***2-teilig*** ist, bietet die Möglichkeit, die Abflussrichtung des Beutels variieren zu können und bei Bedarf Zugang zum Stoma zu haben, ohne das komplette Versorgungssystem wechseln zu müssen. ***Alternativ*** kommen hierfür auch *Post-OP-1-Teiler* ***mit „Fenster“*** in Betracht.

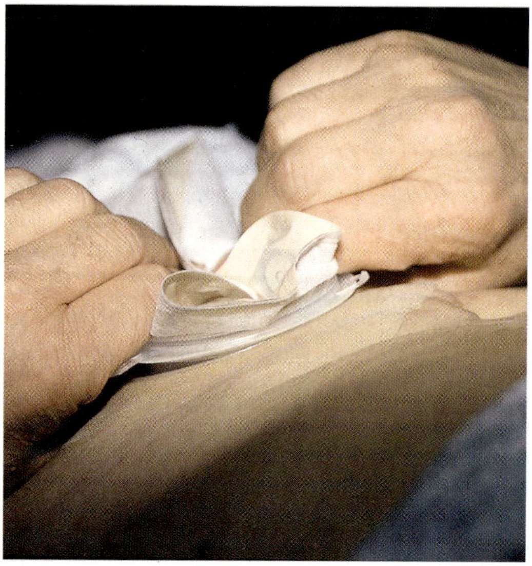

- Günstig ist in jedem Fall ein System, mit dem durch einen angemessen frei stehendenden Rastring beim Einrasten des Beutels der ***Druck gegen die Finger*** und nicht gegen die Bauchdecke gerichtet ist. (👁)
- Auf Grund der zunächst flüssigen Ausscheidungen ist der **Ausstreifbeutel** die Versorgung der Wahl. Doch soll nicht unerwähnt bleiben, dass bei bettlägerigen Patienten in der postoperativen Phase aus möglichen hygienischen und psychologischen Gründen z. T. auch geschlossene Beutel *(ggf. mit Einlage eines Absorber-Vlies, s.d.)* eingesetzt werden können.
- Zur Flüssigkeitsbindung in Ausstreifbeuteln bieten B. Braun Medicare das Ileo-Gel und die Firma For Life das SGX an.
- Alternativ kommt eine sog. **Ileo-Nachtdrainage** (2-teiliges System Assura, Coloplast) in Frage: sie ermöglicht in der postoperativen Phase die Ableitung flüssiger Ausscheidungen in einen konnektierten Bettbeutel. Diese *unmittelbare Ableitung* unterstützt die Dichtigkeit des Systems und erlaubt es darüber hinaus den Pflegenden, gerade auch in der Zeit der intensivmedizinischen Beobachtung, eine *diskrete, körperferne Entsorgung* der Ausscheidungen vornehmen zu können. Ebenso wird der Flüssigkeitsbilanzierung Rechnung getragen, um entsprechend die Verluste ausgleichen zu können. Nicht zuletzt kann ein solches System helfen, die *Nachtruhe zu sichern* – ein unschätzbarer Gewinn für alle Beteiligten!

So oder so

Grundsätze und Alternativen in der Stomaversorgung

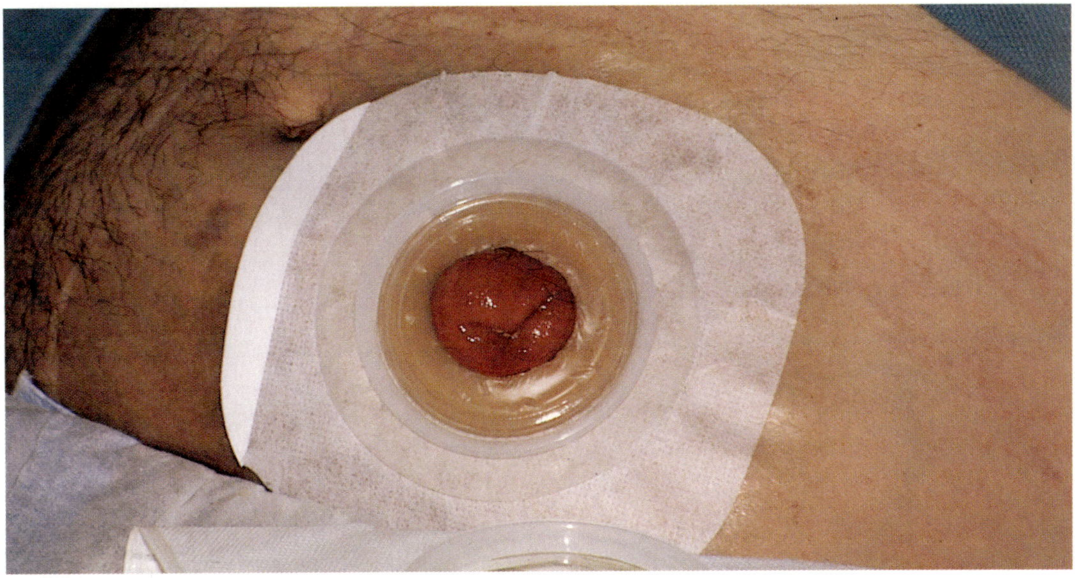

In diesem Kapitel sollen Pflegegrundsätze vermittelt und unterschiedliche Versorgungsmöglichkeiten diskutiert werden.

Grundsätze der Stomaversorgung beziehen sich auf die Fragen:

- **Wann** findet ein Versorgungswechsel statt?
- ***Welches*** Versorgungsmittel ist für welches Stoma besonders geeignet?
- ***Womit*** und ***was*** wird beim Versorgungswechsel gereinigt?
- ***Wie*** wird bei der Reinigung vorgegangen?
- ***Worauf*** kommt es bei der Auswahl der Versorgungsmittel an?

Regel No.1

Ziele jeder Stomaversorgung sind die Abdeckung der peristomalen Haut und die Abdichtung der Versorgung! Entscheidende Bedeutung hat in diesem Zusammenhang folgende Regel: die Beutelöffnung bzw. der Plattenausschnitt sollte immer der Größe des Stomas angemessen sein – nur so kann die Haut effektiv geschützt werden. (👁) Dass dieses oberste Prinzip nicht in jedem Fall Beachtung finden kann, sondern der Schutz der Haut sehr oft nur durch den Einsatz zusätzlicher Hilfsmittel erreicht wird, stellt seine grundsätzliche Bedeutung nicht in Frage!

Weitere Prinzipien der Versorgung
Geschlossene Beutel mit integriertem Filter sind für festen bis dickbreiigen Stuhlgang gedacht. Dünner bis flüssiger Stuhl (per se bei Ileostomien) hingegen erfordert normalerweise den Einsatz von Ausstreifbeuteln. Dieses Prinzip wird aber von manchem Patienten und auch Pflegenden außer Kraft gesetzt, wenn ein Ausstreifen aus hygienischen und emotionalen Gründen vermieden werden soll. Es werden dann trotzdem Colostomie-Beutel (in großen Mengen) eingesetzt, was ökologisch wie ökonomisch nicht unproblematisch ist. Um den Beutelkonsum in Grenzen zu halten, könnte in diesem Fall Absorber-Technologie (Sorbion®-Sachets, s. d.) genutzt werden.

Erneuert werden muss eine Stomaversorgung dann, wenn die Beutelfüllung es erfordert (je nach Empfinden!), die Versorgung undicht oder von außen stark verschmutzt ist (Notwendigkeit ist hier relativ!). Basisplatten bei 2-teiligen Systemen können ebenfalls so lange belassen werden, wie sie dicht halten und der Patient keine Missempfindungen wie Brennen oder Jucken unter der Platte vermeldet. Erfahrungsgemäß werden Basisplatten bei funktionierenden Versorgungen in Intervallen von 2-7 Tagen gewechselt. Hier sind nicht zuletzt das Empfinden und die Sauberkeitsansprüche des Patienten wie auch Reinigungsrituale (wenn z. B. alle 2-3 Tage geduscht wird) ausschlaggebend für das gewählte Intervall.

Reinigung der peristomalen Haut
Vor Reinigung der peristomalen Haut stellt sich zunächst die Frage: ist die Haut überhaupt verschmutzt?
Vielfach wird ohne Grund (weil eben nicht verschmutzt!) und ziemlich diffus gereinigt. Daher sind folgende Grundsätze zu beachten:

1. Gereinigt werden ***nur verschmutzte*** Hautpartien.
2. Aus hygienischen Gründen muss diese Prozedur ***im Sinne*** einer septischen Wundreinigung vorgenommen werden (👁), d. h. von außen nach innen zum Stoma hin.
3. Das Stoma selbst muss ***überhaupt nicht*** „saubergeschrubbt" werden, da es keine Wundfläche, sondern Darmschleimhaut ist, die ja an Stuhlkontakt gewöhnt ist.

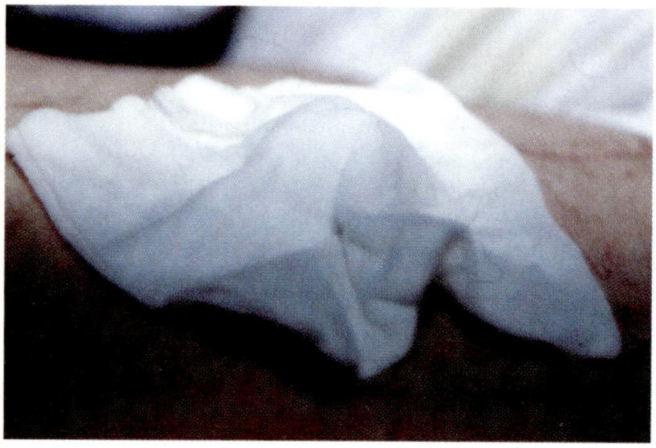

Behutsame Reinigung zum Stoma hin – aber bitte mit Vlieskompressen!

In der Realität ist aber nicht selten genau diese zuletzt genannte Reinigungspraxis zu beobachten. Da so nicht selten Schleimhautblutungen provoziert werden, muss den Patienten deutlich gemacht werden, dass das Stoma eben keine Wunde, sondern Darm ist. Grundsätzlich werden zur Reinigung Mull- oder besser die weicheren Vlieskompressen sowie Wasser benötigt.
Aqua pur? Ja, normalerweise werden wirklich nur Wasser und Kompressen gebraucht. Warum denn keine Lotion, warum keine Seife, wie kann das denn nur mit Wasser überhaupt sauber werden?

Nun, diese oft gehörte Frage muss in die andere Richtung gestellt werden dürfen: ***Wozu*** Lotionen? ***Wozu*** Seife? Lassen sich die Rückstände von Stuhl oder auch Versorgungsmaterial ***nicht*** mit feuchten Kompressen allein entfernen? Wenn ja, wozu dann Seife?

In diesem Zusammenhang sei daran erinnert, dass unsere Haut immer in ihrer Funktion geschwächt wird, wenn wir zu viel Chemie ins Spiel bringen – es leidet dann der Hydrolipid-Säureschutzmantel. Wenn wir also der Haut des Stomapatienten etwas Gutes tun wollen, sollten wir uns auf die wirklich nötigen Mittel zur Reinigung beschränken!

Nochmals zurück zur denkbar einfachsten Variante: wenn nach Entfernen der alten Versorgung die peristomale Haut völlig sauber ist, reicht das Auflegen ***einer (1)*** feuchten Kompresse: Stomaränder abtasten, fertig! Seifen (pH-neutral), Syndets oder auch „Lotions" sollten nur dann zum Einsatz kommen, wenn sich Rückstände mit feuchten Kompressen allein nicht entfernen lassen.

Wichtig ist in diesem Zusammenhang auch die bei den meisten Männern erforderliche ***Rasur*** der peristomalen Haut. Wenn nicht rasiert wird, können stehengebliebene Haare

- die Haftung der Stomaversorgung erschweren,
- in oft schmerzhafter Weise beim Versorgungswechsel herausgerissen werden und dadurch
- Haarbalgentzündungen (Follikulitis) provozieren.

Über viele Jahre war die Haut (wie auch in der Dekubitusprophylaxe) Experimentierfeld für abenteuerliche Pflegepraktiken. Daher möchte ich an dieser Stelle auch ausdrücklich auf solche eingehen, die ***nicht*** eingesetzt werden sollten:

- ***Benzin, Aether:*** Beides sind sehr aggressive Substanzen, entfetten die Haut und führen häufig zu Allergien! Heutige Standardversorgungen haben nur noch selten Kleberänder. Nur, wenn diese Pflaster Rückstände hinterlassen, ist der Einsatz eines Pflasterentferners sinnvoll. Rückstände von Adhäsivmaterial können in hautschonender Weise mit feuchten Kompressen entfernt werden!
- ***Mercuchrom®:*** Wozu soll man es überhaupt verwenden? Schließlich handelt es sich um ein Desinfektionsmittel! Das Argument, die Haut müsse gegerbt und damit widerstandsfähiger gemacht werden, erübrigt sich, wenn der Patient fachgerecht hautschonend versorgt wird. Mercuchrom® macht zudem durch seine intensive rote Färbung eine Beurteilung der Haut praktisch unmöglich! Mercuchrom® wir übrigens in Kürze aus dem Handel gekommen, der Gebrauch aber leider (noch) nicht verboten!
- ***Reinigungsschaum, Öle:*** Fetthaltige bzw. rückfettende Pflegemittel lassen keine Haftung des Adhäsivmaterials zu!
- ***Zellstoff:*** Der dient allenfalls dazu, große Stuhlmengen „aufzufangen" oder die Unterwäsche zu schützen. Als Reinigungstuch – z. B. in Form von Toilettenpapier, Küchen- oder Kosmetiktüchern – ist er ungeeignet, weil er fusselt, Rückstände hinterlässt, mehr oder weniger holzhaltig und somit sehr grob zur Haut ist!

Bestimmte Anforderungen an die Versorgung ergeben sich aus dem Stomatyp :
Ileostomien fördern sehr häufig – und dadurch relativ unberechenbar – immer flüssigen bis dünnbreiigen Stuhl. Die Forderung nach effektivem Hautschutz stellt sich hier

in besonderem Maße, da der Dünndarmstuhl in seiner Zusammensetzung hochaggressiv für die Haut ist und Stomaversorgungen in punkto Abdichten und Abdecken der Haut natürlich umso gefährdeter sind, je dünner der Stuhl ist. Übrigens: manche Patienten fühlen sich mit 2 Klammern am Ausstreifbeutel sicherer – ein durchaus empfehlenswerter Tipp! Bei einer seltenen *kontinenten Alternative* zur Ileostomie, dem *Kock'schen Reservoir (Pouch)* kann der Stuhl per Darmrohrdrainage abfließen.

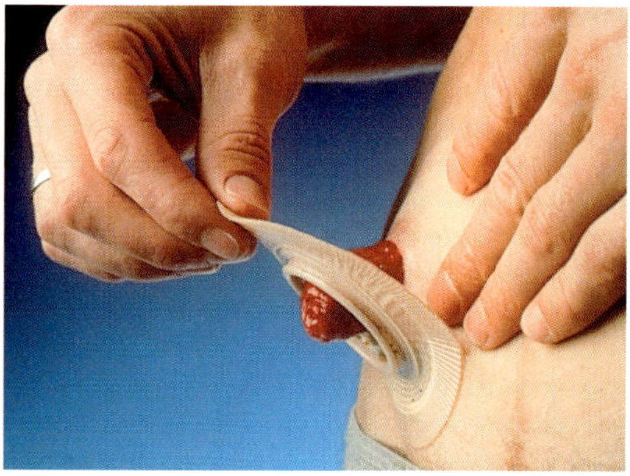

Regelrecht angelegtes Ileostoma - gut prominent! (Basisplatte Assura®, Coloplast)

Coecostomien (auch: Coecalfisteln) sind auf Grund der Anlagetechnik sehr schlecht zu versorgen, denn sie sind immer im Hautniveau angelegt. Dazu kommt, dass der Stuhl im Coecum praktisch dem Dünndarmstuhl entspricht, folglich ebenso aggressiv ist.

Doppelläufige Stomaanlagen imponieren zunächst durch den *„Reiter"*, der für die ersten 10-12 postoperativen Tage gelegt werden muss. Meist werden doppelläufige Stomata im Colon transversum angelegt, möglich ist aber prinzipiell auch eine Anlage im Colon descendens/Sigma-Bereich. Der Unterschied liegt dann in der Stuhlkonsistenz, und wenn es operationstechnisch machbar erscheint, kann auf diese Weise mehr Dickdarmfunktion erhalten werden.

Falls sie prominent angelegt wurden, bereiten **endständige Colostomien** (in der Regel Sigmoidostomien) keine großen Probleme versorgungstechnischer Art. Der Stuhl ist fest bis dickbreiig, die Stuhlfrequenz ist dementsprechend niedriger (meist 1-2 mal über 24 Std.). Ebenso gering ist auch die Tendenz zur „Unterwanderung" des Versorgungssystems.

1-teilig, 2-teilig und welche Firma?

Zunächst einmal zum zweiten Teil der Frage: qualitativ unterscheiden sich die Produkte der verschiedenen Hersteller heute kaum noch – sie sind alle als hochwertig einzustufen. Unterschiede gibt es im Detail: hier ergeben sich Kriterien, die bei der Auswahl des geeigneten Versorgungsprodukts für den einzelnen

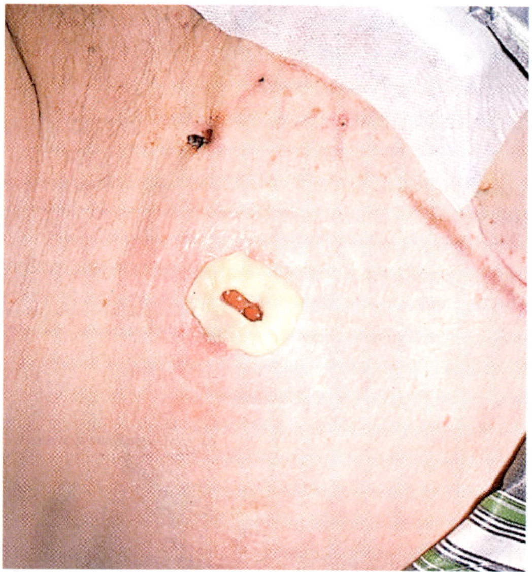

Coecalfistel: keine Chance ohne Hautschutzpaste!

Patienten eine Rolle spielen, so z. B.:

- Basisplatte mit oder ohne Pflasterrand
- Beutel transparent oder hautfarben
- Verschlussmechanismus beim 2-Teiler
- Flexibilität des Produkts, v. a. beim 2-Teiler
- Vlies-Beschichtung der Rückseite des Beutels
- Filterfunktion
- Form und Größe der Beutel
- Ausschneidefläche beim Hautschutz
- Hygroskopische Eigenschaft (Wasserbindung) des Materials
- Klammer beim Ileo-Beutel.

Zusätzliche Kriterien ergeben sich durch Wünsche oder auch eingeschränkte Ressourcen des Patienten:

- Kann er sich komplett oder nur z. T. (Beutelwechsel beim 2-teiligen System) selbst versorgen?
- Sind die Hände gesund oder z. B. durch eine rheumatische Erkrankung funktionell eingeschränkt?
- Kann der Patient sein Stoma gut sehen? Wie ist es um seine Sehkraft bestellt?
- Legt der Patient mehr Wert auf Sicherheit oder auf Flexibilität der Versorgung?
- Wie hoch ist der Anspruch des Patienten an „Sauberkeit" und Ästhetik der Versorgung?

Hier wird deutlich, dass der Betroffene unbedingt in die Auswahl miteinbezogen werden muss!
Andere individuelle Kriterien für die Auswahl sind denkbar, gerade auch in entsprechenden Produktgruppen wie Irrigations-Systemen oder Klein(st)-Versorgungen.

Die grundsätzliche Entscheidung für ein 1-teiliges oder 2-teiliges Versorgungssystem sollte

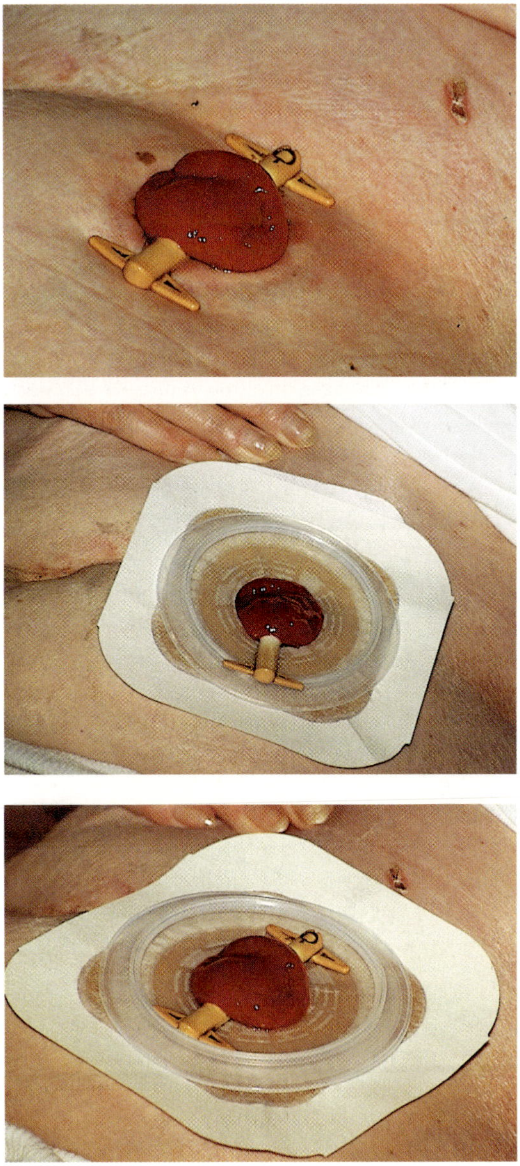

Abbildungsserie: Doppelläufige Transversostomie mit Reiter (hier: Convatec) – Stoma-angepasste Versorgung mit schrittweiser Mobilisierung des Reiters über das Niveau der Adhäsivplatte (hier: Tandem®, Hollister)

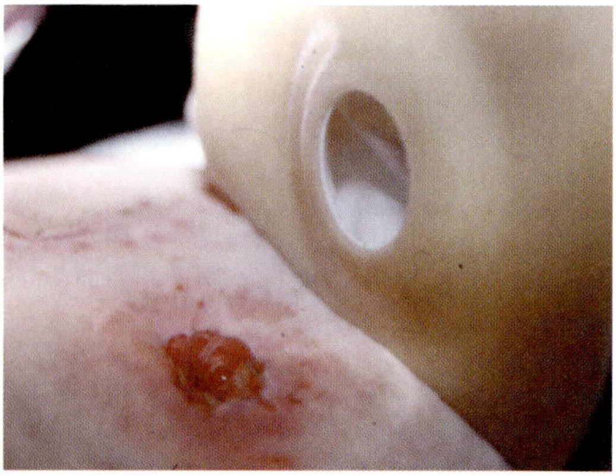

1-teilige (convexe) Versorgung

in Abwägung aller Voraussetzungen gemeinsam mit dem Patienten getroffen werden.
Für ***1-teilige*** Systeme sprechen ihre höhere Flexibilität, dass sie unter der Kleidung weniger „auftragend“ und – aufgrund der jedes Mal erforderlichen Reinigung – für manchen Betroffenen „sauberer“ sind.

Die ***2-teiligen*** Systeme vermitteln vielen Betroffenen wegen ihres Verschlussmechanismus ein ***Plus an Sicherheit***! Sie werden auch häufig bevorzugt, weil sie hautschonender sind und weniger „Arbeit“ machen. Oft genug aber sind sie schon allein aus fachlicher Sicht wegen großer Versorgungsprobleme zwingend erforderlich!

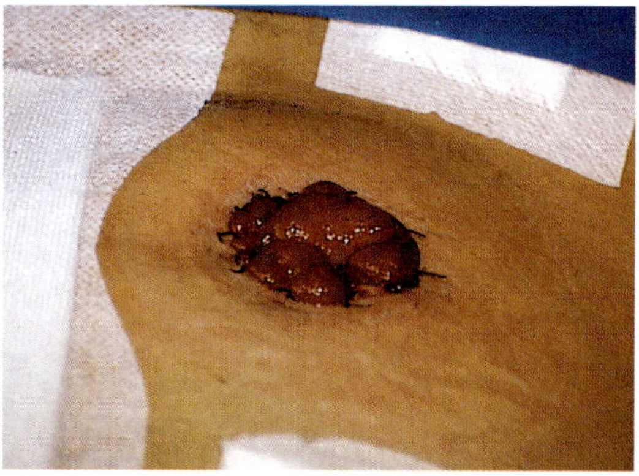

Die Fäden am Stomarand sollten rechtzeitig gezogen werden, nämlich dann, wenn sie keine Funktion mehr erfüllen (ca. 10. post-OP Tag) und nur noch „einschneidende“ Schmutzfänger sind.

Hautnah

Was bedeutet Hautpflege für Stomapatienten

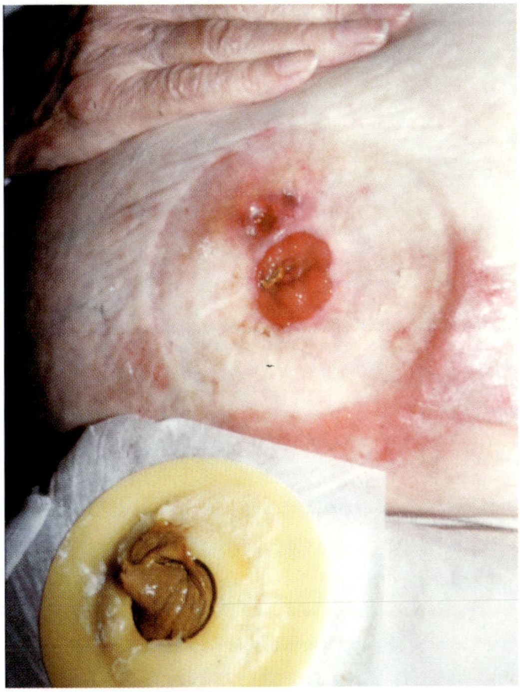

Der Begriff *Hautpflege* ist reichlich überstrapaziert. In der Werbung begegnet er uns auf Schritt und Tritt – man will uns weis machen, dass unsere Haut es ohne spezielle Hautpflegeprodukte nicht aushält. Um es vorweg zu nehmen: in aller Regel hält sie es aus. Natürlich gibt es – wie immer und überall – Ausnahmen von der Regel.

Was bedeutet nun *Hautpflege* für den Stomapatienten? Was braucht seine/ihre peristomale Haut wirklich? Wie muss sie *„gepflegt"* werden? Hier zunächst ein kleiner Exkurs...

Welche Qualität haben die heutigen Versorgungsprodukte?

Die Möglichkeiten der Versorgung für Stomapatienten haben sich in den zurückliegenden Jahrzehnten elementar verändert. Auf dem heutigen Stand verdienen die Produkte aller Versorgungsmittelhersteller mehr oder weniger das Prädikat „sehr gut". Das gilt für die meisten Kriterien wie Tragekomfort, Flexibilität, Handling u. a. Das gilt aber auch in punkto Hautfreundlichkeit. Wenn wir 20 Jahre zurück denken, entdecken wir noch überwiegend Pflasterkleber (Polyacrylat, Zinkoxyd) oder Karaya, welches aber zunehmend durch Forminstabilität und eine hohe Allergiesierungsrate negativ auffiel. Die meisten Kleber hinterließen neben Hautreaktionen auch hässliche, schmierige Reste auf der Haut, die mit Wasser und Seife nicht zu entfernen waren. So kam dann natürlich ein „Pflasterentferner" ins Spiel...

Adhäsivmaterialien, die formstabil haften, nicht kleben und daher deutlich geringere Hautbelastung und Allergieraten zeigen, gab es nur wenige. Zudem waren die Rückseiten der Beutel noch „blank" – auch das ein sehr hautunfreundlicher Aspekt, der nicht selten Unverträglichkeitsreaktionen provozierte.

Heute können wir aus dem Vollen schöpfen und grundsätzlich ist an der Hautfreundlichkeit der verwendeten Materialien nichts auszusetzen. Individuelle Unverträglichkeiten oder Allergien auf diesen oder jenen Hautschutz sind immer möglich, kommen aber nur noch selten vor und sind im Einzelfall keinesfalls Indiz für mangelhafte Qualität des jeweiligen Produktes! In diesen Fällen gilt es, gelassen zu bleiben und das Versorgungsprodukt zu wechseln. Auch die Pflasterränder einiger Produkte (1- oder 2-teilig) hinterlassen in der Regel keine Spuren mehr und sind deutlich hautfreundlicher (hypoallergen) als „die alten".

Was bedeutet Hautpflege für den Stomapatienten heute?

Um es kurz zu machen und auf den Punkt zu bringen: eine angemessene Pflege der peristomalen Haut erreicht man in erster Linie durch Maßnahmen des Hautschutzes, als da wären:

- angemessene Produktauswahl mit zeitgemäßem, hautfreundlichem Material,
- angepasste Lochgröße der Versorgung,
- zur Reinigung der Haut angefeuchtete Vlieskompressen, zur Vermeidung von Hautirritationen jedoch keineswegs Zellstoff, Toilettenpapier oder aggressive Reinigungsmittel wie Benzin verwenden,
- vollständiges Abdecken der peristomalen Hautpartie, bei Bedarf unter Zuhilfenahme von Hautschutzpaste (👁), welche in gleichem Maße für die Dichtigkeit des Systems von Bedeutung sein kann,

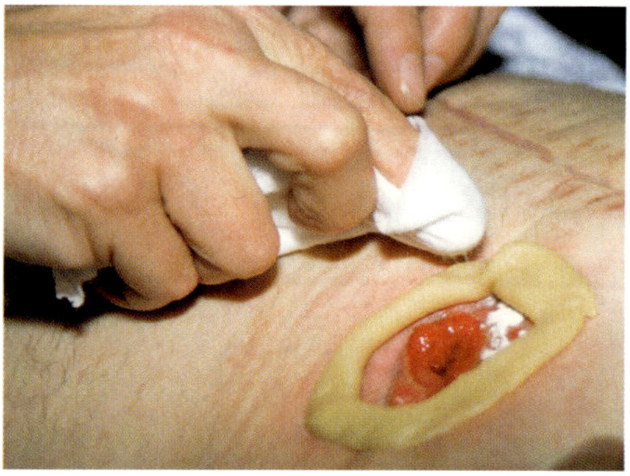

- individuell erforderliche, der Ausscheidungskonsistenz und der Stomaarchitektur angepasste Wechsel-intervalle (hier bitte keine „Standards"!),
- Vermeidung von Druckstellen, z. B. bei der Verwendung von Gürteln und durch gezielten, differenzierten Einsatz von convexen Versorgungen (Retraktion!).

Es fällt dem aufmerksamen Betrachter vielleicht auf, dass unter den hier aufgeführten Maßnahmen keine solchen zu finden sind, die den unbedingten Einsatz von Seifen, Lotionen, Cremes u. ä. verlangen.

Ganz im Ernst: die peristomale Haut verkraftet das Auf und Ab der Versorgungsmaterialen im Regelfall ohne Probleme! Außer Wasser ist kein Reinigungs- oder Pflegemittel zwingend erforderlich. Hier tut sich der reinliche Deutsche oft schwer damit, dass es etwa ohne Seife gehen soll. Aber was soll man denn reinigen, wenn alles dicht und sauber ist?

Warum und vor allem wozu gibt es dann so viele „Hautpflegemittel" auf dem Markt der Stomaversorgungen?

In den Produktbeschreibungen und Werbungsmotiven vermitteln die Hersteller schon den Eindruck, dass es eben nicht ohne solche Artikel geht. Einige Slogans aus den Produktwerbungen verschiedener Hersteller sollen dies verdeutlichen:

- *... die Lotion ist klinisch getestet... zum Vermeiden von Pflasterunverträglichkeiten...*
- *... macht die Reinigung angenehm und gibt ihrem Stoma und der umgebenden Haut* ***Extra****pflege...*
- *... pflegt und kräftigt die Haut...*

- ... *erhöht die Widerstandsfähigkeit der Haut ...*
- ... *Hautpflegeprogramm ... beruhigt und pflegt die Haut ...*

Hier soll in jedem Fall *gepflegt, geschützt, gekräftigt, beruhigt und noch mal extra gepflegt* werden. Wozu das alles, wenn eine einfache Versorgung ohne solche Reinigungs- und „*Pflegemittel*" allen Ansprüchen gerecht wird?

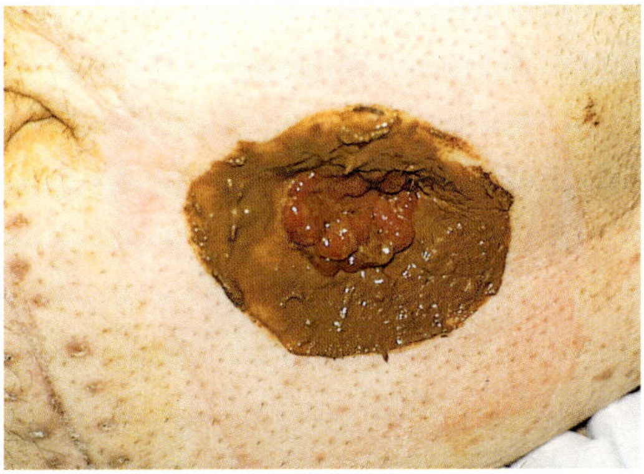

Typischer „Stuhlabdruck" bei Retraktion und unterwanderter Versorgung mit flachem Hautschutz – so etwas lässt keine Haut unberührt!

Im ambulanten Versorgungsbereich (Fachhandel) befinden sich bedauerlicherweise solche Produkte nicht selten bei jeder Lieferung mit in der Tüte. Da es keinen objektiven Grund für ein solches Standardverfahren gibt, muss man annehmen, dass hier der Raum für Zusatzgeschäfte genutzt wird. Mit einer kompetenten Beratung und Betreuung der Patienten hat das wenig zu tun. Neben dem (un-)wirtschaftlichen Aspekt ist dabei zu bemängeln, dass jedes zusätzliche, nicht erforderliche Versorgungsmittel die Versorgungspraxis für den Betroffenen auch komplizierter macht – besonders für ältere (die meisten!) Patienten eine unnötige Belastung!

Leider wird die beschriebene Notwendigkeit entsprechender Pflegeprodukte auch in Patientenratgebern und in mancher Fachliteratur suggeriert.
Es fällt auf, dass solche Empfehlungen nicht nur sachlich falsch sind, sondern immer ein Zusatzprodukt ins Spiel bringen. Diese Denkweise ist auch paradox, weil Zusatzprodukte Hautprobleme beseitigen sollen, die durch unzureichende Hautschutzmaßnahmen hervorgerufen wurden. Dagegen wird nur selten eine Vermeidungsstrategie empfohlen.
Im *Klartext* bedeutet das: ein Produkt mit hautunfreundlichem Effekt muss primär nicht mit Zusatzprodukten tragfähig gemacht, sondern gegen ein Alternativprodukt aus der selben Produktgruppe ausgetauscht werden!
Es sollte immer der Grundsatz gelten: **so viel wie nötig, aber auch so wenig wie möglich!**

Ich möchte aber nicht unerwähnt lassen, dass die von den Versorgungsmittelfirmen angebotenen „*Pflegeprodukte*" ohne Zweifel von überwiegend guter Qualität sind und wir dankbar sein können, dass sie – ich denke hier besonders an Hautschutzpräparate wie Chiron®-Creme (Mentor Healthcare) oder Cavilon®-Lollys (👁, 3M Medica) – **im Einzelfall** zur Verfügung stehen, aber eben nur für den begründeten Einzelfall...

Besonders erwähnenswert sind einige noch „junge" Produkte, die im Sinne des Hautschutzes zur Absorption flüssiger/dünner Ausscheidungen in den Beutel appliziert werden können. Zum Zwecke dieser Flüssigkeitsbindung machen sich die Hersteller von ***Sorbion®-Sachets*** (👁, für Colostomie-Beutel) und ***B.Braun Ileo-Gel®-Tabletten*** sowie ***SGX von For Life*** (eher für den

Einsatz in Ileostomie-Beuteln gedacht) moderne Absorber-Technologie zunutze, wie sie auch in qualitativ hochwertigen aufsaugenden Inkontinenzartikeln eingesetzt werden. Die Absorption verhindert in den Beuteln ein Unterwandern des Hautschutzes und somit indirekt eine Schädigung der Haut. Die Entwicklung dieser Zusatzartikel kann sicher als besondere Innovation bezeichnet werden. Auch diese Produkte wollen differenziert eingesetzt werden: nur dann entfalten sie ihren Nutzen!

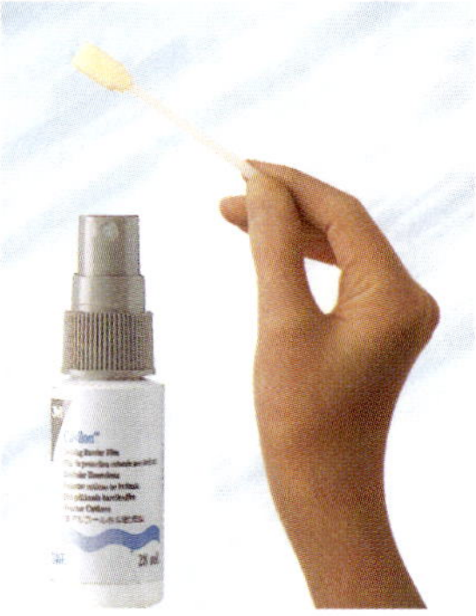

Cavilon®: Auftragen des Hautschutzfilms mit Hilfe eines lösungsgetränkten Lollys.

Unter dem Strich

Weniger ist mehr! Diesem Leitgedanken folgend, können wir heute die meisten Stomapatienten mit qualitativ hochwertigen und hautfreundlichen Produkten aller Hersteller versorgen, ohne im Regelfall zusätzliche „Pflegemittel" einsetzen zu müssen. Für den differenzierten Einsatz stehen gute Hautschutz-Produkte zur Verfügung.

Die beschriebenen Maßnahmen des Hautschutzes sind gleichzeitig die beste Hautpflege. Die Haut ist für den Stomapatienten ein besonders kostbares Gut – wir schützen es durch sachgerechte Pflegepraxis!

Sorbion® Sachet: Platzieren des Absorbervlieses im Beutel

Die Alternative

Irrigation – Versorgung ohne Beutel

Erst mit den Anfängen der Stomatherapie seit Ende der 70er Jahre hat eine Versorgungsmethode in Deutschland Eingang gefunden, die in den USA bereits seit den frühen 40ern im Gespräch ist: die Irrigation. Die Grundidee einer periodischen „Auswaschung“ des Dickdarms wurde in den traditionell experimentierfreudigeren und mit weniger (Angst-) Vorbehalten behafteten Vereinigten Staaten also schon Jahrzehnte vor deutscher „*Stomazeitrechnung*“ verfolgt und in Angriff genommen. Zunächst wurden aber keine berauschenden Erfolge mit der Methode erzielt, da man noch nicht erkannte, dass sie regelmäßig durchzuführen war, insbesondere auch zu einer bestimmten Tageszeit. Ein Meilenstein war auch die Beobachtung, dass nicht Unmengen von „Spülwasser“ erforderlich waren, um eine befriedigende Kontinenz auf Zeit zu erzielen, sondern vielmehr auf die peristaltische Reinigungskraft gebaut werden konnte!

Anfänglich wurde gallonenweise (1 gallone = ca. 4 Liter) gespült, bis es „wasserklar“ zurücklief :

„Den Dickdarm frei zu spülen dauerte Stunden – oft genug wurde der ganze Morgen damit zugebracht. Und das Ende vom Lied: der arme Patient wankte völlig ausgepowert zurück ins Bett ...“

(**Ostomy International Vol. 20, No.*2***)

Die 50er und frühen 60er Jahre brachten den Durchbruch. Periodisches Spülen mit deutlich geringeren Spülmengen sowie eine wegweisende Erkenntnis aus der Rehabilitation von Veteranen des 2. Weltkrieges setzte sich durch: es wurde nun konzeptionell mehr in die Stärkung verbliebener Ressourcen investiert als das Augenmerk auf die Schwachstellen der Betroffenen zu lenken. **Selbst** sei der Mann/die Frau und **Selbst**versorgung das anzustrebende Ziel der Pflegenden in der Betreuung der StomapatientInnen.

In Deutschland erfuhr die Irrigation erst durch den Einfluss von Pflegenden mit einer Stomatherapie-Fachweiterbildung (seit 1977) zunehmende Aufmerksamkeit. Anfängliche Ungereimtheiten (z. B. die Verwendung von Darmrohren) wichen bald einer sicheren, ungefährlichen Durchführungspraxis.

Deutlich wurde in der Beobachtung der irrigierenden Patienten, dass neben grundsätzlichen Voraussetzungen und auch Kontraindikationen allzu starre Regeln (z. B. bzgl. der Wassermenge oder der Notwendigkeit des „Vorspülens"), nicht sinnvoll sind. Hier zählt oft das, was funktioniert! Zudem entwickeln viele Patienten eine erstaunliche Autonomie und Experimentierfreudigkeit.

Beim heutigen Stand der Versorgungsmöglichkeiten gibt es weit mehr Sicherheit für die Betroffenen als mit den „alten" Produkten. Daher bedeutet eine konventionelle Beutelversorgung im Vergleich zur Irrigation kein Desaster mehr. Die Entscheidung pro oder contra Irrigation ist heute auch eine **„Lifestyle"-Frage.** Sehr deutlich wurde mir aber immer wieder, dass Patienten, denen die Irrigation nicht mehr möglich war, nachdem sie diese einige Zeit praktiziert hatten, die Umstellung auf eine Beutelversorgung sehr bedauerten, ja den „Verlust" der Irrigation (Kontinenz, Sauberkeit, Diskretion) geradezu betrauerten!

Mit der Irrigation steht eine Versorgungsmethode zur Verfügung, die den Anwendern im Regelfall ein großes Stück mehr Lebensqualität ermöglicht. Wenn die Vorbedingungen abgeklärt sind, ist die Irrigation auch eine besonders gute Versorgungsalternative bei allergisch disponierten Patienten und retrahierten Stomaanlagen.

Von der Definition her ist die **Irrigation** das

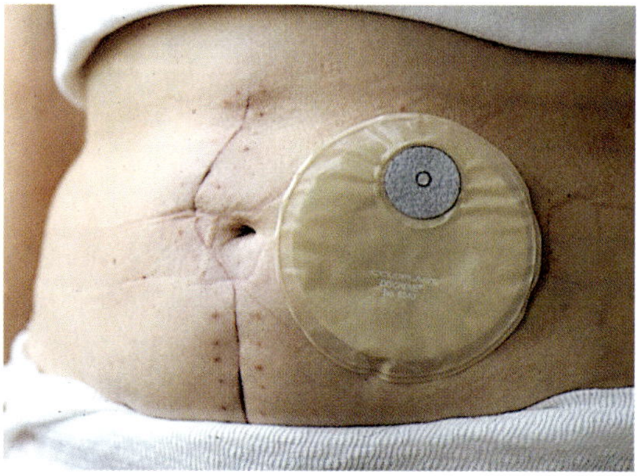

Wenn sich die Methode eingespielt hat, ist es möglich, diskrete Versorgungsmittel einzusetzen (hier: Stomakappe)

Auslösen einer so genannten **Massenperistaltik** durch das Einspülen von körperwarmem Wasser (empfohlen werden ca. 15-20 ml pro kg Körpergewicht) via Stoma in den Darm. Somit kann der Patient eine nahezu komplette Entleerung seines Dickdarms provozieren und erzielt dadurch ausscheidungsfreie Zeit von mindestens 24 Stunden. Diese Methode muss prinzipiell mit dem verantwortlichen Klinik- oder Hausarzt abgestimmt und rechtlich betrachtet von diesem angeordnet werden.

Ungeachtet dieser Vorgabe liegen die Prüfung der Voraussetzungen zur Irrigation, das Ausschließen von Contraindikationen sowie die Beratung des Patienten üblicherweise mehr im Kompetenzbereich der Pflegenden.

Voraussetzungen

Grundsätzlich kommen für die Irrigation nur Patienten mit endständigen Descendo-/Sigmoidostomien in Frage, da nur bei diesen das verbliebene Restcolon genügend Volumen hat, um in der ausscheidungsfreien Zeit quasi als ***„innerer Beutel"*** zu funktionieren.

Weitere Voraussetzungen sollten ein gut eingeheiltes Stoma sowie ein akzeptabler Allgemeinzustand mit stabiler Kreislauffunktion sein. Aus diesen Gründen halte ich als frühesten Zeitpunkt die 4. postoperative Woche für angemessen. Als ideal empfinde ich es, wenn der Patient in aller Ruhe, ohne Zeitdruck, die Methode im Rahmen einer Anschlussheilbehandlung (AHB) erlernen kann.

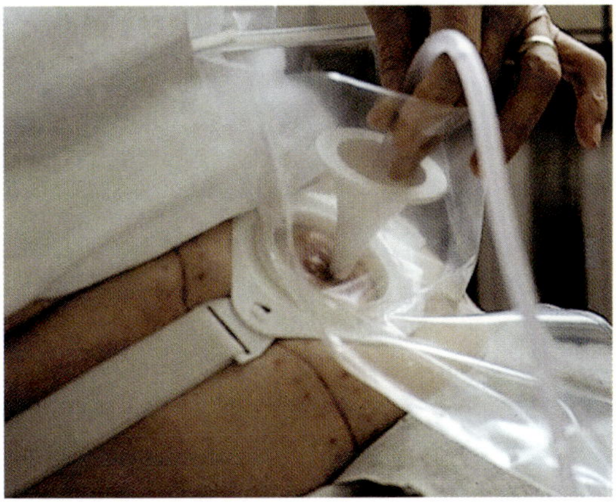

Irrigation: Einführen des Konus durch die Öffnung des Schlauchbeutels ins Stoma.

Unerlässlich ist beim Patienten das Verständnis für die Methode und die korrekte Anwendung sowie ein gewisses Maß an Kooperationsfähigkeit und Disziplin, denn die Irrigation ist eine Selbstversorger-Methode: man wird nicht irrigiert, sondern irrigiert selbst! Wichtig für die Selbstständigkeit des Patienten ist es, vorher die Beutelversorgung zu erlernen. Und nicht zuletzt müssen auch sanitäre Voraussetzungen erfüllt sein – nicht jeder Haushalt verfügt über ein für die Irrigation erforderliches Bad mit Toilette (und genügend Platz drumherum!)
Essentielle Voraussetzung ist das ***JA*** des Patienten nach gründlicher Information und Abwägung von PRO und CONTRA:

Für die Irrigation spricht die ausscheidungsfreie Zeit von 24-48 Stunden und die damit verbundene Möglichkeit, sich diskreter und ästhetischer versorgen zu können (Minibeutel, Stomakappen, „Stöpsel“, Abdeckungen). Dafür spricht auch die aus der regelmäßigen Dickdarmspülung resultierende Verminderung der Bakterienflora. Dies hat zur Folge, dass weniger Gärungs- und Fäulnisprozesse im Dickdarm ablaufen und somit auch weniger Gase (Blähungen) gebildet werden.

Gegen die Irrigation wird von manchen Patienten der nicht zu unterschätzende Zeitaufwand (ca. 1 Stunde) sowie der Umstand ins Feld geführt, dass man sich bei der Irrigation in den eigenen Körper hineinmanipulieren muss.
Weitere ***Contraindikationen*** (absolute) sind entzündliche Darmerkrankungen und bereits bekannte Divertikel.

Relativ contraindiziert ist die Irrigation bei vorliegender Hernie, Prolaps, Stenose, Siphonbildung des praestomalen Darmabschnitts (👁).
Ob bei relativen Contraindikationen die

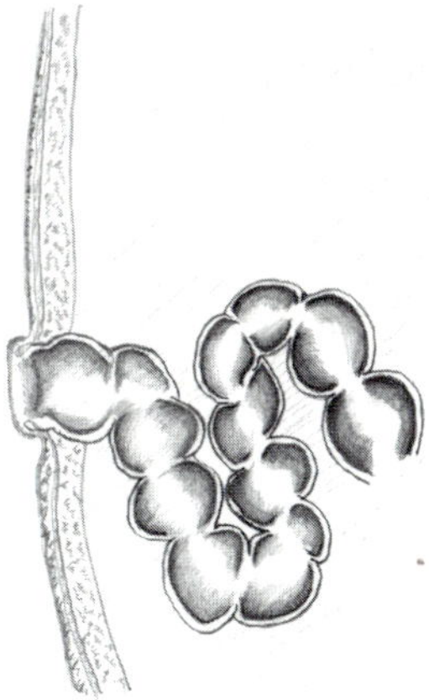

Siphonartige praestomale Darmschlinge

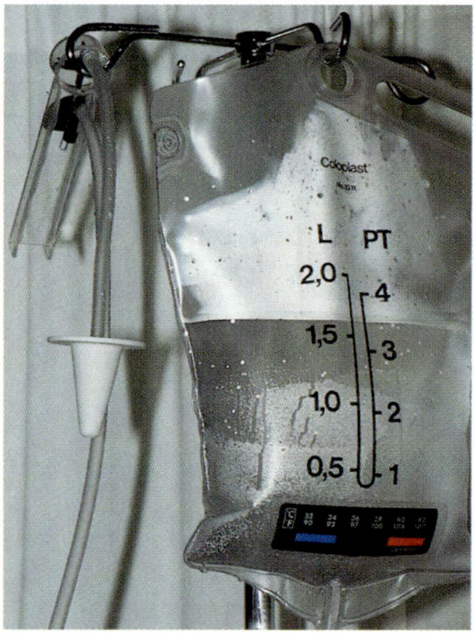

Irrigation: Gefüllter Wasserbehälter (Irrigationssystem Coloplast)

Irrigation versucht werden kann, hängt sowohl vom Ausmaß der Dinge ab und von der Antwort auf die Frage: funktioniert's?

Sehr kritisch sollte die Irrigation nach hochdosierter Radiotherapie sowie während einer Chemotherapie beurteilt werden. Die Anordnungsverantwortung trägt auch und gerade in einer solchen Frage der behandelnde Arzt. Contraindikationen sind selbstverständlich abzuklären, ***bevor*** beim Patienten falsche Erwartungen geweckt werden. Jede Entscheidung des Patienten ist nach Aufklärung über die Methode zu respektieren! Sie kann aber durchaus revidiert werden, wenn der Patient zu einem späteren Zeitpunkt doch noch die Irrigation erlernen möchte.

Die Irrigation muss unbedingt unter fachkundiger Anleitung, möglichst durch Stomatherapeuten erlernt und vermittelt werden!

Kriterien bei der Auswahl eines geeigneten Irrigationssystems sind beim **Wasserbehälter** z. B. Aufhängung, Füllöffnung, Graduierung, beim **Schlauchsystem und Schlauchbeutel** z. B. Konus, Haltesystem, Schlauchbeutellänge, Verbindungsteile.

Für den Irrigierenden kommt es weniger auf die Gesamtheit der Kriterien als auf ganz bestimmte Merkmale der Systeme an. So ist auch hier wiederum die Kompetenz und Neutralität des Beratenden entscheidend. Alternativ zu den angebotenen Schwerkraftsystemen sind die batteriegetriebene Irrigationspumpe *Irrimatic®* sowie die damit ( )kompatiblen *Combifix®*-Schlauchsysteme und -Schlauchbeutel besonders zu erwähnen. Diese Produkte sind Entwicklungen aus der Tüftler-Werkstatt der *Medizintechnik Schaefers*, und zwar im „Selbstversuch“: Herr Dipl.Ing. Schaefers ist seit etwa vielen Jahren Colostomieträger! Die Pumpe ist übrigens auch eine interessante Variante für die retrograde Darmspülung im Sitzen, z. B. zur Regulierung der Stuhlausscheidung bei Querschnittsgelähmten (erspart u. U. das lästige, unangenehme „Ausräumen“). Hier greifen Schwerpunktsysteme naturgemäß nicht!

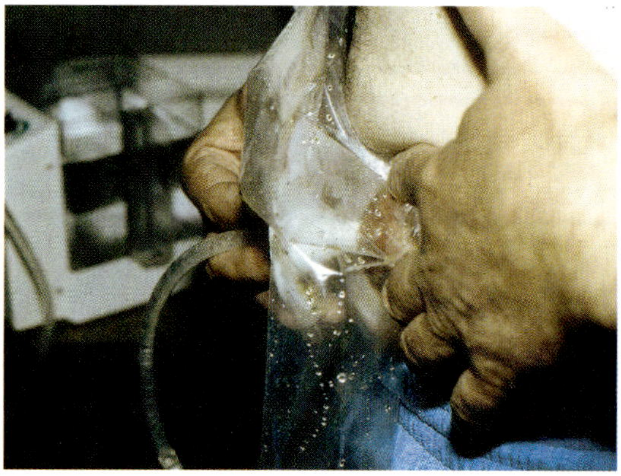

Irrimatic®-Pumpe (im Hintergrund) im Einsatz

Take that

Versorgungsprodukte - ein Überblick

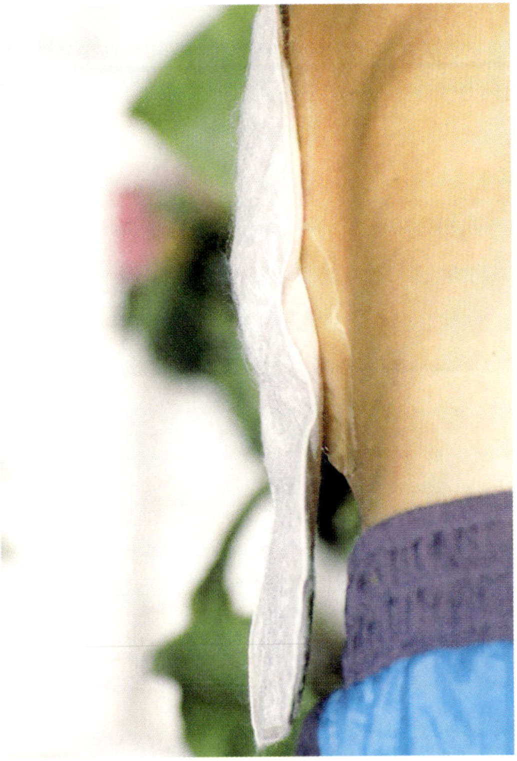

„Die Auswahl an Auffangvorrichtungen für ein intestinales Stoma ist heute so groß, dass für jeden Fall die optimale Lösung gefunden werden kann ...“

Ein sehr gewagtes Statement für seine Zeit, denn *Kretschmer* schrieb diese Zeilen in seinem **1975** erschienenen Buch *„Der künstliche Darmausgang – Ostomien des Darmes“*.

Ich muss ehrlich gestehen, dass mir vor 28 Jahren (ich machte damals gerade meine ersten zaghaften Schritte in der Pflege) diese Vielfalt an Produkten nicht begegnet ist, vielmehr der aktuelle Trend noch in Richtung *Klebebeutel* ging (Zinkoxyd, Polyacryl) und demzufolge gerade die Hautreaktionen auf Versorgungsmaterial entsprechend häufig und drastisch waren. Was damals schon als Fortschritt galt (z. B. auch die *Pelotte*), empfinden wir heute abenteuerlich oder eher gefährlich. Ob die Versorgungsmittel, die uns heute zur Verfügung stehen, in 28 Jahren wohl wieder etwas wehmütig belächelt werden?

Das Eingangszitat hat heute sicherlich absolute Berechtigung – wir können aus dem Vollen schöpfen. Die Produktvielfalt erscheint mir enorm, und immer wieder werden wir mit überraschenden Innovationen konfrontiert. Entscheidend ist aber im Endeffekt nicht die bloße Vielfalt, sondern der sachgerechte Umgang mit den Produkten und die differenzierte Auswahl für den Einzelnen!

Die betroffenen Patienten mit den für sie geeigneten Hilfsmitteln zu versorgen und vertraut zu machen, ist ein wesentlicher Auftrag an die professionelle Pflege und ein Merkmal der Qualitätssicherung.

Die Produktauswahl sollte geleitet sein von analytisch kritischer Kompetenz (Welche Kriterien leiten mein Handeln?) und Verständigungsbereitschaft, nicht zuletzt mit dem Patienten und ggf. mit pflegenden Angehörigen.

Aus Gründen der Aktualität (die sich schnell überholt!) habe ich auf eine Gesamtdarstellung von Produktpaletten der z. Zt. (*04/2003*) 8 Vertriebsfirmen in Deutschland verzichtet.

Einzelne Versorgungsprodukte sind im Buch – exemplarisch für ihre jeweilige Produktgruppe – abgebildet.
Nähere Informationen sowie Prospektmaterial, Preislisten und Produktmuster sind bei den Vertriebsfirmen über die *Infoline* abzurufen (**s. Anhang**).

Im Folgenden sind die wichtigsten aktuellen Produktgruppen beschrieben, die für Stomaversorgungen auf dem deutschen Markt zur Verfügung stehen:

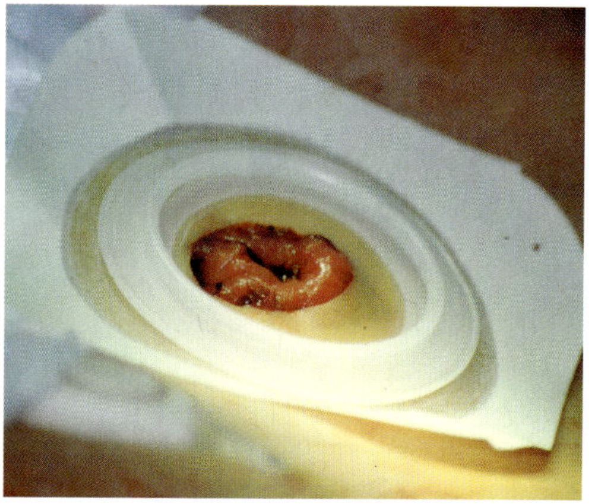

2-teiliges System mit Pflasterrand (hier: Tandem®, Hollister)

- 1-teilige geschlossene Beutel mit integriertem Filter
- 1-teilige Ausstreifbeutel, meist mit integriertem Filter
- 1-teilige Urostomiebeutel (auch geeignet für Wund- und Fistelsekretableitungen, (👁 **Seite 82**)
- 2-teilige Systeme mit Rastring
- 2-teilige Systeme für Klebebeutel (Coloplast, Convatec, For Life)
- spezielle, steril verpackte Post-OP-Sets.

Die neuzeitlichen Systeme sind haftende Systeme aus so genanntem *Adhäsivmaterial*, welches – je nach Herstellerfirma – im Wesentlichen aus CMC (Carboxymethylcellulose), Pektin und Gelatine oder auch

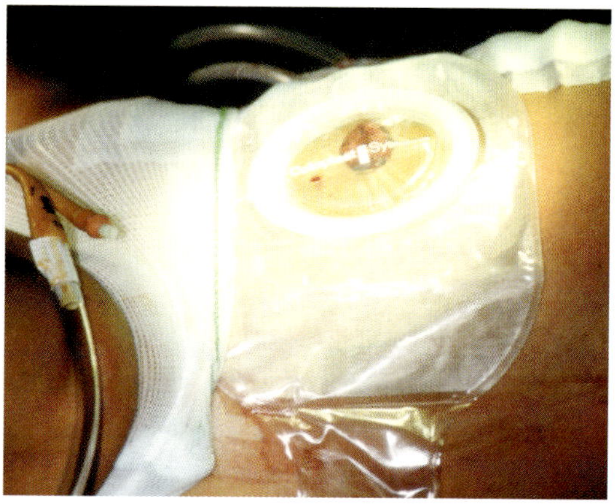

Post-OP-Beutel mit „Fenster" (hier: Assura®, Coloplast)

neuen Zubereitungsformen von *Karaya* (indisches Baumharz) besteht. Auch Naturkautschuk kommt zum Einsatz. Die Rezeptur des hautschützenden Adhäsivmaterials bestimmt den Grad seiner *hygroskopischen* (feuchtigkeitsbindenden) und somit auch haftenden Eigenschaft. Sogenannte *Elastomere* sind für die Verformbarkeit des Materials verantwortlich.
Die Adhäsiv-Hautschutzplatten werden „pur" und mit Pflasterrand sowie in flacher oder auch convexer Form angeboten.

Für 1-und 2-teilige Systeme stehen Beutel mit

- unterschiedlichen Füllvolumina (mini, midi, maxi),
- vorgestanzten Beutel-/Plattenöffnungen,
- verschiedenen Design-Formen und Farben (transparent, weiß, hautfarben)

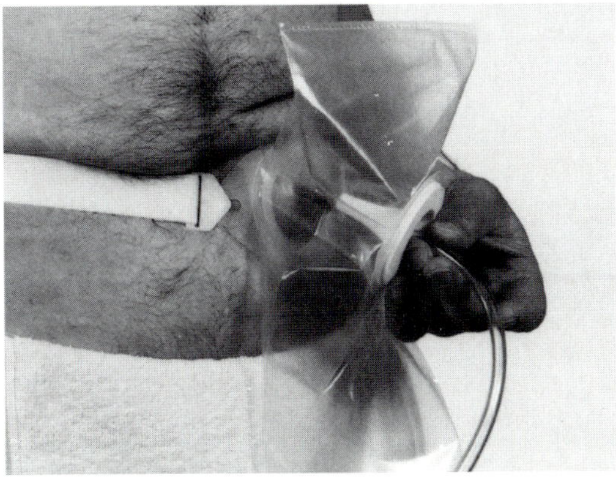

Combifix-Schlauchbeutel-System mit adaptierbarem Konus für die Irrigation (Schaefers)

- hautfreundlicher Vlies-Rückwandbeschichtung der Beutel

zur Verfügung.

Ebenfalls finden sich im Sortiment der Hersteller:

- Irrigationssysteme (Schwerkraftsysteme, Irrimatic®, (**Seite 56**)
- Klein(st)-Versorgungen
  - Stomakappen
  - „Stöpsel" Iryfix® *(B.Braun-Medicare)*,
  - Kolostomieverschluss® *(Coloplast)*
  - Stomaabdeckung Supla® *(Welland)*
- Hilfsmittel zur Reinigung der peristomalen Haut (Waschlotionen)
- Hilfsmittel zum Schutz der peristomalen Haut (z. B. Cavilon®-Lolly *(3M Medica)*, Chiron®-Creme *(Mentor Healthcare)*
- Hilfsmittel zur Abdeckung der peristomalen Haut (adhäsiv) sind Hautschutzplatten und Hautschutzringe *(Coloplast, Hollister, Mentor Healthcare)*
- Zum selben Zweck und zur Abdichtung der Versorgung stehen die alkoholhaltigen Hautschutzpasten, alkoholfreie, verformbare Hautschutzstreifen *(Coloplast und Hollister)* sowie ein Adhäsivpuder *(Convatec)* zur Verfügung.
- Absorberprodukte zur Bindung von flüssigen Ausscheidungen: Sorbion-Sachet®, B. Braun Ileo-Gel®, For Life SGX®

Weitere ergänzende Zubehörartikel:

- Gürtel (in Verbindung mit Andruckringen, wenn keine Ösen am Rastring bzw. Beutel sind)
- Aufklebefilter
- Druckknopffilter für Omni®-Ausspülbeutel *(Mentor Healthcare)*
- Austauschfilter für Tandem®- und Premium®-Ausstreifbeutel *(Hollister)*
- Filterabkleber aus Gore-Tex® *(for life)* für's Schwimmen und Duschen

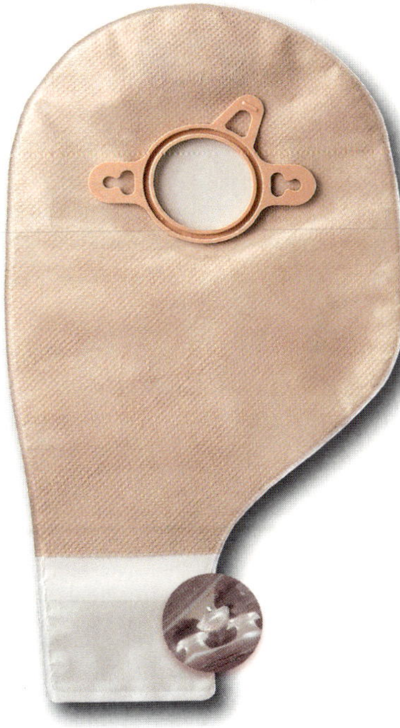

Spezielle integrierte Verschlusssysteme für Ausstreifbeutel werden von Coloplast (Hide-away) und Hollister (Lock'n roll,) angeboten.

- Baumwoll- und Vliesüberzüge für Beutel ohne Rückwandbeschichtung
- Klammern für Ausstreifbeutel
- Raumsprays
- Geruchsbanner
- Schneideset zum Zuschneiden von „atraumatischen“ Basisplattenöffnungen *(Convatec)*
- Pflasterentferner
- Entsorgungsbeutel

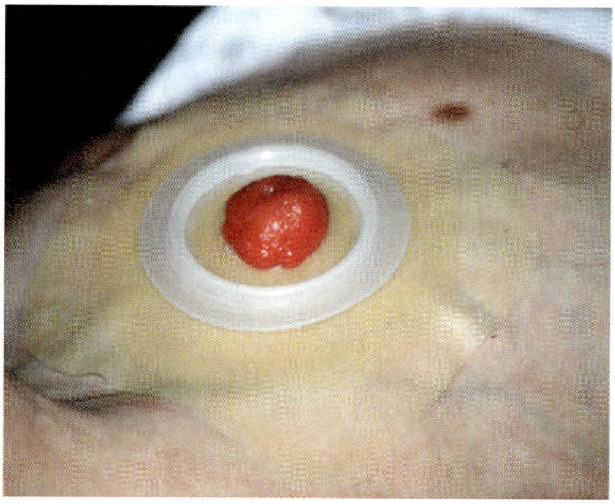

Basisplatte mit Hautschutz pur und sehr flach auslaufendem Rand (Duo Soft®, Dansac)

- Drainage- und Wundsekret- ableitende Systeme *(B.Braun-Medicare, Coloplast, Convatec, for life, Hollister).*
- Reiter für doppelläufige Enterostomien

Gürtel verbessern den peristomalen Andruck des Systems (hier: Almarys® Twin, B. Braun Medicare)

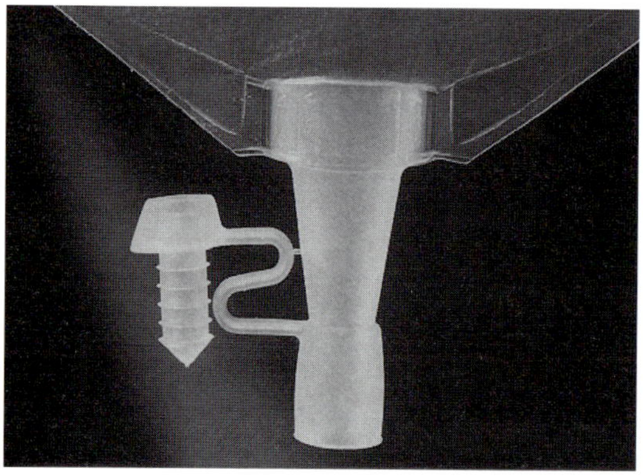

Abflussstöpsel für Uro-und Drainagebeutel (hier: Assura®, Coloplast)

Abgesehen von den namentlich erwähnten Artikeln und Firmen werden die genannten Produktgruppen mehr oder weniger von allen Versorgungsmittelfirmen angeboten.

Wenn's kompliziert wird

Chirurgische Intervention bei Problemstomata

von Dr. Franz Raulf

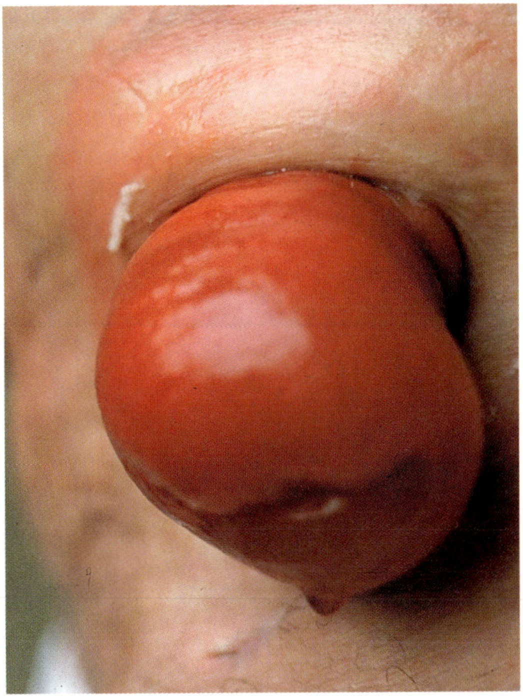

Im Verlauf des weiteren Krankheitsgeschehens zeigen sich am Stoma oftmals Veränderungen. Sie können unproblematisch sein, wie beispielsweise eine Verringerung des Durchmessers der Stomaöffnung, andererseits auch sehr ernsthafter Natur, so dass wir hier von Stomakomplikationen sprechen. Und nicht selten machen sie operative Korrekturmaßnahmen notwendig.

Stomakomplikationen beruhen im Wesentlichen auf zwei Ursachen. Zum einen können technische Fehler oder Probleme bei der operativen Anlage des Stomas zu Komplikationen führen, zum anderen unterliegt jedes Stoma auf Dauer dem Risiko der Entwicklung von Komplikationen. Die Ausleitung des Darms aus der Bauchdecke stellt eine widernatürliche Situation (Anus ***praeter***naturalis!) dar. Die Lokalisation des normalen Afterausgangs im Bereich des Gefüges der knöchernen und bindegewebigen Strukturen des Beckeninnenraumes und Beckenbodens vermeidet solche Komplikationen. Im Bereich der Durchtrittsstelle in der Bauchdecke kann man mit längerem Bestehen des Stomas sogar von einem steigenden Risiko der Entwicklung von entsprechenden Komplikationen ausgehen.
Unter chirurgischen Gesichtspunkten erscheinen die Stomakomplikationen von Bedeutung, welche gegebenenfalls eine operative Korrekturnotwendigkeit bedingen. In diesem Zusammenhang soll somit nicht auf die häufigen peristomalen Hautprobleme eingegangen werden – hier liegen Kompetenz und Zuständigkeit eindeutig bei den Stomatherapeuten und im Kapitel „*Prominent? – Schön wär's!*" sind diese Probleme umfassend dargestellt.

Die chirurgisch relevanten Komplikationen können unterschieden werden in solche, die relativ früh postoperativ auftreten und die übrigen, die erst im längeren zeitlichen Verlauf nach der Operation Bedeutung erlangen. Die früh postoperativ auftretenden Probleme sind in der Mehrzahl bedingt durch Anlagefehler oder operativ technische Mängel im Rahmen der Primäroperation. Natürlich ist zu bedenken, dass die spezielle Situation im Einzelfall unter der Operation zu Kompromissen zwingt, die sich dann hinterher bei ungünstiger Entwicklung in Frühkomplikationen äußern können. Beispielsweise stellt sich die Situation bei der notfallmäßigen Anlage eines Stomas im Ileus mit geblähtem Abdomen schwieriger dar als bei einer regelrecht vorbereiteten Operation!

Adipöse Patienten zwingen mitunter zu operativen Kompromissen. Dabei muss man sich der postoperativen Stomaprobleme bewusst sein und sie möglichst vermeiden. Die erschwerte Operationssituation kann nur bedingt als Entschuldigung für eine früh postoperativ auftretende Stomakomplikation gesehen werden.

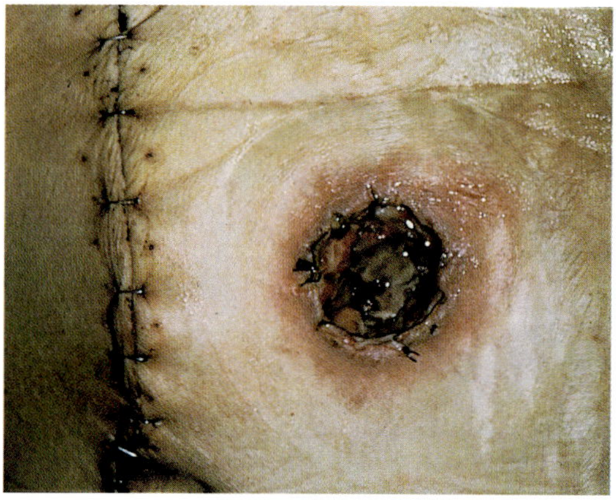

Umschriebene postoperative Nekrose des Stomarandes: die Fäden halten das Stoma nicht mehr.

Stomanekrose

Die Stomanekrose (👁) ist das Ergebnis einer lokalen oder generalisierten Durchblutungsstörung des vorverlagerten Darmanteils. Dies kann bei einem doppelläufigen Stoma auf einer Traumatisierung durch den verwendeten Reiter beruhen. Zum anderen kann die Durchblutungsstörung aber auch bedingt sein durch einen inadäquaten Zug des Darmes am Mesenterium oder eine zu ausgedehnte Skelettierung des zum Stoma vorverlagerten Darmanteils.

Das Problem wird nicht immer intraoperativ an der sichtbaren Minderdurchblutung des Darmsegmentes festzumachen sein. Dennoch ist ein solcher Fehler durch eine adäquate Mobilisierung und Beobachtung der regionalen Durchblutung zu vermeiden. Vom Operateur nicht zu vermeiden ist die Nekrose, die gelegentlich dadurch entsteht, dass postoperativ durch eine anhaltende Darmpassagestörung ein Ileuszustand mit entsprechender Überblähung der Bauchdecken abläuft, was dann sekundär durch Zug auf das eingenähte Stoma zu einer Durchblutungsverminderung führen kann.

Stomaretraktion und Stomastenose

Die Stomaretraktion entsteht durch zu starke Spannung auf das eingenähte Stoma (zu geringe Skelettierung?), ist aber auch nicht selten das Ergebnis einer partiellen Nekrose aufgrund der zuvor geschilderten Probleme in der Durchblutung des vorverlagerten Darmanteiles. Die Nekrose betrifft die Ränder der Schleimhaut des Darms, wobei das Zentrum des Stomas bzw. der mesenteriale Anteil des Darmes noch ausreichend durchblutet ist und somit erhalten bleibt. Es kommt zum Gewebsuntergang im Bereich des Schleimhaut-Haut-Übergangs. Die Nekrose kann durchaus ein Segment von 2-3 cm betreffen, wobei dann das Stoma in der Haut ausreißt und sich entsprechend in die Tiefe retrahiert. Es kommt zu vernarbenden Reparationsvorgängen im Bereich des entstandenen Defektes zwischen

Haut- und Darmanteil mit entsprechender Epithelisierung. Das Endergebnis ist dann häufig die Ausbildung einer Stenose.
Während eine komplette Stomanekrose in der überwiegenden Mehrzahl der Fälle eine dringliche Indikation zur Reoperation darstellt, kann der Verlauf bei einer partiellen Nekrose im Randbereich des Darms und einer hierdurch bedingten Retraktion oftmals abgewartet werden.

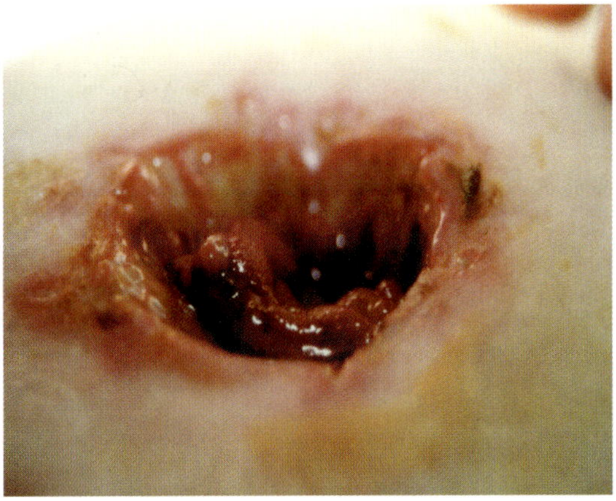

Retrahiertes Stoma bei ausgerissenem Rand mit Subcutis-Krater: die Stenose ist vorprogrammiert.

Die sich entwickelnde Stenose ist dann korrekturbedürftig, wenn die Entleerung über das Stoma als schmerzhaft empfunden wird oder wenn das Stoma nicht mehr von außen mit dem Kleinfinger eingehbar ist. Dies kann insbesondere eine Situation betreffen, in der eine endoskopische Kontrolluntersuchung indiziert ist, beispielsweise nach einer Rektumamputation wegen eines Carzinoms. Hier kann der Status einer unüberwindlichen Stenose nicht als Dauerlösung hingenommen werden, da die resultierenden Beschwerden für den Patienten nicht unerheblich sind und die Durchführung einer Nachuntersuchung möglich sein muss. Die Operationsindikation bei der Stenose ist in den meisten Fällen im Sinne einer geplanten Korrekturoperation zu sehen.

Fehlpositionierung

Die Fehlposition des Stomas kann zu Versorgungsproblemen führen, insbesondere dann, wenn die lokalen Gegebenheiten eine sichere Versorgung mit handelsüblichen Systemen unmöglich machen. Sie kann auch dazu führen, dass der Patient das Stoma nicht einsehen kann und sich hierdurch Probleme beim technischen Ablauf der Versorgung ergeben. Die Fehlposition des Stomas ist ähnlich wie die Nekrose in der überwiegenden Mehrzahl der Fälle auf einen operativen Fehler und eine ungenügende praeoperative Planung zurückzuführen. Lediglich in den Fällen, in denen der Patient postoperativ entweder eine massive Gewichtszunahme oder -abnahme erfährt, kann es zu einer Veränderung der Silhouette der vorderen Bauchwand kommen mit sekundärer Entwicklung

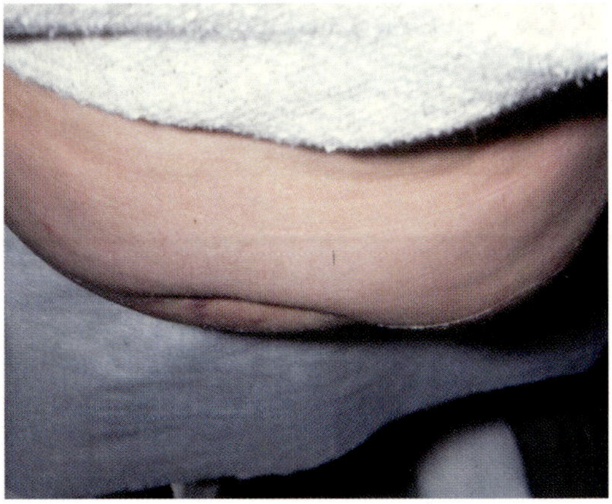

Fehlpositionierung des Stomas: vom Patienten nicht zu sehen und schwierig zu versorgen.

einer Fehlpositionierung eines primär in guter Position angelegten Stomas.
Auch die in jüngster Zeit vermehrt durchgeführte laparoskopische Stomaanlage kann eine Fehlpositionierung bedingen, wenn die Trokarposition nicht im Bereich eines für die Stomaanlage praeoperativ markierten Areals gewählt wird. Auch bei der laparoskopischen Stomaanlage ist die Markierung wichtig und es muss die Planung der Trokarposition zusätzlich mitbedacht werden.

Stomaprolaps

Der Prolaps eines Stomas ist eher selten auf operationstechnische Fehler zurückzuführen. Vielmehr stellt er sich als ein typisches Geschehen dar, dessen Inzidenz mit zunehmendem „Alter" des Stomas steigt. Eine zu große Faszienlücke und ein erhöhter intraabdomineller Druck können die Entwicklung begünstigen. Die Motilität des Darmes führt dazu, dass er durch die vorwärts gerichtete Bewegung eine Tendenz hat, sich aus der Stomaöffnung weiter nach außen auszustülpen. Dabei zeigt die doppelläufige Colostomie, wie sie häufig im Colon transversum angelegt wird, eine besonders hohe Neigung zur Entwicklung eines Prolaps. In einer solchen Situation wölben sich dann hammerförmig beide Schenkel des doppelläufig ausgeleiteten Darms vor, was zu erheblichen Versorgungsproblemen führen kann.
Grundsätzlich kann der Stomaprolaps operativ korrigiert werden. Die Indikation hierzu muss aber berücksichtigen, dass auch nach einer Korrekturoperation ein anhaltend hohes Risiko zur neuerlichen Entwicklung von Stomakomplikationen besteht. Insofern stellt sich die Indikation bei einem kleinen Prolaps noch nicht. Entscheidend ist sicherlich das Ausmaß der Behinderung durch den Prolaps. Bei zunehmender Einschränkung der Versorgungsmöglichkeiten und bei einer von außen sichtbaren Deformierung der Körpersilhouette ergibt sich dann die Indikation für eine operative Korrektur.
Beim Prolaps des endständigen Stomas ist es gelegentlich ausreichend, das Stoma am Ort der Implantation auszulösen und eine möglichst lange Strecke des Darms unter entsprechendem Zug zu mobilisieren und abzutragen. Das Stoma wird dann am vorbestehenden Ort neu eingenäht. Alle Versuche, den zuführenden Darmanteil intraabdominell zu versteifen oder zu fixieren (entweder durch Nähte oder durch Umschlingung mit Netzen) führen nicht dazu, dass hierdurch sicher ein Prolapsrezidiv verhindert wird. Die Durchtrittsöffnung durch die Faszien sollte wie auch bei der Erstanlage nicht zu weit gewählt werden. Dennoch spielt die Durchtrittsöffnung bei der Entwicklung des Prolaps im Gegensatz zur Parakolostomiehernie eine eher untergeordnete Rolle.

Die operative Korrektur eines doppelläufigen Stomas muss immer darauf zielen, das Stoma entweder komplett zurückzuverlegen oder es in eine endständige Enterostomie umzuwandeln. Dies kann unter Umständen einen größeren Eingriff bedingen, der nur durch die neuerliche Eröffnung der alten Operationsnarbe im Sinne einer kompletten Laparotomie möglich ist. Lokale Maßnahmen an der doppelläufigen Colostomie stellen die ultima ratio dar und sind eigentlich nur zu rechtfertigen bei einer allgemeinen Inoperabilität des Patienten. Es wird dann versucht, die Schenkel in Lokalanästhesie zu trennen und sie separat auszuleiten, wobei gewisse Anteile sowohl des zuführenden als auch des abführenden Schenkels über diesen umschriebenen Zugang reseziert werden können. Sinnvoll erscheint aber immer die Klärung der Frage, ob nicht die Umwandlung in eine definitive endständige Colostomie beispielsweise im Bereich des Sigmas möglich ist. Auf diese Weise wird zudem wieder eine längere Strecke des Dickdarms in die Passage genommen, was zu einer festeren Konsistenz des Darminhaltes mit entsprechender Erleichterung der Stomaversorgung führt.

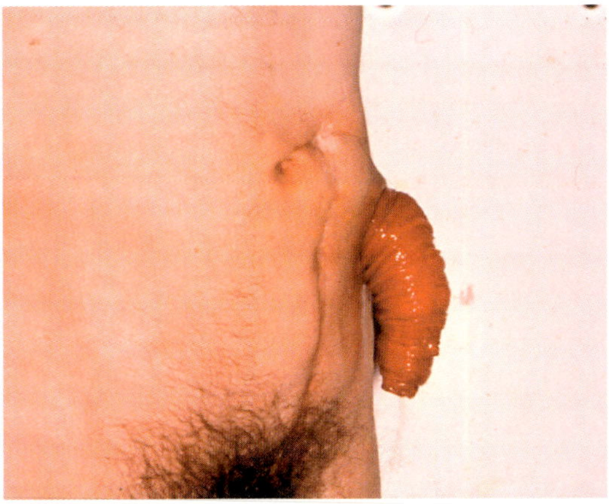

Großer, „beutelfüllender" Prolaps eines Sigmastomas

Paracolostomiehernie

Die Paracolostomiehernie stellt die häufigste Langzeitkomplikation am Stoma dar. Sie ist zudem gelegentlich mit außerordentlich großen Problemen bei der operativen Korrektur behaftet. Dennoch lässt sie sich niemals durch irgendwelche Maßnahmen im Rahmen der Primäroperation sicher vermeiden. Wesentliche Ursache ist eine zu weite Faszienlücke bei der Ausleitung des Darms oder die Fehlpositionierung außerhalb des M. rectus abdominis. Zudem gibt es Patienten mit einer angeborenen Schwäche des Bindegewebes. Wenn dann eine chronische Erhöhung des intraabdominellen Drucks (z. B. bei Asthmatikern!) oder eine Gewichtszunahme hinzukommt, ist die Gefahr der Entwicklung einer Hernie groß. Somit kommt der Prophylaxe durch Vermeiden schwerer körperlicher Belastungen und der Limitierung des Körpergewichtes eine besondere Bedeutung zu.

Die operative Korrektur einer Paracolostomiehernie kann außerordentlich problematisch sein und sich zu einem großen operativen Eingriff ausweiten. Wesentliche Indikation zur Korrektur der Paracolostomiehernie ist die Größe der Hernie und die hierdurch bedingte problematische Versorgung. Eine kleine, die Stomaversorgung nicht behindernde Hernie erfordert keine operative Korrektur, zumal man unterstellen muss, dass in der Mehrzahl der Fälle nach einer solchen Korrektur ein Rezidiv auftreten wird.
Prinzip der operativen Korrektur ist die lokale Auslösung des Stomas und die Abtragung des Bruchsacks mit der Lösung der darin befindlichen Darmschlingen (meist Dünndarm).
Danach ist die zu weite Fascienlücke wieder einzuengen und das Stoma am vorbestehenden Ort neu einzunähen. Lokale Gegebenheiten – insbesondere die Größe des Bruchringes in der Faszie – können ein solches lokales Vorgehen unmöglich machen. Zusätzliche Veränderungen im Bereich des Stomas wie beispielsweise eine ausgedehnte Mazeration der peristomalen Haut nach längerem Versorgungsnotstand können dann gelegentlich zur Neuanlage auf der anderen Bauchseite führen, wo es oft möglich ist, das Stoma in glatte Hautverhältnisse einzunähen. Der Verschluss des Fasziendefektes im Bereich der früheren Ausleitung lässt sich dann entsprechend den Prinzipien der Versorgung von

Narbenbrüchen mit gutem Erfolg durchführen.
Derzeit ist dabei die Verwendung von resorbierbaren Netzen, idealerweise in *Sub-lay-Technik*, zu empfehlen. Solche Netze werden auch bei der Versorgung einer Paracolostomiehernie ohne gleichzeitige Verlegung des Darms verwendet. Hierbei sollte der Darm nicht ausgelöst werden, sondern das Netz über die eröffnete abdominelle Narbe um das Stoma herum eingebracht werden. Dies kann technisch schwierig sein. Der Eingriff ist aber bei äußerlich abgeklebtem Stoma als steriler Eingriff mit entsprechend niedrigem Infektionsrisiko durchführbar.
Insgesamt gesehen stellt die Paracolostomiehernie die operativ am schwierigsten zu lösende Komplikation dar. Falls bei dieser Maßnahme der Darm ausgelöst wird, erfolgt die Operation praktisch immer in kontaminiertem (=infiziertem) Gewebe mit entsprechenden Problemen bei der Wundheilung, insbesondere im Zusammenhang mit der Einbringung eines Netzes. Die eintretende Sekundärheilung begünstigt dann schon wieder die Entstehung der Rezidivhernie.

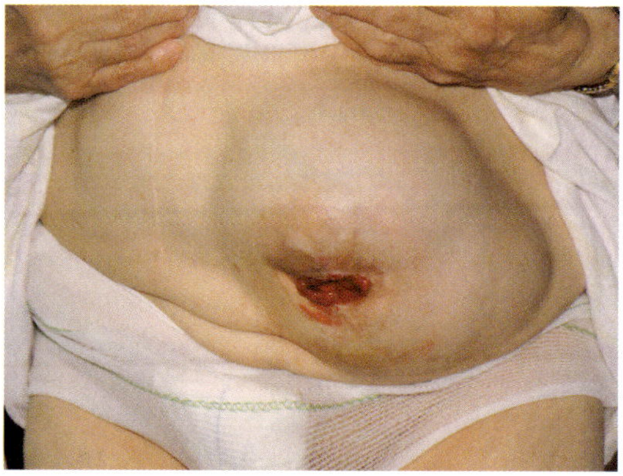

Stark ausgeprägte parastomale Hernie

Die Indikation zur Durchführung eines solchen Korrektureingriffes ist darum im individuellen Fall unter Abwägung der Vor- und Nachteile zu fällen.

Andere Probleme am Stoma wie die Ausbildung von Granulationspolypen oder mechanische Irritationen mit nachfolgenden Blutungen erfordern seltener die Intervention des Chirurgen. Granulationspolypen können mit der elektrischen Schlinge abgetragen werden. Hierdurch entstehen aber kleine Narben, die eine neuerliche Entstehung von Granulationsgewebspolypen begünstigen können. Die Entscheidung zur Abtragung der Polypen sollte in Absprache mit dem Stomatherapeuten getroffen werden, der unter Umständen die Situation auch durch einen Wechsel des Versorgungssystems verbessern kann. Gelegentlich bilden sich Granulationspolypen dann zurück.

In seltenen Fällen kommt es zum Auftreten eines Tumorrezidivs am Stoma. Dies kann groteske Ausmaße annehmen und dann die Entleerung behindern. In einer solchen Situation ist keine generelle operative Empfehlung möglich. Im Einzelfall ist es notwendig, zur Wiederherstellung einer ungestörten Darmpassage den Tumor zu exzidieren bzw. das Stoma neu zu implantieren. Das Auftreten eines Rezidivs am Stoma markiert aber sicherlich eine infauste Krankheitsprognose.

Prominent? - Schön wär's

Stomakomplikationen und wie man damit umgeht

Die Stomakomplikationen und die daraus resultierenden Problemversorgungen erleben wir in der Praxis leider nicht selten. Die Ursachen sind vielfältig.

An ***erster*** Stelle sind die iatrogenen (d. h. chirurgisch bedingten) Gründe zu nennen. Schlechte Stomaanlagen begegnen uns auf Schritt und Tritt, wären allerdings bei engagierter chirurgischer Arbeit oft vermeidbar. Ein Stoma im Bauchschnitt anzulegen ist ebenso falsch wie die Anlage in der Flanke. Unsensible Schnittführungen schaffen eine zu große Nähe von Wundverband und Stoma. Prominenz sollte – wie bereits erwähnt – Standard sein. Die Realität zeigt hingegen ein mehr als trauriges Bild: allzu viele Stomaanlagen sind nicht nur nicht prominent, sondern gar retrahiert.

Stomakomplikationen resultieren aber auch aus Fehlverhalten oder Ernährungsfehlern von Patienten, aus Pflegefehlern (gerade in Bezug auf Hautkomplikationen!) oder sie werden durch entsprechende Dispositionen begünstigt, wie z. B. bei der parastomalen Hernie.

Im Allgemeinen wird eine Unterscheidung zwischen **Früh-** und **Spätkomplikationen** vorgenommen, die in der folgenden Tabelle aufgeführt sind:

Früh	Spät
Oedem	Hernie
Nekrose	Prolaps
Retraktion	Stenose
Hautkomplikationen (allergisch, toxisch u.a.)	
Blutung am bzw. aus dem Stoma	

Die Frühkomplikationen Oedem und Nekrose wurden bereits in einem vorangehenden Kapitel ausgiebig besprochen. Von den anderen Themen soll in diesem Kapitel die Rede sein

Blutung am oder aus dem Stoma

Blutungen haben für viele Menschen grundsätzlich beängstigenden Charakter, und so wird von Stomapatienten auch bald nachgefragt, wenn Blut am Stoma oder im Beutel entdeckt wird. Die Frage, ob es ***aus*** dem Darm oder ***auf*** der Schleimhaut des Stomas geblutet hat, ist im Gespräch mit dem Patienten abzuklären. Wenn sich im Beutel offensichtlich eine größere Blutmenge befindet, liegt der Verdacht nahe, dass es sich um eine innere Blutung handelt. Ursachen hierfür können Ulcera oder Tumoren sein, aber auch nach angeborenen, erworbenen oder medikamentös induzierten Gerinnungsstörungen (z. B. durch *Marcumar®, ASS® etc.)* muss gefragt werden. Helles Blut spricht für eine Blutung aus einem stomanahen Darmabschnitt, Teerstuhl für eine Blutung aus dem oberen Gastrointestinaltrakt. Was auch die Ursache sein mag, so muss hier immer der Arzt eingeschaltet werden.
Dasselbe gilt für vermeintlich oberflächliche Blutungen der Stomaschleimhaut, wenn diese von Polypen oder tumorverdächtigen Knötchen ausgehen. In solchen Fällen wird das Gewebe normalerweise abgetragen und untersucht.
Grundsätzlich aber gilt für die Darmschleimhaut, dass sie sehr gut durchblutet, zart epithelisiert ist und daher z. B. durch die Reinigung beim Versorgungswechsel leicht irritiert werden und bluten kann. Diese Form der oberflächlichen Blutung tritt besonders gern in der Haut-Schleimhaut-Übergangszone auf und ist durch kurzzeitige Kompression mit einer Kompresse leicht zu beherrschen.
Von großer Bedeutung ist in diesem Zusammenhang eine klare, beruhigende Information für den Patienten. So ist er in der Lage, Blutungen durch zu starkes Reiben bei der Reinigung zu vermeiden, aber auch, sie besser einzuschätzen und somit gelassener mit oberflächlichen *Reizblutungen* umgehen zu können.

Hautkomplikationen

Dass die Haut für den Stomapatienten ein überaus kostbares Gut ist, wurde bereits erwähnt. Die Haut muss „lebenslänglich" den Belastungen durch die Beutelversorgung standhalten und ist somit besonders zu schützen.
Ursachen für Hautschädigungen sind in folgenden Bereichen zu suchen :

- allergische Reaktion auf Versorgungsmaterial,
- toxische Reaktion auf Stuhlkontakt bei ungenügender Abdichtung und Abdeckung der Haut,
- unsachgemäßes Vorgehen bei der Reinigung der peristomalen Haut (z. B. aggressive Reinigungsmittel),
- ungenügende Nachrasur der peristomalen Haut,

- generalisierte Hauterkrankungen wie die Psoriasis vulgaris,
- besonders hohe Disposition für Mykosen (z. B. bei Diabetes oder Antibiotika-/ Chemo-/Radiotherapie).

Verschiedene Ursachen erfordern auch unterschiedliches pflegerisches Handeln und so möchte ich den Ursachen entsprechend nun beschreiben, wie auf welche Art der Hautirritation zu reagieren ist ...

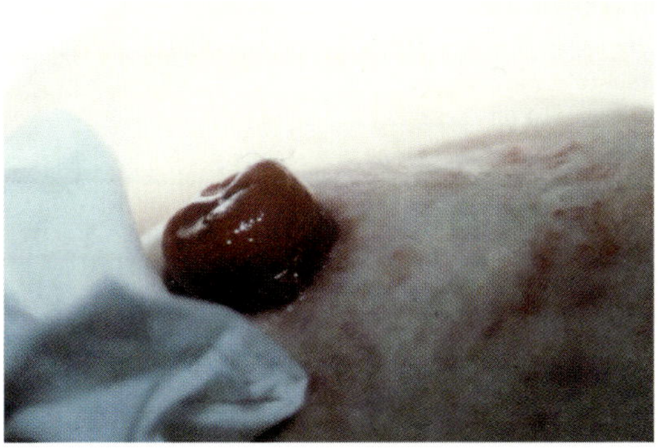

Allergische Reaktion auf einen Pflasterrand.

Allergisches Kontaktekzem

Allergische Reaktionen sind prinzipiell auf jeden Hautschutz, auf jede Beutelfolie, auf Pflaster, Reinigungsmittel, Hautpflegemittel, Gürtel und andere Substanzen/Materialien möglich, werden aber heute in der Stomaversorgung nicht mehr so oft erlebt.

Es handelt sich in jedem Fall um eine spezifische Sensibilisierung gegenüber einer oder auch mehrerer Substanzen. Reaktionen treten aber nicht unbedingt unmittelbar nach Hautkontakt auf. Sie können vielmehr als allergische Reaktion des Spättyps auch dann noch auftreten, wenn der Patient sich schon lange Zeit mit dem Material versorgt hat.

Allergien sind in der Regel auf die Kontaktfläche mit dem Allergen begrenzt und verursachen Rötung, Bläschenbildung und nicht zuletzt Juckreiz.

Folgende **Grundregeln** gelten bei allergischen Reaktionen:

- Das (vermutete) Allergen muss ausgeschaltet werden, d. h. es bedarf hier einer Umstellung der Versorgung, am besten auf Produkte einer anderen Firma. Es ist als normal einzustufen, wenn die allergische Reaktion nach Umstellung der Versorgung nicht sofort abklingt, sich manchmal kurzfristig noch verstärkt!
- Bei bekannter Pflasterallergie bzw. Überempfindlichkeit sollte nur Adhäsivmaterial eingesetzt und auf Produkte mit Pflasterrand grundsätzlich verzichtet werden.
- Bei einer Allergie auf Folienmaterial kann entweder ein Beutelschutzbezug aus Baumwolle verwendet oder aber das Produkt/die Firma gewechselt werden.
- Ist die Sachlage unklar, kann man Allergietests mit Materialstreifen verschiedener Hersteller durchführen. Zur weiteren Abklärung ist ein Hautarzt zu konsultieren.

Sowohl bei allergischen Reaktionen als auch bei genereller Hautempfindlichkeit besteht die Möglichkeit, die gewohnte Versorgung zu belassen, wenn die peristomale Haut bei jedem Versorgungswechsel mit einem Schutzfilm präpariert wird. Diese Schutzfilme sind in Form von Cremes, z. B. Chiron® *(Mentor* Healthcare), die dünn in die peristomale Haut eingerieben werden muss oder auch als lösungsgetränkter „Lolly" (Cavilon®, 3M Medica*)* verfügbar. Solche Produkte bilden dann eine Schutzbarriere zwischen Versorgungsmaterial und Haut, wobei sie die

Haftung des Adhäsivmaterials bei sachgemäßem Gebrauch nicht behindern.

Toxische Reaktionen

Am häufigsten werden Entzündungen der Haut durch unsachgemäße Pflege verursacht, wenn man mal davon absieht, dass den Pflegenden ja auch nicht gerade selten durch pflegeunfreundliche Stomachirurgie die Aufgabe sehr schwer gemacht wird.
Natürlich kann dies keine Entschuldigung für unsachgemäßes Vorgehen bei der Reinigung der peristomalen Haut sein. Hier müssen unnötige und aggressive Hilfsmittel ein für alle Mal aus unserem „Repertoire“ gestrichen werden und natürlich sind auch die Prinzipien für Abdichtung und Abdeckung der Haut zu beachten, d. h. die Haut muss vor Stuhlkontakt geschützt werden. Ist dies mit einfachen Versorgungsmitteln nicht zu leisten, muss auf entsprechende Hilfsmittel wie Paste, Gürtel oder convexe Versorgungen zurückgegriffen werden (s. auch unter *Retraktion*!).
Hautschäden bei dauerndem Stuhlkontakt können sich auf die Epidermis beschränken, aber auch die darunter liegende Lederhaut

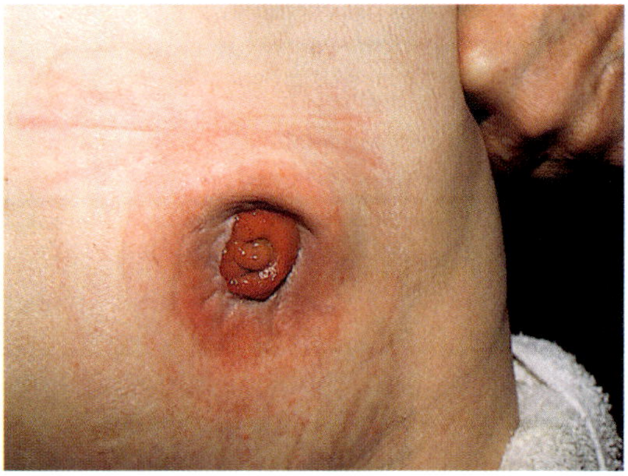

Toxische Hautirritation auf Stuhlkontakt bei nicht angepasster Versorgung

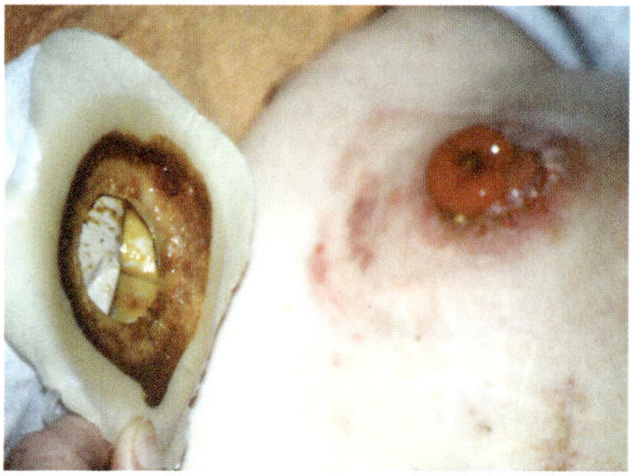

Toxische Hautirritation auf Stuhlkontakt bei nicht angepasster Versorgung: wichtig ist die Inspektion des Negativabdrucks der Platte – hier wird deutlich, dass das System nicht ausreichend abgedichtet hat.

erfassen. Dann spricht man von einer Mazeration. Wird diese nicht frühzeitig erkannt und zur Abheilung gebracht, bilden sich polypoide, überschießende Granulationen, die so genannte Pseudo-Epitheliale Hyperplasie (PEH). Diese können mit einem Silbernitratstift („Höllenstein“) weggeätzt werden (ärztl. Anordnung!) und/oder mit verstärktem peristomalen Andruck (convexes System, Gürtel!) versorgt werden.
Bei bereits bestehenden Hautläsionen bietet es sich zumindest vorübergehend an, mit einem 2-teiligen Versorgungssystem zu arbeiten. So wird bei entsprechender Dichtigkeit die Hautbelastung durch das *Auf und Ab* reduziert und die Abheilung der Läsionen unter dem Adhäsivmaterial (auch unter Paste) gefördert.
Nässende Stellen behindern die Haftung des Adhäsivmaterials - hier sollte nicht trocken gefönt (Keimschleuder!), sondern bei Bedarf mit Adhäsivpuder die Feuchtigkeit gebunden werden. Auf dieser Grundlage kann das Adhäsivmaterial sicher haften.

Erwähnung finden sollte noch der recht seltene *parastomale Abszess* als Folge einer bakteriellen Infektion. Ist es – warum auch immer – zu einem solchen Abszess gekommen, so muss dieser drainiert werden. Dabei sollte der Chirurg die Incision soweit wie möglich vom Stoma entfernt vornehmen, um die Versorgung des Stomas nicht zu behindern.

Rasur

Wenn nachwachsende Haare nicht regelmäßig entfernt werden, behindern sie zum einen die Haftung der Versorgung, zum anderen werden solche Haare beim Versorgungswechsel schnell herausgerissen. Als Folge können sich Haarbälge leicht entzünden – es kommt zur Follikulitis.

Auch Follikulitiden heilen unter Adhäsiv-Schutz normalerweise ab. Wichtiger aber ist sicher die Prophylaxe: die regelmäßige Nachrasur sollte entweder mit Einmalrasierern oder mit elektrischem Rasierer (intaktes Scherblatt!) erfolgen. Um keine Verletzungen an der Stomaschleimhaut zu setzen, empfiehlt sich der turbanartige Schutz des Stomas mit einer Kompresse.

Nicht zu empfehlen ist der Einsatz von Enthaarungscremes, da diese nicht selten allergische Reaktionen provozieren.

Psoriasis vulgaris

Die Psoriasis (Schuppenflechte) ist eine relativ seltene Erkrankung, die sich bevorzugt an stark belasteten Hautpartien wie am Ellenbogen oder an der Patella zeigt. Die peristomale Haut ist ebenfalls eine mehr oder minder stark strapazierte Hautzone und somit für den Psoriatiker ein Problemfeld.

Um die Hautbelastung gering zu halten, empfiehlt sich hier der Einsatz eines 2-teiligen Systems. Auch die Irrigation ist, sofern indiziert, eine hautschonende Alternative.

Mykosen

Weißlich-gelbe verschiebbare Beläge auf der Schleimhaut sind ebenso Indiz für eine Pilzinfektion wie rötliche Papeln auf der Haut, die wiederum Jucken und Brennen verursachen. Pilzinfektionen der peristomalen Haut sind trotz „günstiger" Bedingungen für die Pilze (feucht, warm und dunkel!) selten. Vielleicht fällt es auch deshalb schwer, den Mykose-Befund von anderen Hautirritationen klar abgrenzen zu können.

Bei zusätzlichen Risikofaktoren wie Diabetes oder auch herabgesetzter Immunabwehr sollte daher unbedingt ein Hautarzt hinzugezogen werden, der anhand eines Abstrichs überprüfen kann, ob eine Pilzinfektion vorliegt. Ist dies der Fall, so muss der Hautarzt darauf aufmerksam gemacht werden, dass beim Einsatz lokal wirksamer Antimykotika und/oder Corticoide nur wässrige Präparate in Frage kommen. Cremes und Salben erlauben keine sichere Haftung der Stomaversorgung, werden aber leider immer wieder nicht nur von inkompetenten Hautärzten verschrieben, sondern auch (da meist nicht verschreibungspflichtig) besonders gerne in Apotheken über den Ladentisch gereicht.

Hautirritationen sind nicht leicht zu klassifizieren! Da fällt es selbst erfahrenen Hautärzten schwer, eine Mykose eindeutig zu erkennen. Umso wichtiger ist es, im Zweifelsfall den Hautarzt zu konsultieren, der sich ggf. durch eine Abstrich-Untersuchung Klarheit verschafft.

Entscheidend aber ist in jedem Fall die Prophylaxe: klare Instruktionen für den Patienten, gute Hautbeobachtung und fachgerechte Stomaversorgung. Werden diese

Regeln beachtet, hat die peristomale Haut gute Chancen, viele Jahre ihren Dienst ohne übermäßigen Stress zu tun...

Retraktion

Bei der Stomaretraktion liegt das Stoma unter Hautniveau bzw. unter dem Niveau der Versorgung (was auch bei leicht prominenten Stomaanlagen möglich ist = Pseudoprominenz!).

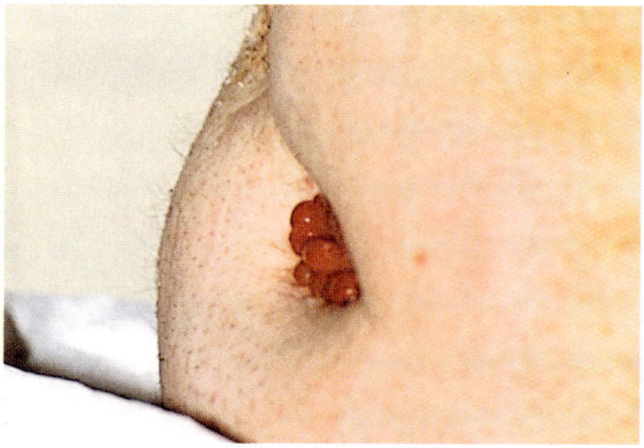

Retraktion: das klassische Seitenprofil im Sitzen

Als Ursachen kommen in Betracht:

- ungenügende Skelettierung des Darms an der Mesenterialwurzel,
- unter Zugspannung angelegtes Stoma (bei stark adipösen Patienten nicht immer zu vermeiden),
- unzureichende Fixierung des Darms in der Bauchwand,
- postoperative Nekrose und Wundheilungsstörungen,
- Spätfolge bei starker Gewichtszunahme.

Die Retraktion ist heute ohne Zweifel die **No.1** in den Charts der Stomakomplikationen und wirft ein deutliches Licht auf die mangelhafte Qualität der Stomachirurgie. Sie stellt in

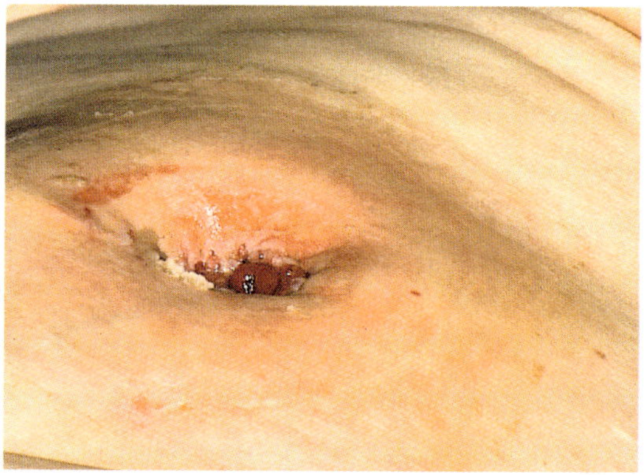

Tiefe Retraktion im Liegen (!) mit bereits mazerierter peristomaler Haut

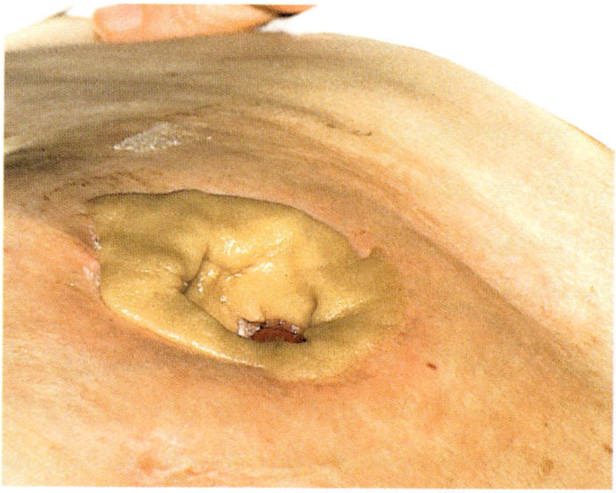

Einsatz von Hautschutzpaste – die Paste muss anmodelliert werden, um die trichterförmige Haut um das retrahierte Stoma abzudecken (+convexe 2-teilige Versorgung!)

jedem Fall ein erhebliches versorgungstechnisches Problem dar, weil eine „normale" Versorgung mit flachem Hautschutz bestenfalls mit Hilfe von Paste möglich ist. Somit wird die Versorgung komplizierter und auch starrer.
Als Lösung der Wahl bei Retraktionen stehen mittlerweile sowohl 1-teilige als auch 2-teilige convexe Versorgungen mit unterschiedlichen Wölbungsgraden zur Verfügung. Der Einsatz

von Paste ist oft zusätzlich erforderlich, um die peristomale Haut auch wirklich komplett und sicher abzudecken. Das Tragen eines Gürtels ist sehr zu empfehlen, da es die Sicherheit (Dichtigkeit) des Systems durch stärkeren Andruck in die Retraktion erhöht. Gürtel werden allerdings nicht von allen Patienten toleriert. Es darf aber an dieser Stelle nicht unerwähnt bleiben, dass der allzu undifferenzierte Gebrauch convexer Systeme auch zu Hautirritationen bis hin zu Drucknekrosen führen kann, wie der Luzerner Stomatherapeut Hans Wyss durch Studien eindrucksvoll belegt hat. Es ist also unsinnig, zu behaupten, ein stärkerer peristomaler Andruck sei für die Sicherheit der Versorgung und somit des Patienten immer besser, wenn auf Grund einer einwandfreien Stomaanlage jede Indikation für ein konvexes System fehlt!

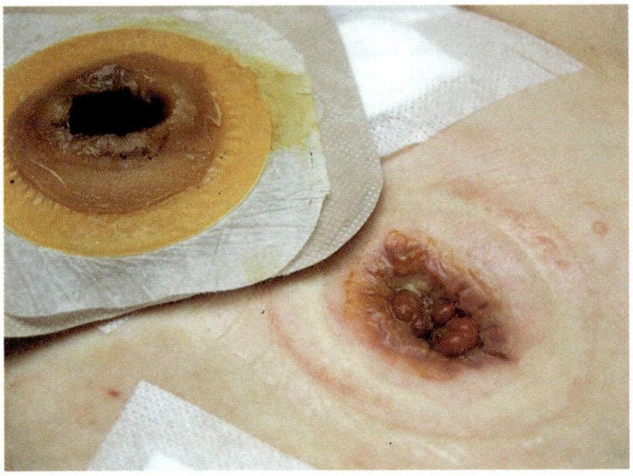

Negativabdruck einer convexen Versorgung mit Hautschutzpaste bei Retraktion.

Stenose

Eine massive Verengung des Ausgangs, die Stomastenose, ist zumeist eine Folge narbiger Abheilung nach Stomanekrosen, Retraktionen und allen entzündlichen peristomalen Prozessen.

Die Inspektion allein reicht für eine Beurteilung der Situation nicht aus. Das Stoma ist behutsam auszutasten und der Patient ist danach zu fragen, ob der Stuhl beschwerdefrei ausgeschieden werden kann. Solange dies der

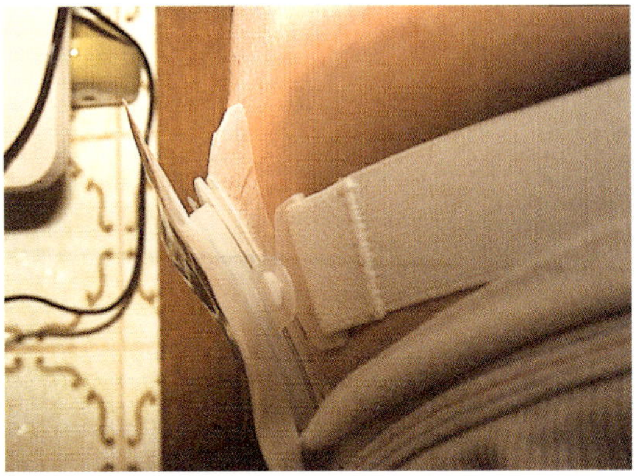

Retraktion: Empfehlenswert ist das Tragen eines Gürtels – er verstärkt den Andruck und somit die sichere Abdichtung der convexen Versorgung (hier: Tandem® convex, Hollister)

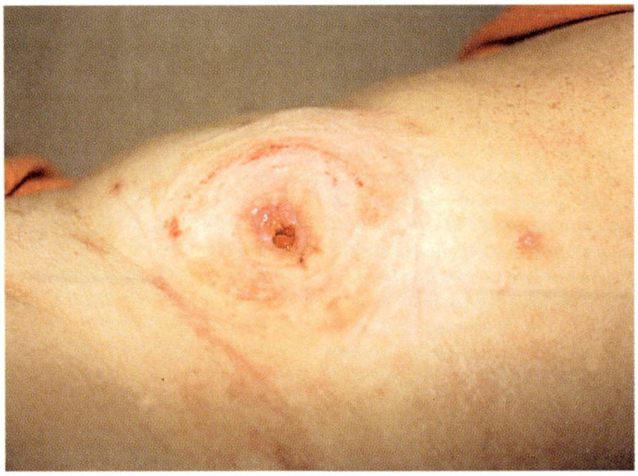

Retraktion + Stenose: das sekundär eingeheilte Stoma wird praktisch von einem Narbenring „erwürgt". Die Haut reagiert hier zudem auf den Pflasterrand einer convexen Versorgung.

Fall ist, kann bei richtiger Versorgung und guter Beobachtung von einer chirurgischen Korrektur zunächst Abstand genommen werden. Eines jedenfalls ist sicher: ein verengtes Stoma wird sich nicht mehr weiten! Wenn die Stenose zu Beschwerden führt (Bauchkrämpfe, Entleerungsstörungen), muss chirurgisch korrigiert werden, d. h. eine Stomaneuanlage an anderer Stelle erfolgen.

Chirurgisches Einschlitzen des Stomarandes oder auch instrumentelles Dehnen *(Bougieren)* sind Methoden, die allenfalls eine kurzfristige Verbesserung der Situation ermöglichen, aber auch sehr bald eine erneute, meist noch stärkere Stenosierung provozieren. Das Bougieren mit einem Finger hat letztlich denselben Negativ-Effekt: auch das *Instrument Finger* ist im Kern starr und führt bei Dehnungsbemühungen zu feinsten Einrissen des Haut-Schleimhaut-Randes. Diese heilen wiederum narbig ab und fertig ist die neue Stenose ...

Daher sollten diese Methoden auch nur bei inoperablen Patienten, temporären Stomaanlagen sowie als palliative Maßnahme in Betracht gezogen werden.

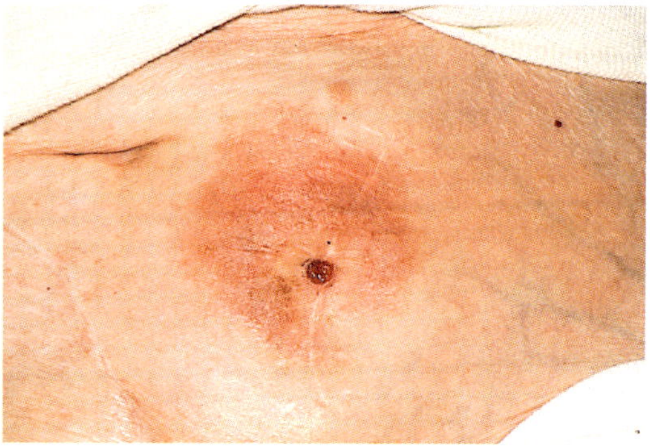

Stomastenose als Endprodukt mangelhafter chirurgischer Arbeit: das Stoma wurde im Laparatomie-Schnitt angelegt

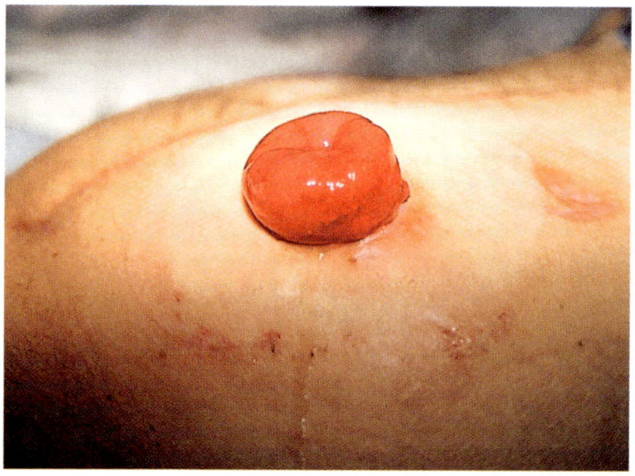

Prolaps mit „angenehmer" Prominenz (primär Stomaanlage in Hautniveau!) und pathologisch oedematös aufgequollener Schleimhaut durch Tumorkompression

Prolaps

Eine zu große Faszienlücke und erhöhter intraabdomineller Druck (z. B. bei wachsendem Tumor, chronischem Husten) sind die wesentlichen Ursachen für die Entwicklung eines Stomaprolaps. Der Darm schaut hierbei mehr oder minder weit über die Bauchdecke hinaus.

Für die Beurteilung eines Prolaps ist es immer wichtig, den Ausgangsbefund dokumentiert zu haben.

War ein Stoma ursprünglich im Hautniveau angelegt und imponiert Monate später durch 3 cm Prominenz, so kann man hier sicher von einem beginnenden Prolaps sprechen. Funktionell betrachtet sind 3 cm allerdings kein Nachteil, sondern erleichtern eher die sicher abdichtende Versorgung.

Bei einem größeren Prolaps ist zunächst die Stomaneuanlage mit Relaparatomie anzustreben, wobei der prolabierte Darmanteil wegen erheblicher Schleimhautveränderungen entfernt werden muss.

Wenn eine operative Korrektur, z. B. bei palliativer Stomaanlage, nicht in Frage kommt, bleibt als (Not-)Lösung der Einsatz einer Prolapskappe (👁). Funktionell dürftige Ergebnisse erlauben allerdings nur eine bedingt positive Bewertung dieser Methode.

Eine absolut zwingende OP-Indikation ist bei eingeklemmtem Prolaps gegeben. Dies ist z. B. bei Versorgung mit 2-teiligem Rastringsystem möglich, da ein prolabierender Darm auch meist seinen Durchmesser vergrößert und dabei an die „Grenzen“ des 2-Teilers stoßen kann: dann droht eine Incarceration.

Beim Wechsel der Stomaversorgung muss das

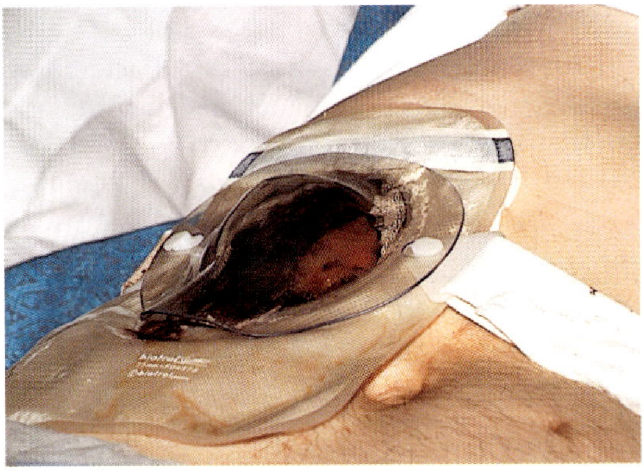

(Not-)Lösung Prolapsplatte: dem herausragenden Darm wird ein Limit gesetzt – die „Nase“ der Platte erlaubt es dem Stuhl, in den Beutel zu rutschen (hier: Biotrol System, B.Braun-Medicare)

Stoma vor dem Anbringen der neuen Versorgung reponiert werden: der Darm wird beim liegenden Patienten behutsam zurück massiert, wobei es hilfreich sein kann, wenn der Patient tief ein- und ausatmet. Nach Möglichkeit sollte der Patient dazu angeleitet werden, seinen Darm selbstständig zu reponieren.

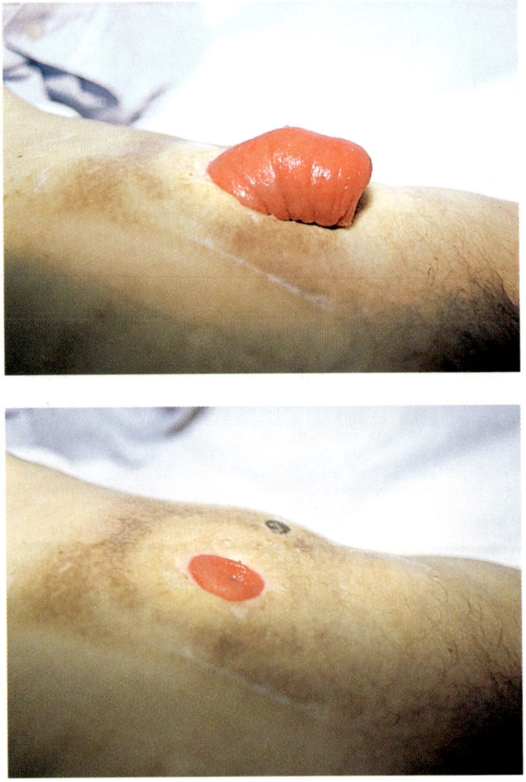

Ein Prolaps muss im Liegen reponiert werden, um eine Versorgung anbringen zu können

Parastomale Hernie

Die Ausbildung einer parastomalen Hernie wird zum einen durch ähnliche Faktoren begünstigt wie der Prolaps: eine zu große Durchtrittspforte in der Bauchdecke sowie ein erhöhter intraabdomineller Druck. In diesem Zusammenhang ist der Patient darüber zu informieren, dass er möglichst keine schweren Lasten mehr heben sollte und bei Hustenattacken die peristomale Bauchdecke durch aktiven, nicht zu zaghaften Gegendruck mit der Hand unterstützen kann!

Darüber hinaus werden Hernien noch begünstigt durch entsprechende Disposition (Bindegewebsschwäche) sowie mangelhafte chirurgische Arbeit: Anlage des Stomas außerhalb des Musculus rectus abdominis sowie Anlage im Bauchschnitt.

Die Hernie wird deutlich durch zunehmende Vorwölbung der parastomalen Bauchdecke, wobei eine starke Wölbung auch negative Auswirkungen auf die Möglichkeiten der Stomaversorgung hat.

Der Patient muss auch darüber informiert werden, dass sich ein Bruch einklemmen kann, je größer er wird und dass bei entsprechenden Beschwerden (Schmerzen!) sofort der Arzt aufgesucht werden muss!

Operatives Vorgehen (Stomaneuanlage) hat nur begrenzte Aussicht auf Erfolg, wobei zu berücksichtigen ist, dass eine Bindegewebsschwäche natürlich nicht wegoperiert werden kann. Folglich ist die Rezidivrate relativ hoch.

Häufigste Maßnahme zur Therapie der parastomalen Hernie ist das Tragen einer Leibbinde mit Aussparung für den Beutel. Möglich ist hierbei der Einsatz von industriell vorgefertigten Stomabandagen oder maßgefertigten Leibbinden.

Der Bandagist sollte gemeinsam mit dem Patienten im Einzelfall entscheiden, welcher der beiden Wege am sinnvollsten erscheint. Für den Patienten muss die Lösung im wahrsten Sinne des Wortes „tragbar“ sein, denn nichts ist unsinniger als ein kunstvoll gearbeitetes Mieder, das einsam und verlassen im Schrank liegt!

Für den Umgang mit Stomakomplikationen und den damit verbundenen Versorgungsproblemen gibt es kaum Patentlösungen. Manchmal geht *Probieren über Studieren.*

Auch unter Beachtung der Versorgungsprinzipien erweist sich der erste Griff in die Versorgungsmittelkiste nicht automatisch immer als der richtige. Das bedeutet aber nicht, dass *richtig oder falsch* versorgt wurde. Solche Wertungen haben hier keinen Platz. Haben Sie Geduld und lassen Sie sich nicht entmutigen – manche Versorgungsprobleme brauchen einen langen Atem ...

Erinnert werden soll aber an dieser Stelle nochmals an den hohen Stellenwert einer gründlichen Pflegeanamnese und Pflegedokumentation, die helfen, manches Problem frühzeitig zu erfassen und mit entsprechenden Maßnahmen vorzubeugen!

Maßgefertigte Leibbinde

Specials

Problemlösungen für besondere Fälle

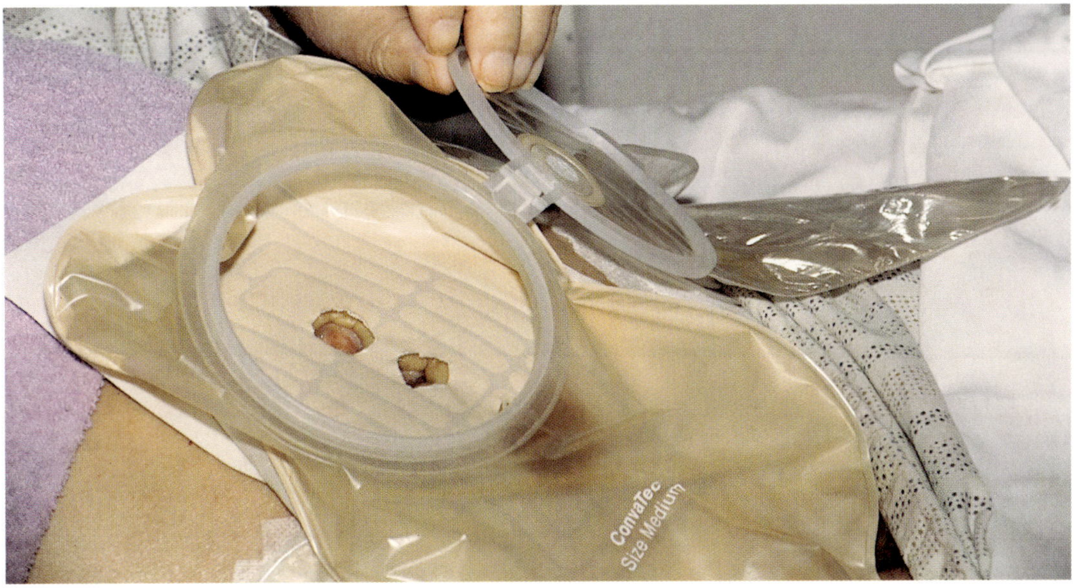

Für bestimmte Patientengruppen ergeben sich spezielle Anforderungen an eine situationsgerechte pflegerische Betreuung, aber auch an das Versorgungsmaterial. In diesem Kapitel möchte ich im Einzelnen eingehen auf Aspekte

- bei tumorkranken Patienten,
- bei Säuglingen und Kleinkindern,
- bei Patienten mit stark sezernierenden Wunden und Fisteln,
- bei Stuhlinkontinenz.

Stoma + Krebs

Die Diagnose *Krebs* schafft schon allein eine extreme Situation, da sie für den Patienten existenzbedrohend ist. Aus der Therapie bei Darm- oder Blasenkrebs (s. d.) ergeben sich zusätzliche, hohe Belastungsfaktoren:

- die häufig erforderliche Stomaanlage,
- die anschließende Chemo- und/oder Radiotherapie,
- das Wissen um die hinlänglich bekannten oder auch bei anderen Menschen erlebten Nebenwirkungen der Therapie(n),
- Folgen der radikalen operativen Therapie = Miktions- und Sexualfunktionsstörungen sowie bei einer Rektumamputation auch Probleme mit der „hinteren Wunde“,
- die unsichere berufliche Perspektive: nur wenige der praeoperativ erwerbstätigen Stomaträger sehen sich nachher in der Lage, ihren Beruf wieder auszuüben.

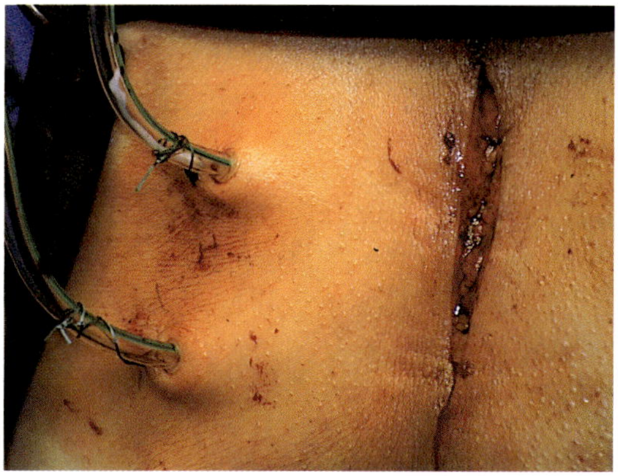

„Hintere Wunde" nach abdomino-perinealer Rektumamputation – ein Sitzkissen mit Aussparung kann in der ersten Zeit entlasten

Die psycho-soziale Situation von Tumorpatienten ist sehr unterschiedlich:
Der Krebs kann im Rahmen von Routine-Checks oder Gesundheitsvorsorgeuntersuchungen entdeckt worden sein, ohne dass sich vorher nennenswerte Symptome gezeigt hätten. Hier ist die Akzeptanz für die Stomaanlage gering und der Schock groß. Das Stoma wird nicht selten als zusätzliche Strafe empfunden.
Das Auftreten eines Rezidivtumors macht einerseits oft die Ausweglosigkeit der Situation deutlich. Andererseits reagiert der Patient, der aufgrund eines Rezidivtumors ein Stoma bekommt, meist gefasster auf eine Stomaanlage als nach der ersten kontinenzerhaltenden Operation. Die Rezidivoperation erlaubt allerdings oft kein kuratives Vorgehen mehr – das Stoma hat somit palliativen Charakter.
Notfallmäßige Stomaanlagen bei Ileus durch Tumorkompression sind in der Regel ebenso palliativer Natur. Sie werden vom Patienten aber durchaus auch als befreiend empfunden, da der Allgemeinzustand vor der Not-OP extrem beeinträchtigt ist (Druck, Schmerz, Erbrechen) und danach zunächst deutlich verbessert sein kann.
Manche der zumeist älteren Patienten mit Stomaanlage aufgrund eines Tumors haben die Vision *„Stoma = Tod"* vor Augen. Der Grund für diese Annahme ist häufig in früheren Erfahrungen mit Betroffenen zu suchen. Auch wenn natürlich nicht jeder „alte" Stomaträger aufgrund der Tumorerkrankung starb, so wurde allein die äußerst unbefriedigende Versorgungssituation, z. B. mit *Pelotte,* als fürchterlich und nicht mehr lebenswert empfunden.
Der „Mythos Krebs" und das Stoma provozieren nicht selten den Rückzug der Betroffenen. Eine solche selbst gewählte Isolation, die ihre Wurzeln auch im gesellschaftlichen Umgang mit Ausscheidungen hat, bedeutet oft den sozialen Tod.
Aber auch dies ist Realität: nach kurativer Rektumamputation mit Anlage eines Sigmastomas leben manche Patienten ohne nennenswerte Beschwerden, fühlen sich gut versorgt (z. B. durch Irrigation) und arrangieren sich mit ihrem Schicksal.

Die Versorgungsweise bei onkologischen Stomapatienten unterscheidet sich prinzipiell nicht von der bereits bekannten. Die Möglichkeiten sind je nach Tumorstadium begrenzter, so kann z. B. irgendwann die Irrigation nicht oder nicht mehr durchgeführt werden. Durch zunehmenden Druck des wachsenden Tumors werden Prolaps- und Hernienbildung begünstigt. Fisteln können zur Haut, aber auch in Hohlorgane wie Blase und Vagina durchbrechen. Schmerzen nehmen zu und schreien buchstäblich nach einer kompetenten Palliativmedizin. Noch immer ist die Behandlung chronischer, und hier besonders tumorbedingter Schmerzen in Deutschland ein Stiefkind und die „Tropfenspielchen" haben noch allzu oft Vorrang gegenüber angepasster, prospektiver Stufentherapie mit Analgetika. Die Leidtragenden sind natürlich die Patienten, aber auch die Pflegenden: die Durchführung pflegerischer Tätigkeiten am Patienten wird bei insuffizienter Schmerzmedikation durch eine niedrige Toleranzschwelle erheblich erschwert. Gerade mit zunehmender Kompetenz auf pflegerischer Seite sollten sich Pflegende nicht zu schade sein, die verantwortlichen Ärzte zum Handeln aufzufordern, wenn die verordneten Analgetika offensichtlich nicht die gewünschte Wirkung erzielen. Patienten und Angehörige sollten ebenso ermutigt werden, die Wirkung der verordneten Medikamente ehrlich zu „spiegeln". Nur so kann die Therapie angemessen ein- und umgestellt werden – „Indianerspielchen" helfen da wenig! In diesem Zusammenhang muss auch auf die Nebenwirkungen der Opiate hingewiesen werden: neben der atemdepressiven Wirkung führt Therapie mit Opiaten **immer** zur Obstipation. Im Wissen darum **muss** eine begleitende stuhlregulierende Medikation (z. B. mit einem „Stuhlregulans" wie Galaktose, ggf. auch Laxantien) in den Therapieplan eingebaut werden!

Unter einer Chemo-/Radiotherapie verändern sich meistens

- die Konsistenz des Stuhls,
- der Allgemeinzustand, und zwar sowohl durch die Nebenwirkungen der Therapien, die in der Regel einen längeren Zeitraum laufen, als auch durch die oft sehr zeit- und kraftraubenden Wege zum/vom Ort der Therapie,
- die Toleranz der belasteten Hautpartien.

So ist in der Regel eine pflasterfreie, 2-teilige Stomaversorgung angezeigt, um die Hautbelastung zu reduzieren. Bei flüssiger Stuhlkonsistenz empfiehlt sich die Verwendung von Absorberprodukten wie Ileo-Gel® (B.Braun) Medicare oder SGX® (For Life) für Ausstreifbeutel oder das bereits erwähnte Sorbion-Sachet® im Colostomiebeutel. Hierdurch wird die Flüssigkeit gebunden und kann somit nicht mehr so leicht die Versorgung unterspülen.

Die bestrahlte Haut bedarf besonderer Schonung und rücksichtsvoller, behutsamer Pflege. Hautläsionen, OP-Narben, Fistelöffnungen und die Stomaanlage sollten vor Bestrahlungsbeginn vollständig ausgeheilt sein. Während und noch einige Wochen nach der Therapie sind mechanische, thermische und chemische Reize auf ein eventuell notwendiges Minimum zu beschränken.

Die Reinigung und Pflege der peristomalen Haut muss demnach gründlich und doch schonend vorgenommen werden. Im Folgenden dazu noch einige Pflegetipps:

- Mit angefeuchteten Vlieskompressen sollte die Haut nur abgetupft und „Rubbeln“ vermieden werden.
- Bei sehr dünner Stuhlkonsistenz und problematischen Stomaanlagen empfiehlt sich immer eine zusätzliche Abdichtung mit Hautschutzpaste.
- Undichtigkeiten sind nicht zu tolerieren. Versorgungswechsel sollten dementsprechend schnell durchgeführt werden.
- Pflasterentferner sind absolut tabu. (wie schon gesagt: am besten gar kein Pflaster verwenden!)
- Bei notwendigen Gürtel- oder Miederversorgungen müssen Scheuer- und Druckstellen abgepolstert werden.
- Puder (z. B. Azulon®) darf erst nach Anbringen des Adhäsivmaterials (Hautschutzplatte) aufgetragen werden.

Wenn es trotz aller Vorsicht zu einer Strahlen-Dermatitis im peristomalen Bereich gekommen ist, muss eventuell eine Therapiepause bis zur Abheilung eingelegt werden.

Für Tumorpatienten wird es bei zunehmender Verschlechterung des Allgemeinzustandes immer schwieriger, sich selbst zu versorgen. Dann ist die Anleitung einer nahe stehenden Person, z. B. des Ehepartners und/oder die Einbeziehung eines ambulanten Pflegedienstes angezeigt. Dies ist zunächst einer Krankenhauseinweisung vorzuziehen, denn die meisten Menschen möchten lieber zuhause sterben.
Patienten mit palliativen doppelläufigen Stomaanlagen (Erhalten des Afters!) müssen darauf hingewiesen werden, dass periodische Ausscheidungen über den natürlichen Ausgang normal sind. Es handelt sich meist um schleimige, manchmal auch blutige Entleerungen, die bei Bedarf durch ein Klistier unterstützt werden können. Leider wird manchmal auf diesem Wege auch zerfallenes

Tumorgewebe ausgeschieden. Dies führt durch den üblen Geruch zu einer zusätzlichen Belastung für den Betroffenen und seine Umgebung. Eine diskrete, kurzfristige Entsorgung der notwendigen Vorlage sowie die Pflege der perianalen Haut sind hier vordringlichste Aufgabe der Betreuenden.

Kids

Immer wieder löst es Erstaunen aus, dass auch bei Kindern Stomaanlagen notwendig werden können, wenn auch glücklicherweise viel seltener als beim Erwachsenen. Die Indikationen sind hier andere: es sind meist angeborene Missbildungen (z. B. Analatresien), Invaginationen oder die Nekrotisierende Enterocolitis (NEC), die eine Stomaanlage erforderlich machen. Die

Mehrzahl dieser Stomata können wieder zurückverlegt werden, wenn die Ursache behoben bzw. abgeklungen ist.
Die Stomaversorgung bei Säuglingen und Kleinkindern stellt uns vor besondere Herausforderungen. Die Grundsätze der Versorgung sind identisch, es kommen aber einige Aspekte hinzu, die bedacht werden wollen:

- der in der Regel flüssige Stuhl,
- die im Vergleich zu größeren Kindern und Erwachsenen viel kleinere Bauchfläche,
- der oft sehr intensive Bewegungsdrang der Kinder,
- die meist noch vorhandene „Windel",
- die besonders empfindliche Haut des kleinen Kindes,
- das notwendige, regelmäßige Baden der Klein(st)kinder,
- die „Unvernunft" – kindliche Reaktionen, z. B. auf Fremdkörpergefühl oder Juckreiz sind kaum kalkulierbar.

Um diesen besonderen Anforderungen Rechnung zu tragen, sind folgende Überlegungen ratsam:

- Grundsätzlich sollte hautfreundliches Adhäsivmaterial verwendet und auf jegliche Art von Pflaster verzichtet werden.
- Wichtig ist auch eine dem Kind angemessene Größe der Versorgung. Die Industrie ist heute besser „sortiert" und bietet sogar speziell für die winzigen Proportionen von Frühgeborenen kompatible Beutelgrößen an!
- Aufgrund des flüssigen Stuhls sind beim 1-Teiler auf jeden Fall Ausstreifbeutel zu verwenden.
- Ob ein 1-teiliges oder 2-teiliges Versorgungsprodukt eingesetzt werden sollte, muss im Einzelfall abgewogen werden: die 1-teilige Versorgung kommt mehr dem Bewegungsdrang des Kindes entgegen, 2-Teiler können – je nach Anforderungen – mehr Hautschonung gewährleisten.
- Ein **absolutes** Verbot gilt für den Gebrauch aggressiver Reinigungsmittel. Die peristomale Haut sollte, wie bei den „Großen", nur mit Wasser und Vlieskompressen gereinigt werden!
- Die Kontrolle der Versorgung muss in kurzen Zeitintervallen erfolgen, da ein Kontakt der Haut mit den Ausscheidungen (bei Undichtigkeit) nicht lange toleriert werden darf.
- Wenn das Kind noch eine Windel trägt, ist der Beutel so zu platzieren, dass die Ausscheidungen auch abfließen können.

Besondere Beachtung verdient die Beratung und Schulung der Eltern. Mit viel Geduld und Verständnis muss in dieser von Angst und Unsicherheit geprägten Situation auf sie eingegangen werden, um sie in die Lage zu versetzen, die erforderliche Stomaversorgung

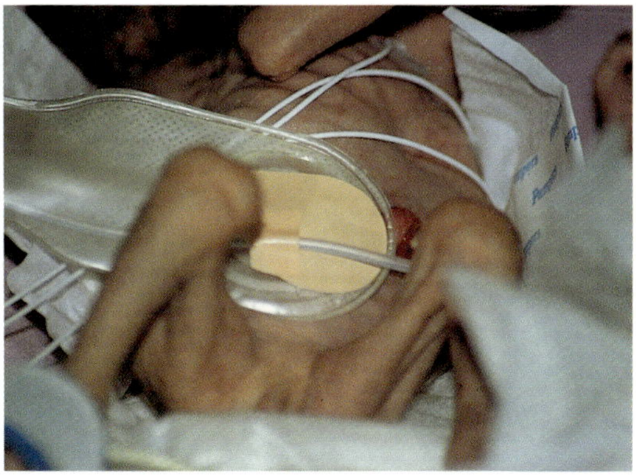

Versorgungsbeutel für Frühgeborene (prematures®, for life) – obwohl das Mini-Beutelchen die Anforderungen an kleinkindgerechtes Material zweifellos erfüllt, erscheint auch dies noch riesig...

sachgemäß durchführen zu können. Ressourcen auf Seiten der Eltern sind sicher die natürliche Verbundenheit mit ihrem Kind sowie die in den meisten Fällen zeitliche Begrenzung der Situation mit dem Stoma.

Sezernierende Wunden und Fisteln

Stark sezernierende Wunden (auch Platzbäuche) sowie Fisteln werden in konventioneller Weise mit Wundverbänden versorgt. Eine sehr gute und vorteilhafte Versorgungsalternative besteht im Einsatz von speziellen Wunddrainage- oder auch Urostomiebeuteln. Welche Beutel verwendet werden, hängt von der Größe der Wunde bzw. der Ausschnittfläche des Beutels sowie der Sekretmenge ab. Wenn eine Urostomieversorgung in Frage kommt, so erlaubt sie durch die vorhandene Rückflusssperre eine definitive und somit Sekretableitung. Diese Methode folgt den Prinzipien der Hautabdeckung sowie Ableitung flüssiger Ausscheidungen und bietet dabei viele Vorteile. Dem Schutz der Haut vor aggressivem Sekret wie z. B. Stuhl, Galle, Pankreassaft wird in besonderer Weise Rechnung getragen. Denkbar ist aus diesem Grund auch der zusätzliche Einsatz der bereits wiederholt erwähnten Absorberprodukte Sorbion-Sachet® und Ileo-Gel®. Beim konventionellen Wundverband wird das Sekret nur aufgesaugt und hat weiterhin Hautkontakt. Die Geruchsbelästigung wird deutlich reduziert und ein Drainagesystem bietet die Option für eine Sekret-Dauerableitung, ggf. per Adapter, und ermöglicht eine Bilanzierung der Sekretmenge. Bei Wunddrainagesystemen mit „Fenster“ (👁 **Seite 77**) besteht die Möglichkeit einer genauen Inspektion und Spülung der Fistel bzw. Wunde. Dem

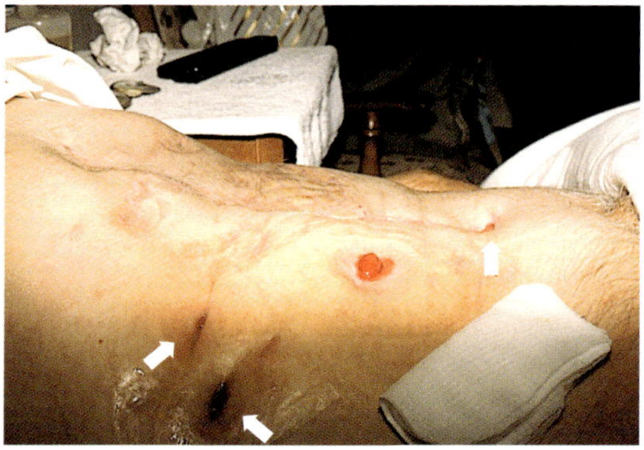

Patient mit sub-prominenter Ileostomie und multiplen Fistelöffnungen in der Bauchdecke (s. Pfeile)

Patienten werden häufigere, oft lästige und schmerzhafte Verbandwechsel erspart. Die Mobilisierung des Patienten wird gefördert. Der therapeutische und pflegerische Aufwand ist erheblich reduziert. Das gilt sowohl für den Aufwand an Arbeitszeit (häufige Verbandwechsel werden erspart) als auch an Versorgungsmaterial. Daraus ergibt sich ein erheblicher ökologischer wie auch ökonomischer Gewinn: Verbandmüll wird reduziert und die Kosten für Wunddrainage- oder Urostomiesysteme sind bei sachkundigem Gebrauch deutlich niedriger als bei der konventionellen Verbandmethode, Arbeitszeitkosten nicht eingeschlossen!

Stuhlinkontinenz

Wie bei der stomabedingten Stuhlinkontinenz bedarf auch der Betroffene mit einer „klassischen“ Form einer kompetenten Beratung, Behandlung und Begleitung.
Auf der Suche nach Ursache(n) und Ausprägungsgrad einer Stuhlinkontinenz ist eine gute Anamnese – wieder einmal – das A&O. Für die Diagnostik macht es sich bezahlt,

einen proktologisch versierten Arzt ins Spiel zu bringen, der dies mit seiner Kompetenz und den entsprechenden diagnostischen Möglichkeiten auch leisten kann.

Häufig finden sich Inkontinenz und rektale Obstiation als kombinierte Funktionsstörung. Da sich also in der Anamnese nicht selten eine chronische Obstipation zeigt, kommt der Beratung zu einem prophylaktischem Lebensstil (Trinkverhalten, Bewegung, ballaststoffreiche Ernährung) große Bedeutung zu. Dasselbe gilt für den Aufklärungsbedarf bei Laxantienabusus!

Als weitere vorbeugende Maßnahmen können die Beckenbodengymnastik, Bio-Feedback-

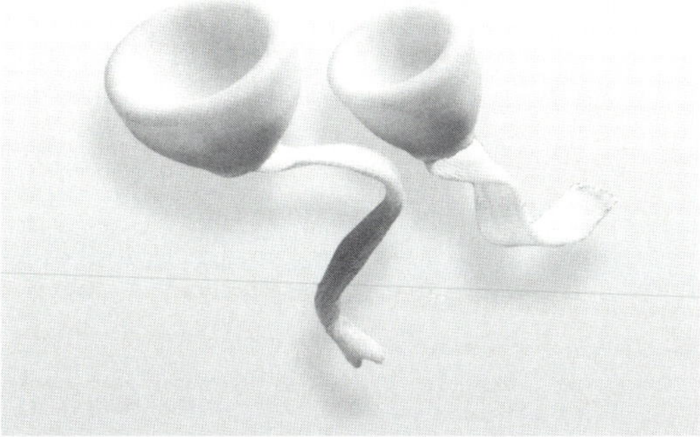

Analtampon, hier: Conveen® (Coloplast)

Training oder auch die anale Irrigation zur Anwendung kommen.

Ergänzend zu den prophylaktischen Möglichkeiten müssen den betroffenen Patienten Hilfsmittel angeboten werden, die den Stuhl aufhalten, auffangen oder auch körperfern ableiten können:

- **Aufhalten** – Analtampons in verschiedenen Größen und Formen
- **Auffangen** – Vorlagen, Windelhosen, Bettunterlagen oder ähnliche Hilfsmittel
- **Ableiten** – Faecalkollektoren (nur für immobile Patienten in Seitenlage geeignet, auch dann nur selten effektiv!)

Besteht die klare Option für eine operative Therapie, so ist diese Möglichkeit natürlich anzustreben. Weitere therapeutische Ansätze sind die schon erwähnten Maßnahmen zur Stärkung des Beckenbodens, die anale Irrigation und – **last, but not least** – die Anlage eines Stomas. Ein Leben mit einem gut versorgbaren Stoma ist erfahrungsgemäß dem mit unbeherrschbarer Stuhlinkontinenz in punkto Lebensqualität unbedingt vorzuziehen, denn eine solche führt immer in den sozialen Rückzug. So gilt es hier für Mediziner wie Pflegende, diese therapeutische Option im Beratungsgespräch nicht auszusparen und Horrorvorstellungen den Schrecken zu nehmen!

Begleitende Hilfen für die Betroffenen sind klare Informationen und die Beratung zu Hilfsmitteln (auch in schriftlicher Form, z. B. Info-Broschüren von Herstellerfirmen), nicht zuletzt auch solchen zum Schutz der perianalen Hautpartie (s. a. Hautschutz bei Stomapatienten!).

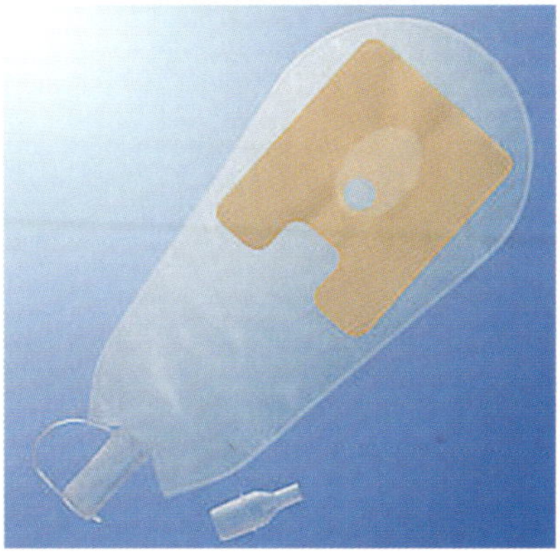

*Faecalcollektor,
hier von B. Braun Medicare*

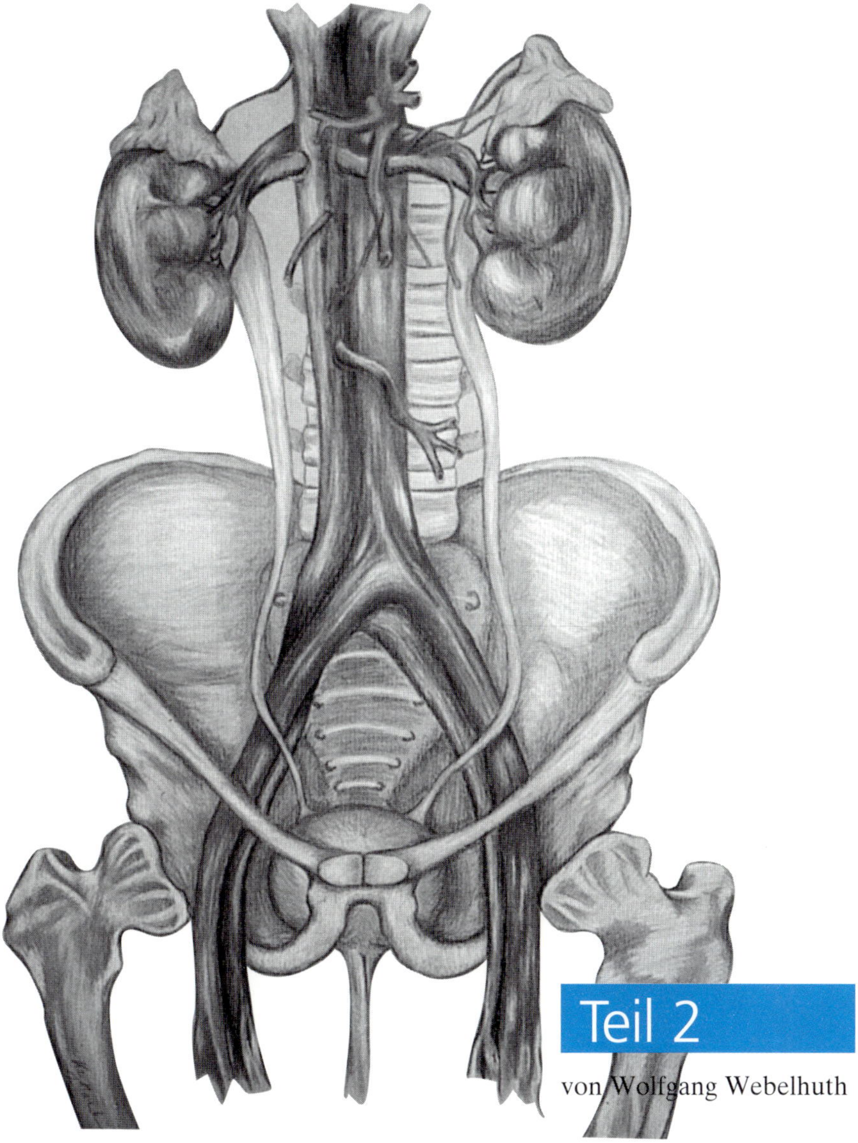

Teil 2

von Wolfgang Webelhuth

Zwischen Quelle und Mündung

Anatomie und Physiologie des harnableitenden Systems

Das harnableitende System besteht aus den beiden Nieren, den beiden Harnleitern, der Harnblase und der Harnröhre.

Die Nieren erfüllen für den Körper eine ganze Reihe von Aufgaben. An erster Stelle steht die Regulation des Wasser- und Elektrolyt-Haushaltes sowie des Säure-Basen-Gleichgewichtes. Sie gewährleisten damit die Konstanz des *inneren Milieus* oder einfacher ausgedrückt: Sie bewahren das richtige *Betriebsklima* innerhalb des Organismus. Die ionale Zusammensetzung, die osmotische Konzentration und der pH-Wert werden trotz eines ständig schwankenden Anflutens von Stoffwechselprodukten im Blutplasma und über dieses in allen anderen Körperflüssigkeiten in engen Grenzen aufrechterhalten. In diesem Zusammenhang hat die Ausscheidung von Wasser und den Ionen Natrium, Kalium, Wasserstoff und Phosphat große Bedeutung.

Daneben haben die Nieren wie der Darm, die Lunge und die Haut auch eine Ausscheidungsfunktion für Stoffwechselschlacken. Zu diesen harnpflichtigen Substanzen zählen insbesondere der Harnstoff und die Harnsäure. Schließlich haben die Nieren eine wichtige endokrine Funktion. Über die Bildung von Renin entsteht ein Einfluss auf den arteriellen Blutdruck und die Menge des zirkulierenden Blutvolumens. Außerdem wird Erythropoetin in das Serum ausgeschüttet. Es ist im Rahmen der Blutbildung für die Stimulation der Erythrozytenreifung wichtig. All diese Aufgaben kann eine Niere auch allein übernehmen, wenn das zweite Organ fehlt (häufigste Ursache: Tumornephrektomie) oder durch Funktionsverlust ausfällt.

Die Nieren liegen beiderseits der Wirbelsäule im Übergangsbereich von der unteren Brust- zur oberen Lendenwirbelsäule. Beim erwachsenen Menschen sind sie etwa 12 cm lang, 6 cm breit und 3 cm dick. Der in der Rinden- und Markschicht gebildete Urin wird in die Kelche des Nierenbeckens abgegeben. Hier beginnt das harnableitende Hohlsystem. Das

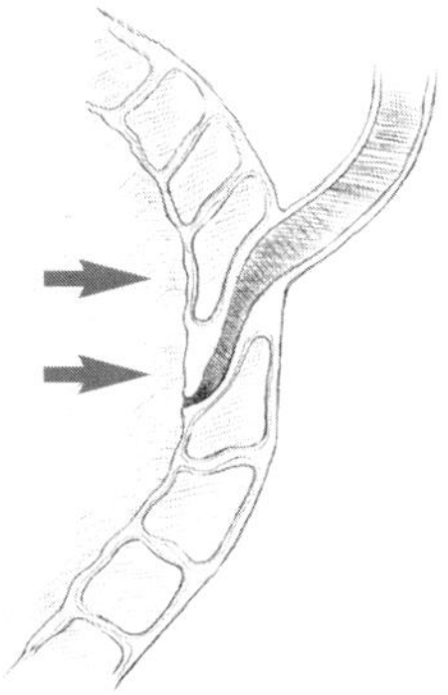

Antirefluxive Harnleitermündung

Nierenbecken hat ein Volumen von 10 bis 15 ml. Aus ihm geht der Harnleiter (Ureter) hervor, der an der Rückseite des Bauchraumes abwärts in das kleine Becken zieht und von hinten unten in die Blase mündet. Auf diesem Weg ergeben sich drei *physiologische Engen*: Am Übergang des Pyelons zum Ureter, durch die iliakale Gefäßkreuzung und letztlich bei der Passage durch die Blasenwand. Diese Engstellen sind insofern bedeutsam, als sich hier im Verlauf eines Harnsteinleidens Steine bevorzugt festsetzen. Daraus können schmerzhafte Koliken, aber auch Harnabflussbehinderungen resultieren. Die Wand des Harnleiters enthält glatte Muskulatur, die den Urin in peristaltischen Wellen in Richtung Blase drückt. Dabei wird ein Druck von bis zu 40 cm Wassersäule aufgebaut. Dieser Wert hat besonders dann praktische Bedeutung, wenn die Harnblase entfernt und aus Darmanteilen ein neuer Abfluss bzw. ein Reservoir gebildet werden muss. Die Harnleitermündung bildet eine Art Ventilmechanismus, der einen Rückfluss (Reflux) aus der Blase zu den Nieren verhindert. Die anatomische Voraussetzung hierfür bildet der schräge Verlauf des Harnleiters durch die Blasenwand zur Ureteröffnung. Bei Druckerhöhung in der Blase wird dieser Harnleiterteil zusammengepresst. Solche Druckerhöhungen ergeben sich physiologisch während der Bauchpresse, z. B. beim Husten oder Anheben schwerer Gegenstände und bei der Harnaustreibung. Schließlich ist die Blase ein kräftiger Hohlmuskel, der bei der Frau einen Miktionsdruck von 30 - 40 cm / H_2O, beim Mann von bis zu 70 cm / H_2O entwickeln kann. In der Speicherphase bleibt der Blaseninnendruck auf einem konstant niedrigen Niveau, weil sich die Blasenwand dem steigenden Volumen durch Dehnung so lange anpasst, bis willentlich ausgeschieden werden soll.

Liegt unterhalb der Blase eine Abflusssperre (Obstruktion) vor, steigt der intravesikale Druck so stark an, dass die Harnleiter ihrerseits keinen Urin mehr in die Blase leiten können. Der Harn staut sich dann bis in das Nierenkelchsystem zurück.

Das Nierenhohlsystem, die Harnleiter, die Blase und die sich anschließenden 2/3 der Harnröhre sind mit *Übergangsepithel (sog. Urothel)*) ausgekleidet. Es wird aus Zellen gebildet, die in entspanntem Zustand hoch aufrecht nebeneinander stehen. Bei Dehnung des Organs können sie sich der Zugrichtung anpassen und somit eine Oberflächenvergrößerung bewirken. Das verbleibende 1/3 der Harnröhre ist mit Plattenepithel beschichtet.

Die Blase und der nachfolgende Schließmuskelapparat bilden durch ihr Zusammenwirken einen willentlich arbeitenden Harnspeicher. Die nervale Steuerung der Blasenfunktion erfolgt durch das sakrale Miktionszentrum in S_2-S_4 und übergeordneter Zentren im Gehirn. In der Speicherphase melden Dehnungsrezeptoren der Blasenwand die steigende Füllung zum Miktionszentrum. Bewusst wird der Blaseninnendruck aber erst

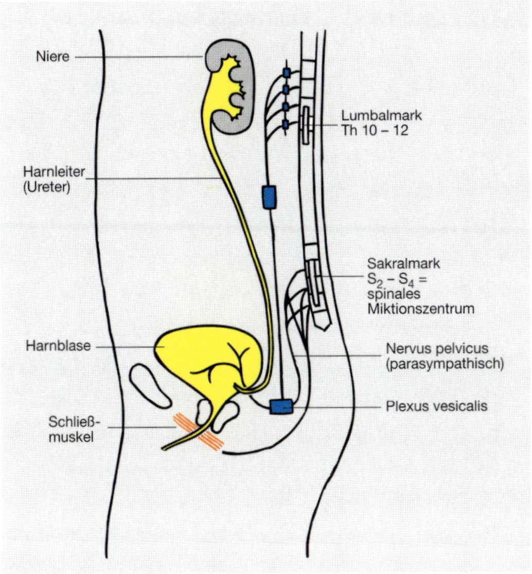

Nervale Steuerung der Blasen- und Schließmuskelfunktion

durch die Weiterleitung an das Gehirn mit entsprechender Verarbeitung. In diesem Zeitraum ist der Blasenmuskel (Detrusor) gehemmt. Er dehnt sich zur Aufnahme des Harns, während der Schließmuskel (Sphinkter) aktiv ist, um den Blasenauslass abzudichten. Ein solcher Zustand kann individuell unterschiedlich lange aufrechterhalten werden – wir üben ja alle seit frühester Kindheit. Schließlich erfolgt die Umkehrung als willentlicher Prozess über absteigende Bahnen zum sacralen Miktionszentrum und von dort weiter zu den Erfolgsorganen. Der Sphinkter wird nun gehemmt, er öffnet sich – der Detrusor wird stimuliert, er treibt durch Kontraktion den Harn aus.

Ist die Verbindung zum Gehirn oberhalb des sacralen Miktionszentrums z.B. durch Querschnitt oder Tumor unterbrochen, arbeitet dieses nach einigen Wochen autonom. Blasenfüllung und Entleerung erfolgen nun über den Reflexbogen - also unwillkürlich. Es liegt fortan eine Reflex-Inkontinenz vor.

Bei der Frau verläuft die etwa 5 cm lange Harnröhre (Urethra) oberhalb des Scheidengewölbes bis zur Mündung in den Scheidenvorhof. Eine vom Urologen durchgeführte Untersuchung der Scheide, die *vaginale Einstellung*, gewährt eine Beurteilung des Harnröhrenverlaufes. Damit können pathologische Veränderungen des Blasenhals-Harnröhren-Übergangs im Rahmen einer Inkontinenz bewertet werden.

Die Urethra des Mannes geht vom Blasenhals in einen prostatischen Teil über. Dieser Übergangsbereich ist für die männliche Sexualfunktion bedeutsam. Hier findet sich die gemeinsame Mündung der beiden Samenleiter, über die beim Orgasmus das Sperma in die Harnröhre ausgeschüttet wird und so in die korrekte Richtung fließt, während sich der Blasenhals reflektorisch schließt. Unmittelbar distal der Prostata schließt der Sphinkter die Blase gegen die Harnröhre hin ab. Diese verläuft ab der Prostata unmittelbar parallel zum Rektum. Männern im entsprechenden Vorsorgealter ist das rekto-digitale Austasten bekannt. Es liefert wertvolle diagnostische Hinweise im Hinblick auf Erkrankungen der Prostata. Die insgesamt 15 bis 20 cm lange Urethra verläuft im Bogen unterhalb der Symphyse und geht danach in einen pendulären, im Penis verlaufenden, Abschnitt über. Den Abschluss des Harntraktes bildet die Harnröhrenöffnung.

Das gesamte harnableitende System liegt damit extraperitoneal, d. h. außerhalb der Bauchhöhle.

Wie die Steuerung der Blasenfunktion vollzieht sich auch die Stimulation der Sexualorgane über das Sacralmark S_2-S_4. Bei der Frau bewirkt sie das Anschwellen der kleinen

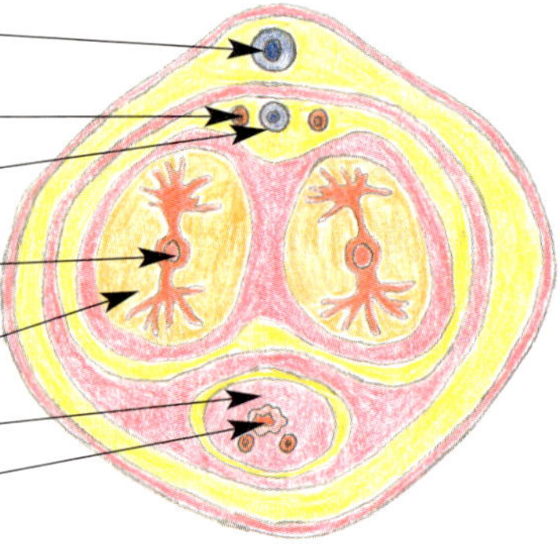

Penisschaft im Querschnitt
a Oberflächliche Penisvene
b Tiefe Penisvene
c Arterien
d Schwellkörperarterie
e Schwellkörpergewebe
f Harnröhrenschwellkörper
g Harnröhre

Schamlippen und der Clitoris. Außerdem sondert das Vaginaepithel Flüssigkeit ab, wodurch die Scheide gleitfähig wird.
Am Schambein des Mannes sind zwei Ruten-Schwellkörper befestigt, die sich beiderseits der Harnröhre entlang ziehen, sowie ein Harnröhren-Schwellkörper, der die Urethra in ihrem weiteren Verlauf umschließt. Die Erhöhung der arteriellen Blutzufuhr und die Drosselung des venösen Abflusses aus den Schwellkörpercavernen bewirken eine Erektion.
Liegt eine Querschnitt-Symptomatik oberhalb S_2-S_4 vor, kann es weiterhin unwillkürlich zur Stimulation der genannten Sexualorgane kommen. Sind allerdings die Bahnen des Reflexbogens durch Operationen im kleinen Becken zerstört, fällt auch diese Funktion aus.

Kurzgefasste Harnschau

„...es stanken die Hinterhöfe nach Urin“..., bemerkt Patrick Süskind ebenso kurz wie anschaulich in seinem Roman *Das Parfüm*. Die Zeiten, in denen urologische Stationsflure den vorgenannten Hinterhöfen geruchsmäßig nahe kamen, gehören lange der Vergangenheit an. Der so drastisch beschriebene Geruch des Urins beruht übrigens auf der Oxidation von Harnbestandteilen an der Luft, Ammoniak wird frei. Und schon befinden wir uns mitten in der Harnanalyse.

Der Harnwegsinfekt

Das Erscheinungsbild (*nicht nur*) vieler urologischer Stationen hat sich in den letzten Jahren in einer Hinsicht gravierend verändert: Immer häufiger findet sich vor Patientenzimmern eine Ablage, bestückt mit Schutzkittel, Mundschutz und Einmalhandschuhen sowie Desinfektionsmitteln. Hier findet *Umkehrpflege* statt, weil der Zimmerbewohner Träger eines multiresistenten Keimes ist. Dieser Keim kann sich in allen Regionen der äußeren Haut ansiedeln, aber auch über die Harnröhre (*Urin*) und den After (*Stuhl*) sowie den Mund und die Nase in den Körper eindringen.
Beim Harnwegsinfekt zeigt das Sediment unter dem Mikroskop vermehrt Erythrozyten und eine deutliche Zunahme an Leukozyten. Zudem tritt nun gehäuft abgestoßenes Epithel auf. Entscheidend ist aber natürlich die massenhafte Ausscheidung von Bakterien. Von einem signifikanten Infekt spricht man, wenn die Keimzahl $> 10^5$/ml ist. Allerdings muss der Befund der Urin-Kultur immer im Zusammenhang mit dem klinischen Bild des Patienten – hat er Schmerzen oder Fieber? – bzw. einer geplanten invasiven Maßnahme betrachtet

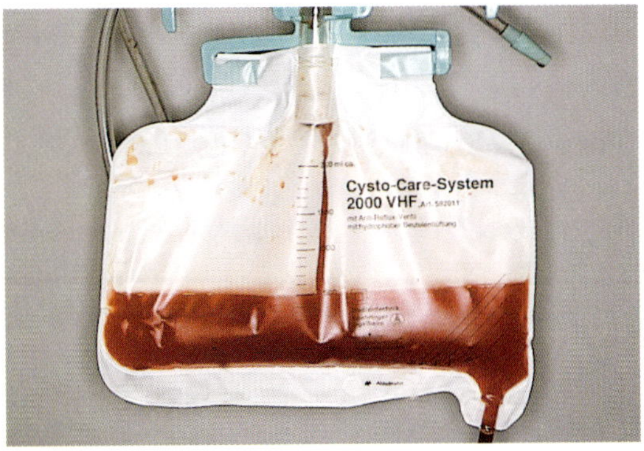

Makrohämaturie
(hier: Cystocare VHF 2000, Mentor Healthcare)

werden. Fraglos ist es günstiger, wenn der Betroffene infektfrei in eine Operation am harnableitenden System geht. Die letztlich am meisten gefürchtete Komplikation ist die Urosepsis. Durch Verletzung des Epithels können Bakterien aus dem Hohlsystem in die Blutbahn gelangen und den gesamten Körper überschwemmen. An dieser generalisierten Infektion versterben 30 % aller Betroffenen, trotz aller medizin-technischen und medikamentösen Möglichkeiten heutiger Intensivstationen. Entwickeln Patienten, die mit einer Harnableitung versorgt sind, plötzlich erhöhte Temperaturen, muss in jedem Fall auch an einen Harnwegsinfekt gedacht werden. Das Anlegen einer Kultur ist ebenso bei Trübung mit ungewöhnlich starker Geruchsentwicklung des Urins sinnvoll. Zur Entstehung von **Infektsteinen** kann es bei chronischem Harnwegsinfekt auf dem Boden einer Harnabflussstörung kommen. Infektsteine wachsen schnell und können innerhalb weniger Wochen oder Monate das gesamte Nierenbecken-Kelchsystem ausfüllen.

Nun gilt es noch zwei enorm wichtige Begriffe ins Spiel zu bringen: Die **Makro-** und die **Mikrohämaturie**. Normalerweise ist der Urin klar, er weist eine leichte Gelbfärbung auf, die auf der Beimengung von Gallenfarbstoffen beruht. Erschreckt reagiert deshalb jeder Betroffene, wenn er Blutbeimengungen im Urin (Makrohämaturie) bemerkt. Die Gründe für die Rotfärbung können vielfältig sein. Der vorangegangene Genuss von Roter Beete könnte eine Erklärung sein. Vom Harnleiterstein, der eine Schleimhautverletzung verursacht hat, über eine Blutung, die auf der Überdosierung von gerinnungshemmenden Substanzen (z. B. Marcumar®) beruht, bis hin zum ersten drastischen Zeichen eines schmerzlos blutenden Nieren- oder Blasentumors reicht das diagnostische Feld. Schwieriger liegen die Verhältnisse bei einer Mikrohämaturie, weil diese eher ein Zufallsbefund ist, aber grundsätzlich zum selben Problemfeld gehört. Hier sind Erytrozyten nur per Teststreifen oder unter dem Mikroskop erkennbar.

Wenn nichts mehr läuft...

Werden harnpflichtige Substanzen nicht in ausreichendem Umfang ausgeschieden, erhöht sich ihre Serumkonzentration. Die Brisanz dieser Situation darf keinesfalls unterschätzt werden. Es drohen schwere Stoffwechselstörungen, mit unter Umständen lebensbedrohlichem Charakter.

Die Ursachen für einen Harnstau können vielfältiger Natur sein. Angeborene bzw. erworbene Stenosen in Harnleiter, Harnröhre oder der Stomaöffnung eines Conduits, obstruierendes (einengendes) und damit Abfluss behinderndes Tumorwachstum sowie die unerwünschte Lageveränderung eines Schlauches (Dislokation), der zur Harndrainage eingelegt wurde und vieles mehr verursacht in dieser Hinsicht Probleme. Näheres dazu lesen Sie bei

der Besprechung der einzelnen Harnableitungen.
Zu den harnpflichtigen Substanzen zählt der **Harnstoff**. Kann dieser nicht eliminiert werden, entwickelt sich unbehandelt eine Urämie. Vital gefährdet ist der Patient, wenn sich durch eine verminderte oder aufgehobene renale Ausscheidung von **Kalium** eine Hyperkaliämie > 5mmol/l ausbildet. Hier sind vor allem die Auswirkungen auf den Herzmuskel zu beachten. Ab einem Wert von ca. 6,5 mmol/l droht Kammerflimmern mit nachfolgendem Herzstillstand. Geringgradige Hyperkaliämien können mit oral oder rektal verabreichten Medikamenten behandelt werden, die dem Körper über den Darm Kalium entziehen. In schweren Fällen bleibt nur die „Blutwäsche“ (Hämodialyse).
Eine Hypokaliämie, d.h. Kalium < 3,5 mmol/l,

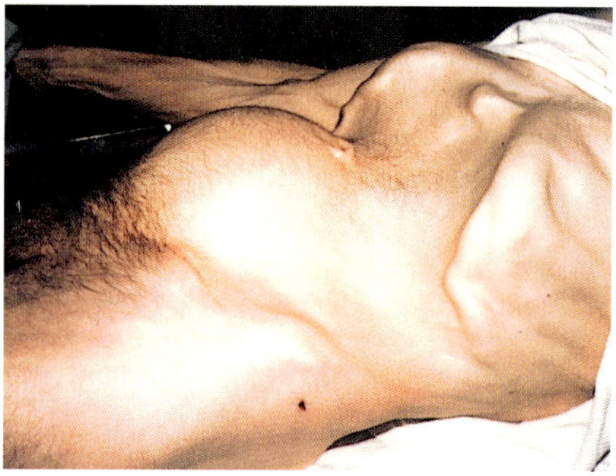

Maximal überdehnte Harnblase bei fortgeschrittenem Prostatacarcinom

kann die Herzaktion ebenfalls lebensgefährdend beeinflussen. Ein drastischer Kaliumverlust entsteht nach der Beseitigung einer länger währenden Harnstauung im Verlauf der *sog. postobstruktiven Entlastungs-Polyurie*. Der Körper verliert große Mengen Wasser und Kalium – der Wasserverlust muss ausgeglichen und Kalium hochdosiert substituiert werden.

Die Nierenfunktion

Liegt eine nierenwirksame Abflussbehinderung vor, steigt der Kreatinin-Wert an. Wird diese beseitigt oder ein anderweitiger Abfluss geschaffen, fällt er schnell auf den Normbereich ab. Solche Einschränkungen der Nierenfunktion, die innerhalb relativ kurzer Zeit entstehen, sind in aller Regel voll reversibel. Erheblich ungünstiger ist eine sich langsam entwickelnde chronische Stauung, weil hierbei in hohem Maße funktionelles Nierengewebe geschädigt wird.
Sind beide Nieren erheblich in ihrer Funktion eingeschränkt, muss in Erwartung einer künftig notwendigen Dialyse-Behandlung ein Shunt angelegt werden.

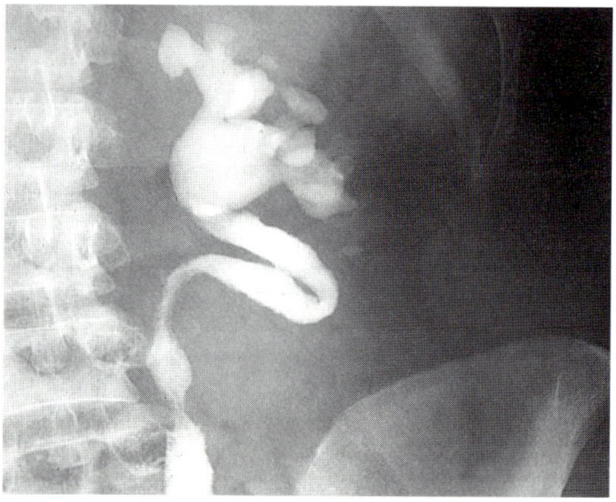

Als Folge eines chronischen Staus und begleitender Entzündungen sind Nierenbecken und Harnleiter pathologisch verändert

Nah' am Vorbild

Wenn die Harnblase ausfällt

Prof. Dr. Gerhard Zöller

Angeborene oder erworbene Störungen in der Blasenanatomie sowie in der Blasenfunktion können dazu führen, dass die Blase die ihr eigene Funktion der Urinspeicherung und der willkürlichen Blasenentleerung (Miktion) nicht mehr wahrnehmen kann. Ist die Störung durch konservativ-medikamentöse Maßnahmen nicht beherrschbar, werden operative Eingriffe wie Blasenvergrößerungsplastiken oder gar ein kompletter Blasenersatz, in der Regel durch Darm, notwendig.

Zu den *angeborenen anatomischen Störungen* gehören der unvollständige Verschluss der Blase bei der Blasenexstrophie und schwere Formen der Epispadie als fehlender Harnröhrenverschluss mit fehlender Anlage des Blasenhalses. Neben dem Versuch der funktionellen Rekonstruktion der Blase wird hier auch heute noch in schweren Fällen der komplette Blasenersatz durch Darmersatzblasen notwendig. Von erheblicher Bedeutung sind daneben *angeborene und erworbene neurologische Störungen*. Die Blasenfunktion wird durch ein komplexes Zusammenspiel sympathischer, parasympathischer, aber auch somatomotorischer Nerven geregelt. Störungen im Zentralnervensystem führen damit zu einem teilweisen oder kompletten Ausfall der Blasenfunktion. Zu den wichtigen Ursachen der neurologischen Blasenentleerungsstörungen gehören die angeborere Meningomyelocele, traumatische Nervenläsionen bei Querschnittssymptomatik, aber auch entzündliche und degenerative Leiden wie die Multiple Sklerose oder die Parkinsonsche Erkrankung. In der Regel stehen hier konservative Therapieversuche im Vordergrund. Aber gerade bei angeborenen

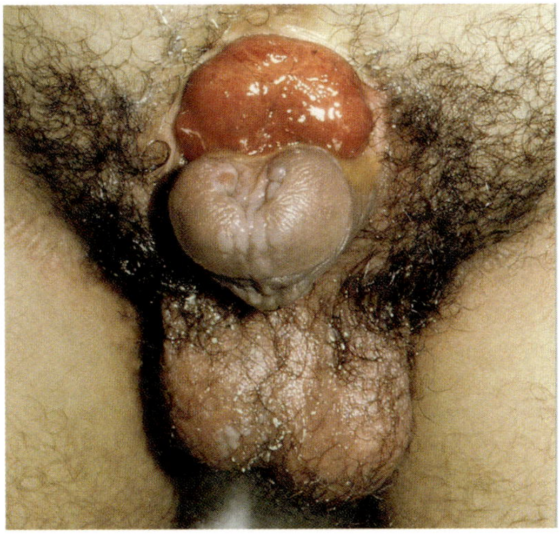

Bisher unbehandelte Blasenextrophie

Störungen wie der Meningomyelocele kommen operative Maßnahmen mit Blasenvergrößerungs- und Blasenersatzplastiken zum Tragen, um den Betroffenen ein sozial erträgliches Leben zu ermöglichen.
Erworbene anatomische Störungen können sich als Folge chronischer Entzündungen in der Blase, zum Beispiel bei der Interstitiellen Cystitis, bei der Urogenitaltuberkulose, bei der Bilharziose und als Folge von Strahlentherapien im kleinen Becken ergeben. Unter Umständen führt dies zum Bild der Schrumpfblase. Dabei ist die Blase nicht mehr in der Lage, sich ausreichend aufzudehnen. Es kommt damit bereits bei kleinen Füllmengen zu quälendem Harndrang, verbunden mit Dranginkontinenz, Schmerzen und Miktionsfrequenzen von >20 x bei Tag, aber auch in der Nacht. In konservativ nicht beherrschbaren schweren Fällen muss hier eine Harnableitung erfolgen, um die Lebensqualität weitgehend zu sichern.
Der *Harnblasentumor* ist die häufigste Ursache, die zu einem kompletten Blasenersatz zwingt. Beim Harnblasentumor müssen oberflächlich wachsende Tumoren mit guter Prognose von Tumoren unterschieden werden, die in die Muskulatur vorwachsen und letztendlich durch Metastasierung einen tödlichen Krankheitsverlauf nehmen. Während bei oberflächlich wachsenden Tumoren der Tumor durch eine endoskopische, transurethrale Abtragung komplett entfernt werden kann, ist bei infiltrierend wachsendem Tumor nur durch die komplette Blasenentfernung eine dauerhafte Heilung zu erzielen.
Beim Mann umfasst die radikale Cystektomie die Entfernung der Harnblase, der Vorsteherdrüse (Prostata) und der Samenblasen. Die Harnröhre muss mitentfernt werden, wenn histologisch ein Tumorbefall der Harnröhre nachgewiesen ist, oder wenn durch ein Vorwachsen des Blasentumors in die prostatische Harnröhre ein onkologisch ausreichender Sicherheitsabstand von Harnröhrenresektionsebene und Blasentumor nicht erreicht werden kann.
Bei der Frau wurde aufgrund der engen anatomischen Situation bis vor kurzem die Harnblase standardmäßig mit zugehöriger Harnröhre entfernt. Da die Harnröhre in der vorderen Scheidenwand verläuft, war dabei die Resektion der vorderen Scheidenwand und auch der Gebärmutter unumgänglich. Bei ausreichendem Sicherheitsabstand des Blasentumors vom Blasenausgang wird aber heute die Harnröhre belassen, so dass zunehmend orthotope Harnableitungen mit Anschluss der Neoblase an die eigene Harnröhre zur Anwendung kommen.
Darüber hinaus wird die Entfernung der Blase notwendig, wenn Tumoren aus benachbarten Organen in die Blase eingebrochen sind, wie etwa bösartige Tumoren des inneren weiblichen Genitale (Gebärmutter, Eierstöcke) oder des Darms, und eine komplette chirurgische Tumorentfernung angestrebt wird.

Zwei Welten begegnen sich

Harnleiter-Darm-Anastomosen

In der Regel werden für Blasenerweiterungs- und Blasenersatzplastiken Segmente aus Dünn- oder Dickdarm verwendet. Bei der Harnableitung aus der Niere über das Nierenbecken und den Harnleiter in die Darmersatzblase kommt es so zwangsläufig zum Kontakt zwischen Harnleiter und Darm, d. h. von *Harnleiterepithel (Urothel)* mit *Darmschleimhaut*. Diese Kontaktstelle zwischen Harnleiter und Darm stellt in vielfacher

Hinsicht eine Problemzone bei den modernen Formen der Harnableitung dar, und zwar in Fragen

- der Anastomosen-Sicherheit,
- der aufsteigenden Kontamination des Harntraktes durch Darmbakterien,
- der Tumorentstehung an Grenzflächen zwischen Darm- und Harnleiterepithel.

Anastomosen-Sicherheit

Will man den Ureter in Darm einpflanzen, so muss zunächst aus operativer Sicht die sichere Einpflanzung ohne lang andauernde Urinleckage in das Peritoneum möglich sein. Längerfristige Urinleckagen führen zu entzündlich-narbigen Veränderungen im Anastomosenbereich und sind eine häufige Ursache für Anastomosenengen. Diese können aber auch auftreten, wenn die Anastomose primär so eng genäht ist, dass sie narbig schrumpft. Anastomosenengen führen kurzfristig zur Stauung des betroffenen Hohlsystems und müssen endoskopisch oder offen operativ korrigiert werden.

Kontamination des Harntraktes

Ein wesentliches Problem der Harnleiter-Darm-Anastomose stellt die mögliche Besiedelung des Harntraktes durch aufsteigende Darmbakterien dar. Dies wird besonders dann begünstigt, wenn Urin aus den Darmanteilen wieder in den Harnleiter und damit letztendlich in die Nieren aufsteigen kann. Das Problem stellt sich in erster Linie bei refluxiv eingepflanzten Harnleitern. Davon abgegrenzt werden müssen antirefluxive Einpflanzungsmethoden, die eine Besiedlung des Harntraktes mit Darmbakterien verzögern, aber nicht verhindern können.

Tumorinduktion

Nach längerer Harnableitung über den Darm lässt sich eine gehäufte Tumorentstehung im Darm nachweisen. Diese Tumoren entstehen in der Regel im Bereich der Harnleiter-Darm-Anastomosen. Die Ursache dieser Tumorentstehung ist letztlich noch unklar. Grenzflächenprobleme zwischen Harnleiterepithel und Darmepithel werden ebenso diskutiert wie die Tumorentstehung durch Noxen, die sich aus der Durchmischung von Stuhl und Harn ergeben (z. B. Nitrosamine). Sicherlich spielt die Anfälligkeit des Darms für Tumorentstehung eine wichtige Rolle. So werden solche Tumoren insbesondere bei der Coffey-Blase gefunden, bei der Urin über Sigma und Rektum geleitet wird, die per se der häufigste Ort von Darmtumoren sind. Hier muss davon ausgegangen werden, dass bei einer Latenz von 20 Jahren ca. 5-10% der Betroffenen einen Tumor entwickeln. Dagegen wurden bisher bei Trennung von Stuhl und Darm (z. B. beim Ileum-Conduit) und bei Darmersatzblasen aus Ileumanteilen nur sporadisch Darmtumoren beobachtet. Dennoch bedürfen Patienten mit Urinableitung über Darm nach

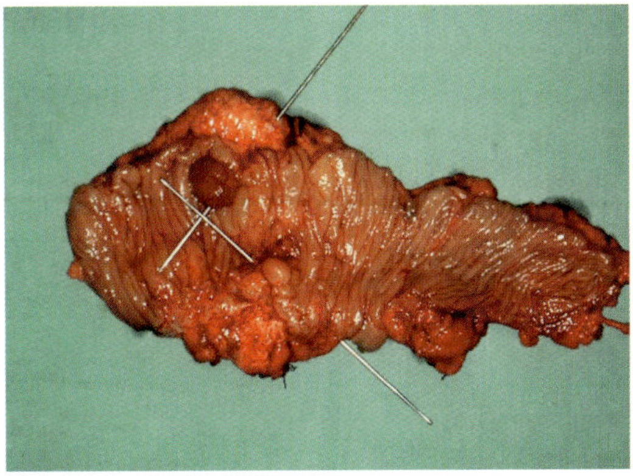

Tumorneubildung an der Harnleiter-Darm-Anastomose

längerer Beobachtungszeit regelmäßiger Überwachung des Darms auf Tumorentstehung.

Unterschiedliche Formen der Harnleiter-Darm-Anastomosen

Es kommen eine ganze Reihe von Implantationstechniken zur Anwendung, die sich hinsichtlich ihres Anwendungsbereiches (Implantation in Dick- oder Dünndarm) und in ihrem Refluxmechanismus (refluxiv oder antirefluxiv) unterscheiden.

Einpflanzung nach Goodwin

Bei Harnleiteranastomosen mit Dickdarm wird in der Regel die antirefluxive Implantation bevorzugt, da der Dickdarm eine weit höhere Keimbesiedlung aufweist, als der Dünndarm. Die Implantationstechnik nach *Goodwin* imitiert den natürlichen Antirefluxmechanismus des Harnleiter-Blasen-Übergangs. Wesentlicher Bestandteil des antirefluxiven Mechanismus ist, dass der Harnleiter schräg durch die Blasenwand tritt und der Blaseninnendruck diesen intramuralen Harnleiteranteil bei zunehmender Blasenfüllung komprimiert und damit verschließt. Im Dickdarm ist es möglich, durch Untertunnelung der Dickdarmschleimhaut den Harnleiter in eine Schicht zwischen Dickdarmschleimhaut und Dickdarmmuskulatur zu verlagern. Wird der Harnleiter damit nach Einbringen in den Dickdarm zunächst auf einer Länge von ca. 2–3 cm submucös geführt, lässt sich damit ein Antirefluxmechanismus erzeugen.

Einpflanzung nach Bricker

Im Dünndarm ist wegen der dünneren Wandschichtung die submucöse Tunnelung des Harnleiters und somit die antirefluxive Einpflanzung zunächst nicht möglich. Bei der geringeren Keimbesiedelung und insbesondere bei Null-Druck-Ableitung mittels Ileum-Conduit ist die antirefluxive Implantation aber auch nicht zwingend erforderlich.
In diesen Fällen stellt die refluxive Implantationstechnik nach *Bricker* ein Standardverfahren dar.

Einpflanzung nach Wallace

Um die Gefahr der Engenbildung nach Harnleiter-Dünndarm-Anastomose weiter zu reduzieren, kann die Implantationstechnik nach *Wallace* angewandt werden. Es handelt sich um eine refluxive End-zu-End-Anastomose. Hierbei werden beide Harnleiter zunächst auf einer Länge von 1,5-2 cm spatuliert und die Hinterwand, ggf. auch ein Teil der Vorderwand miteinander vernäht. Damit entsteht eine deutlich vergößerte Anastomosenfläche. Dieser weite Anastomosenbereich kann dann auf das eröffnete Darmlumen aufgenäht werden. Es ergibt sich eine sehr breite Verbindung von Darm und Harnleiter.

Einpflanzung nach LeDuc

Im Gegensatz zur Situation bei der Null-Druck-Ableitung mittels Ileum-Conduit ist bei der Ersatzblasenbildung aus Dünndarm, z. B. bei der Ileum-Neoblase, eine antirefluxive Implantation der Harnleiter anzustreben. Bei der Implantationstechnik nach *LeDuc* wird der Harnleiter zunächst durch die Darmwand hindurchgezogen, die Darmschleimhaut auf einer Stecke von ca. 4 cm herausgeschnitten, der Harnleiter in diese Rinne verlagert und am Ende der Rinne in die Schleimhaut eingenäht. Im Verlauf der Einheilung überwächst die Darmschleimhaut die in der Darmwand verlaufende Harnleiterstrecke und bildet damit sekundär einen *submucösen Tunnel*.

Afferente Dünndarmrohre (Studer-Rohr)
Um die zum Teil hohe Rate an Anastomosenengen bei der Anastomosierung nach *LeDuc* zu umgehen, werden heute bei Darmersatzblasen aus Ileum (Ileum-Neoblase) zunehmend afferente, isoperistaltische Dünndarmsegemente (*Studer-Rohr*) als Antirefluxmechanismen vorgeschaltet. Die Anastomose zwischen Harnleiter und Studerrohr erfolgt refluxiv in Form der Bricker-, häufiger in Form der Wallace-Anastomose. Der antirefluxive Mechanismus besteht in der dann isoperistaltischen Kontraktion des Dünndarmsegments, das den Urin in Richtung Darmersatzblase treibt. Um einen ausreichenden Antirefluxmechanismus zu erreichen, sind allerdings hierfür Darmsegmente in einer Länge von bis zu 20 cm zusätzlich notwendig.

Blasenvergrößerungsplastiken

Blasenvergrößerungsplastiken dienen der Vergrößerung des Blasenreservoirs. Dies ist notwendig, wenn die Blasenwand durch neurologische Erkrankungen oder entzündliche Prozesse ihre Dehnungsfähigkeit verloren hat, so dass der Betroffene unter einem häufigen, u. U. schmerzhaften Harndrang oder einer Dranginkontinzenz leidet. Die Blasenvergrößerung kann erreicht werden durch operative Entfernung der nicht funktionsfähigen Blasenwandmuskulatur und anschließendem Blasenaufbau unter Verwendung von Darmanteilen, in der Regel Dünndarm (Augmentation). Das ausgeschaltete Dünndarmsegment wird dafür in eine Darmwandplatte umgewandelt und auf die eröffnete Blase genäht. Bei Füllung der Harnblase kommt es zu einer zunehmenden Dehnung der Darmwandanteile, so dass ein größeres Urinvolumen weitgehend druckfrei gespeichert werden kann.
Ein großer Vorteil der Blasenaugmentation besteht darin, dass der natürliche Schließmechanismus am Blasenhals erhalten bleibt und in der Regel keine Kontinenzprobleme bestehen. Die Miktion muss, da die natürliche Blasenkontraktion durch die Augmentation mit Darmanteilen nicht mehr möglich ist, durch Bauchpresse erfolgen. Ist mit Bauchpresse eine vollständige Blasenentleerung nicht möglich, so muss zur sicheren Blasenentleerung der intermittierende Einmalkatheterismus durchgeführt werden.

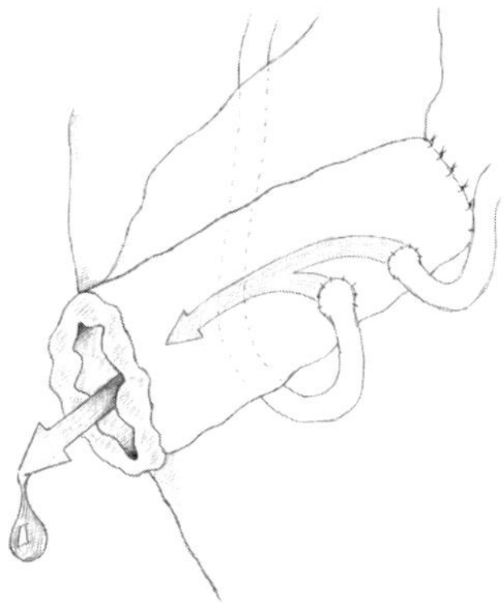
Null-Druck-Ableitung beim Conduit

Null-Druck-Ableitungen
Muss die Blase vollständig entfernt werden oder kann wegen zu schwerwiegender Störung auch des Kontinenzmechanismus die Blase für eine Augmentation nicht genutzt werden, so müssen andere Formen der Harnableitung gefunden werden, die den Transport des Urins von den Nieren nach außen sicherstellen. Wird dabei der Urin ohne

Reservoirbildung direkt nach außen geleitet, so entstehen in der Ableitung keine wesentlichen Druckanstiege mehr. Das Sammelreservoir für Urin liegt dann in Form unterschiedlicher Beutelsysteme außerhalb des Körpers. Diese Form der Harnableitung ohne Reservoirbildung wird als Null-Druck-Ableitung bezeichnet. Sie kommt heute insbesondere noch dann zur Anwendung, wenn durch die Grunderkrankung bereits eine schwerwiegende Schädigung der Nieren mit beginnender Niereninsuffizienz eingetreten ist. Hier könnten ungewollte Druckanstiege in der Harnableitung zu einer weiteren Nierenschädigung bis hin zum endgültigen Verlust der Nierenfunktion führen.

Harnleiter-Haut-Fistel

Die einfachste Form der Null-Druck-Ableitung des Urins nach außen ist die Harnleiter-Haut-Fistel. Dabei werden die Harnleiter einzeln oder gemeinsam direkt in die Haut eingepflanzt. Der Urin fließt über die Harnleiter nach außen in einen Urinauffangbeutel. Nachteil dieser Methode ist, dass die Einpflanzungsstellen der Harnleiter in die Haut dazu neigen, narbig zu schrumpfen. Deshalb müssen diese Harnleiter-Haut-Anastomosen in der Regel durch die Einlage von Harnleiterschienen geschützt werden. Die Einlage von Kunststoffschienen führt aber unweigerlich zur kaum therapierbaren Keimbesiedlung des Harntraktes mit nachfolgenden entzündungsbedingten Nierenschädigungen. Gerade bei bereits vorgeschädigten Nieren kann dies den vollständigen Nierenfunktionsverlust bedeuten. Deshalb ist diese einfache Form der Harnableitung heute bis auf seltene Ausnahmen verlassen worden.

Ileum-Conduit

Standardform der Null-Druck-Ableitung und eine der klassischen Formen der Harnableitung nach Cystektomie ist das Ileum-Conduit. Hierbei wird zwischen den Harnleitern und der Haut ein ca. 10 cm langes Ileum-Segment eingefügt. Dazu wird Ileum verwendet, das ca. 15 cm vor dem Übergang in den Dickdarm (Bauhin'sche Klappe) liegt. Dieser terminale Ileumanteil kann ohne größere Folgen für die Darmfunktion unter Beachtung der Gefäßversorgung aus der Darmkontinuität ausgeschaltet werden. Am proximalen (oralen) Ende des ausgeschalteten Ileumsegments erfolgt die Einpflanzung der Harnleiter in refluxiver Weise. Das distale (aborale) Ende des Ileumsegments wird als Ileostoma nippelförmig in der Regel im rechten Unterbauch in die Haut eingepflanzt. Damit läuft der Urin aus dem Nierenbecken über die Harnleiter in das Ileumsegment und weiter – durch Peristaltik unterstützt – an die Körperoberfläche. Es handelt sich bei dieser Form der Harnableitung um eine vergleichsweise sichere, komplikationsarme Methode.

Colon-Conduit

Stehen aus unterschiedlichen Gründen (Voroperationen, Strahlenschäden) geeignete Dünndarmareale zur Bildung eines Ileum-Conduits nicht zur Verfügung, so können alternativ Dickdarmanteile, in der Regel Colon transversum oder Colon descendens/Sigma, zur Conduit-Bildung herangezogen werden. Hierbei wird aufgrund der höheren Keimbesiedlung in der Regel eine antirefluxive Einpflanzung der Harnleiter durchgeführt. Die höhere Komplikationsrate antirefluxiver Harnleiter-Darm-Anastomosen und die größeren Probleme der Dickdarmanastomosen führen jedoch dazu, dass in der Regel das

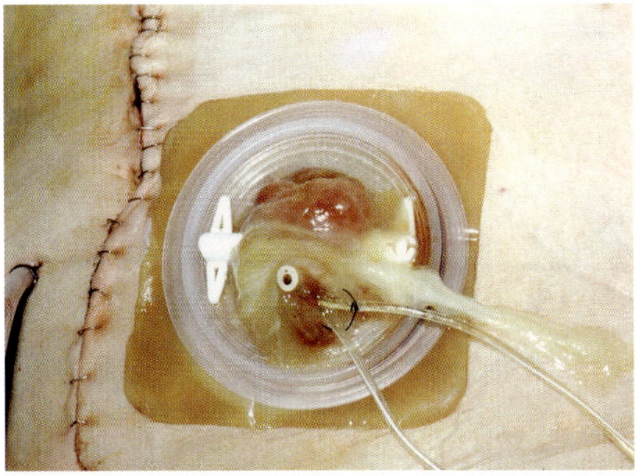

Anlage einer Feuchten Colostomie am 5. postoperativen Tag (liegender Reiter bei doppelläufiger Stomaanlage, abgeschnittener Ballonkatheder im aboralen Darmschenkel als Wunddrainage, typische Schleimbildung der Darmsegmente

Ileum-Conduit bevorzugt und das Colon-Conduit als Ableitung der 2. Wahl angesehen wird.

Feuchte Colostomie

Die Anlage einer Feuchten Colostomie ist in aller Regel ein palliativer Eingriff. Als Ausgangssituation findet sich ein Primärtumor, der benachbarte Organstrukturen infiltriert hat. Häufig handelt es sich dabei um ein Rektumcarcinom, das in die Blase eingebrochen ist oder ein Cervixcarcinom mit Infiltration von Blase und Rektum. Im Rahmen einer radikalen Tumorchirurgie entfallen die Harnblase und das Rektum gleichzeitig als Ausscheidungsorgane. Das Colon wird im tumorfreien Sigma-Bereich doppelläufig mit einem blind verschlossenen, etwa 20 cm langen Schenkel ausgeleitet. Der orale Schenkel führt dem Stoma Stuhl zu, in den aboralen Schenkel sind die Ureteren implantiert. Wie bei der Harnleiter-Darm-Implantation und dem Mainz-Pouch II handelt es sich um eine Kloake.

Harnleiter-Darm-Implantationen

Alle Conduit-Formen haben den Nachteil, dass der Urin in Beuteln außerhalb des Körpers aufgefangen werden muss. Eine Möglichkeit, solche externen Auffangbeuteln zu umgehen, sind sogenannte Harnleiter-Darm-Implantationen. Dabei werden die Harnleiter direkt in das Sigma implantiert, ohne dass dies aus der Darmkontinuität ausgeschaltet wird. Damit vermischen sich im Enddarm Urin und Stuhl. Dieses Gemisch wird dann gemeinsam über den Anus ausgeschieden. Die Kontrolle der Ausscheidung und der Kontinenz übernimmt der Schließmuskelapparat des Anus.

Ureterosigmoidostomie (Coffey-Blase)

Historisch gesehen handelt es sich um die älteste Form der Harnableitung. Hier werden die Harnleiter direkt in das Sigma eingepflanzt Die Coffey-Blase ist durch 3 wesentliche Probleme gekennzeichnet:

- Durch die Resorptionsleistung des Sigmas mit Rückresorption von Flüssigkeit – folglich auch Urin – werden aus dem Urin Stoffwechselprodukte rückresorbiert. Es handelt sich hier im Wesentlichen um saure Valenzen, so dass in der Folge eine Übersäuerung des Gewebes eintritt (s. u.).
- Zum anderen kommt es nach längerer Latenzzeit zu einer signifikanten Zunahme von Tumoren im Bereich der Harnleiter-Darm-Implantation (s. o.).
- Wesentlicher Nachteil der Coffey-Blase ist aber, dass durch das zusätzliche Volumen des eingeleiteten Urins die Speicherfähigkeit des Sigmas überschritten wird. Es kommt damit zu häufigen Stuhlfrequenzen (z. T. < 2 Stunden), die besonders nachts die Lebensqualität der Patienten deutlich einschränken.

Mainz-Pouch II

Der Mainz-Pouch II stellt eine Modifikation der Coffey-Blase dar. Dabei wird das Sigma wie ein umgekehrtes „U" aneinandergelegt und antimesenterial eröffnet. Durch Vernähen der Berührungskante entsteht eine Darmplatte und durch einmaliges Zusammenklappen wieder ein Hohlraum. In diesem ist der Urin-Stuhl-Brei längere Zeit druckfrei speicherbar, bis er über den Anus ausgeschieden wird. Die Stuhlfrequenz ist im Vergleich zur Coffey-Blase deutlich herabgesetzt. Die Nachteile der Azidose und die Gefahr der Tumorbildung bleiben bestehen.

Nachdem der Mainz-Pouch II zunächst aufgrund einer fehlenden Alternative insbesondere bei Frauen nach Cystektomie zur Anwendung kam, ist er heute durch die Fortentwicklung der kontinenten Niederdruckableitungen auch bei der Frau wieder weitgehend verlassen worden.

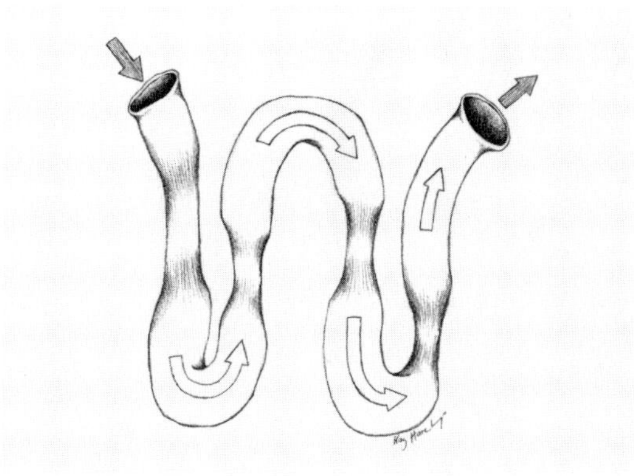

Bildung eines Niederdruck-Reservoirs

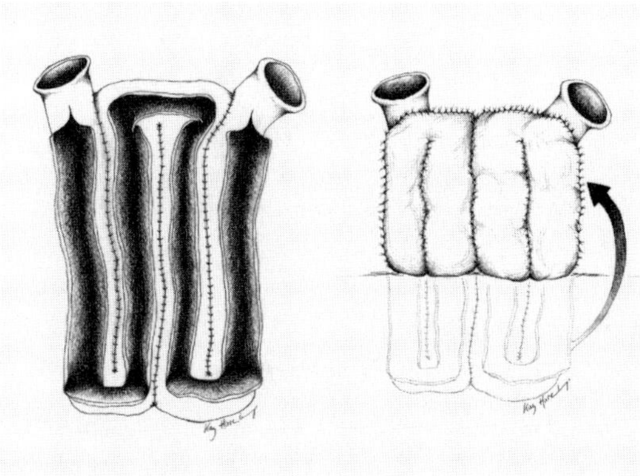

Blasenersatzplastiken

Um die Notwendigkeit des äußeren Urin-Sammelbeutels zu umgehen, wurden in den letzten 20 Jahren eine Reihe von Blasenersatzplastiken entwickelt. Gemeinsames Konzept dieser Methoden ist die Verwendung von Darmanteilen zur Neoblasenbildung. Da belassener Darm durch die Darmperistaltik mit hohen Drücken den Anforderungen an ein Niederdruck-Reservoir nicht genügt, müssen diese Darmsegmente zunächst in Längsrichtung eröffnet, in einem Zwischenschritt zu einer Darmplatte und schließlich zu einem Hohlraum umgestaltet werden. Durch diese Detubularisierung des Darms werden zwar die Darmeigenkontraktionen nicht aufgehoben, sie sind aber nicht mehr im Sinne der Peristaltik zielgerichtet und heben sich gegenseitig auf (Pouch-Bildung).

Abhängig davon, ob das so im Körper gebildete Urinreservoir über ein kontinentes Stoma mittels Einmalkatheterismus entleert werden muss, oder ob der Pouch an die eigene Harnröhre angeschlossen wird und der Urin durch Bauchpresse via Harnröhre ausgeschieden werden kann, werden kontinente Darmersatzblasen mit katheterisierbarem Stoma und orthotope Ersatzblasen unterschieden.

Prinzipiell können Ersatzblasen aus Dünndarm oder Dickdarm konstruiert werden.

Blasenersatzplastik mit kontinentem Stoma

Bei Blasenersatzplastiken mit kontinentem Stoma wird aus Darmanteilen ein Harnreservoir im Körper geformt und mit den Harnleitern verbunden. Dessen Volumen ist auf die druckfreie Speicherung von ca. 400-500 ml Urin ausgelegt, so dass bei normaler Urinproduktion eine Entleerung drei- bis viermal pro Tag erforderlich wird. Dies geschieht mittels Einmalkatheterismus.

MAINZ-Pouch I

Beim *MAINZ-Pouch I* handelt es sich in seiner ursprünglichen Form ebenfalls um eine Harnableitung mit kontinentem, katheterisierbarem Stoma. Für die Pouchbildung sind 15 cm Coecum und Colon ascendens sowie 30 cm terminales Ileum erforderlich. Zunächst erfolgt die Detubularisierung der Darmanteile und Konstruktion des Pouches, anschließend die antirefluxive Harnleiteranastomose nach *Goodwin* in den Dickdarmanteil. Der wesentliche Vorteil des *MAINZ-Pouch I* besteht darin, dass als katheterisierbares Stoma die *Appendix vermiformis* verwendbar ist. Dabei wird am Coecum die Taenia libera bis zur Schleimhaut gespalten, die Appendix in die entstehende Muskelrinne verlagert und die Darmwand über der Appendix wieder verschlossen. Es entsteht so auch für die Appendix eine submucöse Untertunnelung. Das Appendixende wird dann eröffnet und in die Bauchwand, aus kosmetischen Gründen häufig im Nabeltrichter als katheterisierbares Stoma eingenäht. Durch die submucöse Verlagerung der Appendix ist so in der Regel ein kontinenter Verschluss des Stomas erreichbar.

Indiana-Pouch

Wie der *Mainz-Pouch I* wird auch der *Indiana-Pouch* aus Ileum und Coecum/Colon ascendens-Anteilen gebildet. Hierbei wird jedoch das Urinreservoir nur unter Verwendung des Colon ascendens bis zur rechten Colon-Flexur gebildet. Das terminale Ileum dient nach Einengung bis zur Bauhin'sche Klappe als kathetersierbares Stoma. Der *Indiana-Pouch* kann damit auch noch zu einer kontinenten Harnableitung mittels katheterisierbarem Stoma konstruiert werden, wenn im Vorfeld die Appendix wegen einer Appendicitis entfernt werden musste.

Ein prinzipieller Nachteil aller Blasenersatzplastiken mit kontinentem katheterisierbarem Stoma besteht darin, dass der gebildete Pouch durch Einmalkatheterismus entleert werden muss. Die Durchführung des Einmalkatheterismus setzt beim Patienten ein gewisses Maß an manueller Geschicklichkeit voraus. Darüber hinaus sind die katheterisierbaren Stomata störanfällig und die Reoperationsrate wegen fehlender Kontinenz, narbiger Engenbildung im Hautniveau oder narbiger Verziehung des Katheterisierungstraktes mit der Unmöglichkeit des Katheterismus beträchtlich. Deshalb kommen solche Blasenersatzplastiken heute nur noch dann zum Einsatz, wenn die eigene Harnröhre zum orthotopen Blasenersatz nicht verwendet werden kann (z. B. bei simultaner Harnröhrenentfernung wegen eines Harnröhrentumors, bei Missbildungen der Harnröhre oder fehlendem Sphinktermechanismus, wie z. B. bei der Blasenexstrophie).

Orthotope Blasenersatzplastik

Der orthotope Blasenersatz mit Anschluss der Neoblase an die eigene Harnröhre und Blasenentleerung mittels Bauchpresse stellt heute die Harnableitung der Wahl nach Cystektomie dar. Sollte die vollständige Blasenentleerung mittels Bauchpresse nicht gewährleistet sein, so muss der Patient die Blase durch transurethralen Einmalkatheterismus entleeren. Diese Fähigkeit ist vor der Operation zu prüfen. Ist der Patient hierzu nicht in der Lage oder lehnt er den Einmalkatheterismus prinzipiell ab, so scheidet diese Methode der Harnableitung aus.
Beim orthotopen Blasenersatz stellt die Anastomose zwischen der neugebildeten Darmersatzblase und der Harnröhre eine kritischen Punkt dar. Zum einen kann eine zunehmende Narbenbildung die Anastomose einengen und die Miktion erschweren. In diesen Fällen ist die endoskopische Weitung der Anastomose mit transurethraler Resektion des Narbengewebes notwendig. Andererseits hängt die Speicherfähigkeit der orthotopen Ersatzblase wesentlich vom Erhalt des Schließmuskelmechanismus im Beckenboden ab. Die Kontinenz nach orthotoper Harnblasenersatzplastik kann erst nach Ablauf von 6 Monaten endgültig beurteilt werden, da sich die Kontinenz in diesem Zeitraum durch Training des Schließmuskelapparates noch bessert. Dennoch kann bei einem geringen Teil der Patienten eine zufrieden stellende Kontinenz nicht endgültig erreicht werden. In diesen Fällen ist es bei schwerer Harninkontinenz möglich, ein künstliches Schließmuskelsystem zu implantieren.

Ileum-Neoblase

Für die Bildung einer *Ileum-Neoblase* (Hautmann-Neoblase) sind ca. 60 cm Ileum erforderlich, die – unter Schonung der distalen 15 cm Ileumanteil mit Bauhin'scher Klappe – aus der Dünndarmkontinuität ausgeschaltet werden. Nach W-förmigem Legen wird der Dünndarm antimesenterial eröffnet (detubularisiert), Neoblasenhinterwand und -vorderwand konstruiert und zur Neoblase verschlossen. Die Harnleiter sind antirefluxiv in LeDuc-Technik oder Studer-Rohr anastomosiert. Die Verbindung zur Harnröhre erfolgt am tiefsten Punkt der gebildeten Neoblasen.

Die dargestellten orthotopen Ersatzblasen bzw. Ersatzblasen mit kontinentem katheterisierbarem Stoma stellen die in Deutschland am häufigsten angewandten Formen der kontinenten Harnableitung dar. Es sind darüber hinaus ein Vielzahl von anderen Darmersatzblasen bzw. Modifikationen der Originaltechniken beschrieben. Die Wahl der Harnableitung hängt dabei neben anatomischen Gegebenheiten auch von der Erfahrung und Präferenz des Operateurs ab.

Probleme und Komplikationen der Harnableitung mittels Darm

Schleimbildung

Um den Stuhl möglichst „reibungslos" durch den Verdauungskanal zu befördern, wird von der Darmwand Schleim gebildet. Für die Harnableitung ist diese Schleimbildung überflüssig und bei Verwendung längerer Darmabschnitte zur Bildung von Blasenersatzplastiken nachteilig. In der unmittelbar postoperativen Phase führt die Schleimbildung häufig dazu, dass die liegenden transurethralen Katheter verstopfen. Deshalb muss postoperativ die Darmersatzblase regelmäßig gespült werden. Durch Veränderung der Schleimhautoberfläche lässt die Schleimbildung mit der Zeit nach. Dennoch kann Schleimbeimengung auch in der weiteren Folge zu einer Trübung des Urins führen, insbesondere wenn durch eine unzureichende Flüssigkeitszufuhr die innere Spülung fehlt.

Verlust von Resorptionsfläche

Für die Harnableitung werden Ileum und das Coecum/Colon ascendens benutzt. Es handelt sich hierbei um Darmabschnitte mit nur geringer Resorptionsleistung, so dass dieser Verlust an Darmresorptionsfläche normalerweise pro-

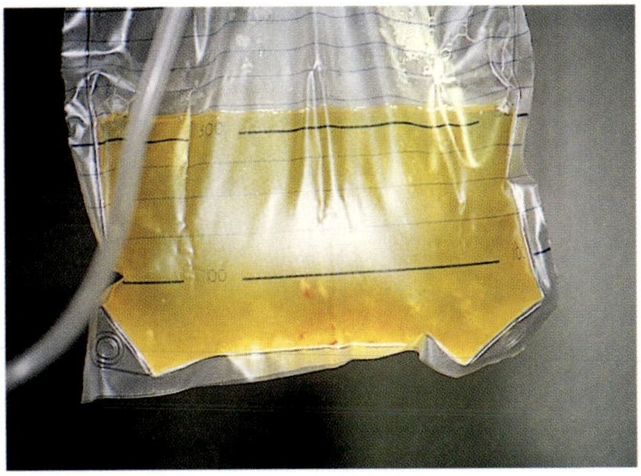

Typische Schleimbeimendung

blemlos kompensiert werden kann.

Eine Ausnahme hiervon bildet das terminale Ileum, das beim Ileum-Conduit bzw. bei der Ileum-Neoblase ausgespart bleibt, beim MAINZ-Pouch I allerdings in die Darmersatzblase integriert ist. Im terminalen Ileum werden Vitamin B_{12} und Gallensäuren rückresorbiert. Wird für die Darmersatzblasenbildung das terminale Ileum mitverwendet, kommt es damit zu einer Vitamin-B_{12}-Mangelversorgung, die aber aufgrund der körpereigenen Speichervorräte erst nach frühestens 3-5 Jahren offensichtlich wird. Symptome des Vitamin-B_{12}-Mangels sind Blutbildveränderungen (megaloblastäre Anämie) und in der schwerwiegendsten Form die perniziöse Anämie sowie irreversible neurologische Ausfälle wie Konzentrations- und Sensibilitätsstörungen. Deshalb muss bei Formen der Harnableitungen, die das terminale Ileum mit benutzen, rechtzeitig mit der parenteralen Substitution von Vitamin B_{12} begonnen werden.

Der Verlust der Gallensäurerückresorption führt zudem zu einem Mangel der fettlöslichen Vitamine E, D, K und A.

Wird das terminale Ileum mit der Bauhin'schen Klappe in die Darmersatzblase integriert, führt der Verlust der Klappe zu einem überstürzten Übertritt des Speisebreis vom Dünndarm in den Dickdarm. Zusammen mit der fehlenden Rückresorption der Gallensäuren und dem Übertritt von Gallensäuren in den Dickdarm kann es im Dickdarm zu Malabsorptionssyndromen mit Durchfällen und häufiger Stuhlfrequenz kommen. Ist dies der Fall und lässt sich mit konservativ-medikamentösen Maßnahmen (Cholestyramin zur intraluminalen Bindung der Gallensäuren im Darm) keine Besserung erzielen, so muss versucht werden, die Funktion der Bauhin'sche Klappe durch Invagination von Dünndarm in den Dickdarm zu ersetzen.

Metabolische Azidose

Durch den Kontakt der Darmschleimhaut mit Urin wird die Schleimhautoberfläche zwar etwas verändert, ihre Funktion bleibt allerdings weiterhin erhalten. Dies bedeutet, dass abhängig von der Art des verwendeten Darms in unterschiedlichem Maße Substanzen aus dem Urin aufgenommen werden. Insbesondere werden Natrium, Chlorid und Wasserstoffionen aus dem Urin zurückresorbiert; gleichzeitig geht Kalium über die Darmoberfläche in den Urin verloren. Diese Austauschprozesse führen im Körper zu einer relativen Übersäuerung, zur hypokaliämischen, hyperchlorämischen Azidose. Dieser Effekt tritt bei Verwendung von Dünndarm in geringerem, bei Verwendung von Dickdarm in größerem Maße auf. Bei schwerer Azidose muss ein medikamentöser Ausgleich, zum Beispiel durch die Gabe von Bikarbonat, erfolgen.

Darmverschluss und andere Darmprobleme

Bei allen Formen der Harnableitung, insbesondere aber bei der Bildung von Darmersatzblasen, handelt es sich um große Darmeingriffe mit den damit verbundenen Komplikationsmöglichkeiten. So kann in der unmittelbar postoperativen Phase eine verzögerte Darmfunktion (postoperative Darmatonie), eine Anastomoseninsuffizienz mit nachfolgender Peritonitis oder ein Darmverschluss (Ileus) auftreten. Durch Narbenbildungen und Adhäsionen können Phasen gestörter Darmtätigkeit (Subileus) im weiteren Verlauf immer wieder auftreten. Diese Subileus-Phasen sind in der Regel mit konservativen Maßnahmen beherrschbar.
Bei zukünftig notwendig werden Darmeingriffen muss die komplexe Vorchirurgie unbedingt beachtet werden. Zu diesem Zweck müssen die Patienten über einen Notfallausweis verfügen. Darmeingriffe sollten nur in solchen Kliniken durchgeführt werden, in denen Erfahrungen mit dieser Form der Harnableitungen bestehen.
Um unnötige Eingriffe am Darm zukünftig zu vermeiden, wurde deshalb bei der Harnableitung gleichzeitig der Blinddarm (Appendix vermiformis) mitentfernt. Auf diese simultane Appendektomie wird jedoch heute häufig verzichtet, da die Appendix bei eventuell später noch notwendig werdenden Eingriffen am Harntrakt bzw. an der Harnableitung zur Bildung eines katheterisierbaren kontinenten Stomas Verwendung finden kann (z. B. bei der Umwandlung eines Ileum-Conduits in eine kontinente Harnableitung).

Let it Flow

Wichtige Gesichtspunkte urologischer Pflege

Nach der Anlage einer Harnableitung müssen wesentliche Aspekte urologischer Pflege auf lange Sicht ohne Qualitätsverlust gewährleistet sein. Den Aufgabenbereich der Pflege möchte ich in zwei Grundsätzen definieren, die unverzichtbare Vorgaben für die Planung und Durchführung der Pflege darstellen:

- ***Schutz des harnableitenden Systems vor Infektionen,***
- ***Wahrung des regelrechten Harnabflusses.***

Diese beiden Leitgedanken begleiten uns durch den gesamten urologischen Pflegeteil des Buches.

Schutz vor Infektion des harnableitenden Systems

Sucht man nach Faktoren, die für die Entstehung eines Harnwegsinfektes ursächlich bzw. förderlich sein können, stehen einige Gesichtspunkte eindeutig im Vordergrund:
Die räumliche Nähe zwischen Genital- und Analbereich beinhaltet per se das größte Infektionsrisiko. Insbesondere bei Frauen spielt dieser Umstand eine bedeutende Rolle. Restharnbildung, d. h. Volumina >50 ml nach Blasenentleerung, begünstigt die Keimvermehrung. Unterhalb der Blase gelegene

Abflusshindernisse sowie auf den unteren Harntrakt einwirkende Lageveränderungen von Organen des kleinen Beckens kommen als Ursache hierfür in Betracht.

Aus pflegerischer Sicht müssen Infekte, die aufgrund ungeeigneten Hygieneverhaltens der Betroffenen selbst oder durch das medizinische Personal verursacht werden, natürlich ganz im Vordergrund stehen.

Das Problem ist ein Dauerbrenner. Über manches, was zu diesem Thema gesagt und geschrieben wird, lässt sich nach Herzenslust streiten. Daneben gibt es aber auch Fakten, an denen kein Weg vorbeiführt. Um die geht es jetzt:

Waschecke – Keimverschleppung vermeiden!

Der Patient

Zweifellos spielt die Intimhygiene bei der Entstehung von Harnwegsinfekten eine ganz entscheidende Rolle. Der Begriff „Schmierinfektion" beschreibt den Vorgang anschaulich. Wird Körperpflege nach folgendem Muster gewohnheitsmäßig durchgeführt, ist der Infektionsmechanismus leicht nachvollziehbar:

In einer Waschecke hängen fein säuberlich auf der einen Seite je ein Waschlappen und Handtuch für „oben", auf der Gegenseite entsprechendes Tuch für „unten". Für „unten" heißt in aller Regel: Gemeinsamer Gebrauch für die Genital- und Analregion. Die Dauer des Gebrauchs bestimmt zudem nicht selten der Besuchsrhythmus von Angehörigen, die schmutzige Wäsche mitnehmen können.

Hier findet sich für Pflegende im Rahmen täglicher Körperpflege der Ansatz, durch gezielte Anleitung ein Hygieneverhalten zu fördern, das Keimverschleppungen aus der Anal- in die Genitalregion des Betroffenen möglichst minimiert. Grundsätzlich gilt: Die Genital- und die Analregion sind stets getrennt voneinander zu reinigen. Für den Genitalbereich empfiehlt sich Einmalmaterial und Flüssigseife aus dem Spender. Der Versuch, beim Patienten ein entsprechendes Problembewusstsein zu wecken, ist allemal lohnenswert.

Das Umfeld

Nach der Anlage einer Harnableitung müssen besonders hohe Ansprüche an Hygiene-maßnahmen gestellt werden. Hierher gehören standardisierte Verband- und Versorgungswechsel ebenso wie Verhaltensregeln für Pflegende. Die Hände der am Patienten *Tätigen* stehen im Zentrum dieses Problemkreises. Türklinken im Sanitärbereich, die Hörer häufig frequentierter Telefone, z. B. im Stationszimmer, und andere Gegenstände, die im klinischen Bereich eben von vielen

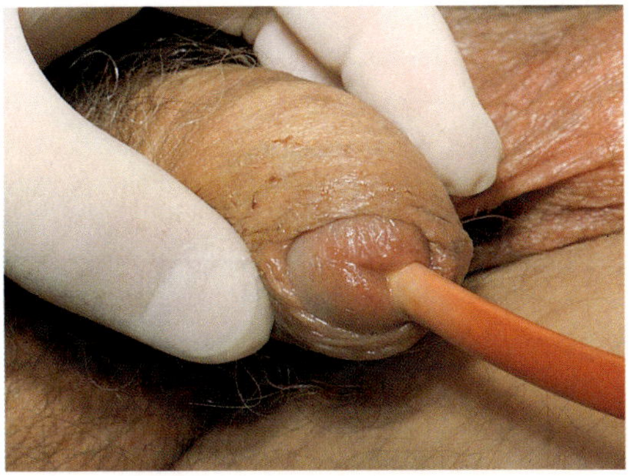

Bei der Versorgung von Harnableitungen ist das Tragen von Einmalhandschuhen unverzichtbar

Menschen angefasst werden, sind nachgewiesenermaßen Infektionsquellen allerersten Ranges. Hygienefachkräfte können ein Lied davon singen. Es muss also darum gehen, solche Kreisläufe zu unterbrechen, bei denen Erreger zwischen Patienten und den betreuenden Personen hin und her wandern, sei es im direkten Kontakt oder über Gegenstände. Das Tragen von Einmalhandschuhen ist bei der Versorgung aller Harnableitungen daher *Pflicht:* Einerseits natürlich um eine Keimübertragung vom oder über den Pflegenden einzuschränken, andererseits aber auch als eine geeignete Maßnahme des Selbstschutzes – die Urogenital-Tuberkulose, um nur ein Beispiel anzuführen, ist hochinfektiös! Bei invasiven Maßnahmen, wie etwa der Einlage eines Ballonkatheters oder in Problemsituationen, wie der postoperativen Versorgung einer Harnableitung, ist eine gründliche Händedesinfektion und das Tragen steriler Handschuhe vorgeschrieben.

Ein zweiter entscheidender Aspekt ist die konsequente Anwendung von Versorgungsprodukten und Pflegetechniken, die im Rahmen der *Infekt-Prophylaxe* bedeutsam sind. Die Hersteller auf dem Gebiet der Harnableitung bieten eine breite Palette von Produkten, die allen erdenklichen Versorgungssituationen gerecht werden und gleichzeitig Probleme des Infektschutzes berücksichtigen. Wie bei der Stomaversorgung ist daher auch hier eine kritische „Marktbeobachtung“ unumgänglich. Hat eine Auswahl des Versorgungssystems stattgefunden, sollte unverzüglich mit der Anleitung des Patienten begonnen werden, um ein Höchstmaß an Eigenständigkeit zu erreichen. Ist er dazu nicht in der Lage, müssen Angehörige oder ambulante Pflegedienste in den Ablauf integriert werden. Es ist sinnvoll, solche Kontakte frühzeitig anzubahnen. Die Zielrichtung liegt klar auf der Hand: Je besser ein Patient und sein persönliches Umfeld während des stationären Klinikaufenthaltes in die Methode eingewiesen werden können, um so weniger Probleme gibt's im Nachhinein.

Wahrung des Harnabflusses

Es ist Aufgabe der Pflege, den Harnabfluss nach entsprechenden ärztlichen Vorgaben zu sichern. Bei einer Vielzahl urologischer Operationen am harnableitenden System müssen Harndrainage-Schläuche eingelegt werden, um die Wundheilung zu gewährleisten. Unmittelbar nach Beendigung des Eingriffs übernimmt das Pflegepersonal im Rahmen der Krankenbeobachtung die Verantwortung für die regelrechte Harnausscheidung. Der Operationserfolg hängt dann mitentscheidend davon ab, dass unkontrollierte Lageveränderungen und das Verstopfen oder Abknicken von Schläuchen vermieden wird.

Nach der Anlage einer Harnableitung bedarf diese fortan regelmäßiger Kontrolle. Es ist wünschenswert, dass der Betroffene diese Aufgabe so weit wie möglich selbst übernimmt. Viele Störungen des Harnabflusses beruhen darauf, dass Versorgungsvorgaben nach der Entlassung aus der Klinik nicht mehr konsequent eingehalten oder Komplikationen zu spät erkannt werden. Bei dem Betroffenen darf daher grundsätzlich keine Unklarheit darüber herrschen, in welchen Fällen unverzüglich ein Arzt aufzusuchen ist.

Optimal wäre es, wenn jeder Betroffene – auch der, der sich nach klinischer Anleitung selbst versorgen kann – eine schriftliche Pflegeanweisung mit nach Hause bekäme. Diese sollte enthalten:

- Intervalle der Verband- oder Versorgungswechsel mit Bezeichnung des zuletzt verwendeten Materials,
- Wesentliche Daten der jeweiligen Harnableitung wie z. B. der Durchmesser des Conduits, Zeitvorgaben beim intermittierenden Katheterismus, der Urin-pH,
- Termine von Kontroll- und Nachsorgeuntersuchungen, bei denen auch pflegerische Aspekte berücksichtigt werden sollten.

Es hat sich gezeigt, dass ambulante Pflegedienste im Bedarfsfall solche Anleitungen gern aufgreifen, um ihre Tätigkeiten danach auszurichten.

Topf und Deckel

Anspruch und Wirklichkeit beim Blasenersatz

Kontinenzerhaltende Methoden
Ileum-Neoblase
Katheterisierbarer Pouch
Appendiko-Vesikostomie
Harnleiter-Darm-Implantation

Von Patienten, die ein Harnreservoir per Selbstkatheterismus entleeren sollen, wird einiges verlangt. Zunächst einmal müssen die körperlichen Voraussetzungen stimmen, d. h. Augen und Hände voll funktionsfähig sein. Gleichermaßen wichtig ist die geistige Verfassung des Patienten und seine Einstellung zu dieser Methode. Viele Menschen können sich nicht dazu überwinden, einen Schlauch in ihr Körperinneres zu schieben. Hier ist selbstkritische Betrachtung gefragt. Bestehen diesbezüglich beim Betroffenen die geringsten Zweifel, kommen solche Verfahren nicht in Frage. Abgesehen davon muss der Patient den Eindruck vermitteln, dass er sein Harnreservoir mit gleichbleibender Disziplin nach festgelegten Rhythmen entleeren wird. Was nützt der schönste Pouch, wenn er regelmäßig im wahrsten Sinne des Wortes überläuft!?

Für die Harnleiter-Darm-Implantationen (Coffey, Mainz-Pouch II) sind die Stuhlgewohnheiten der Betroffenen entscheidend.

Bei der Pflegeanamnese ist zielgerichtet danach zu fragen, ob gehäuft Blähungen, Bauchschmerzen oder gar Durchfälle auftreten. Außerdem sollte morgens einmal der Analbereich im Hinblick auf Stuhlschmieren und Wundsein inspiziert werden. Gibt's in dieser Hinsicht keine Probleme, wird per Rektosigmoidoskopie die Eignung des Darms überprüft. Polypen, Divertikel und Hämorrhoiden sind Kontraindikationen. Den Abschluss bilden Halteeinläufe, bei denen die Speicherleistung des Rektums und die Schließmuskelfunktion getestet wird. Davon stehen drei auf dem Programm, zwei am Tage und einer zur Nacht. Um Verletzungen des Darms auszuschließen, instilliert man über einen mit 10 ml im Rektum geblockten Ballonkatheter 250 ml körperwarme Kochsalzlösung 0,9%. Dieser Vorgang soll 30 min. dauern. Dann wird der Katheter entfernt – die Haltezeit beginnt. Zwei Stunden sind hier absolutes Minimum. Am Abend, bevor der Patient sich schlafen legt, wird die Prozedur wiederholt. Die Dokumentation der Ergebnisse ist wichtig.

Methoden mit Kontinenzverlust
Ileum-Conduit / Colon-Conduit
Harnleiter-Haut-Fistel
Feuchte Colostomie

Im Vergleich zu den bisher erörterten Methoden des kontinenzerhaltenden Blasenersatzes sind die Anforderungen an den Betroffenen nach Anlage einer Methode mit Kontinenzverlust ganz anderer Natur. Der ausgeschiedene Urin wird bei diesen Verfahren in einem Reservoir-Beutel an der äußeren Haut aufgefangen. Natürlich ist grundsätzlich anzustreben, dass sich der Betroffene vollständig

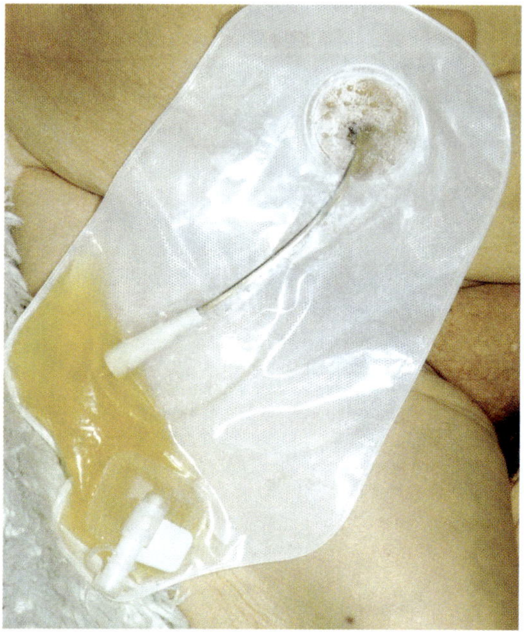

Ureter-Haut-Fistel mit Ureterschienung so wie Urostomieversorungssystem

selbst versorgt. Ist dies nicht möglich, können Angehörige diesen Part übernehmen oder ambulante Pflegedienste unterstützend in Anspruch genommen werden.
Versorgungstechnisch schwierig ist die Situation nach der Anlage einer *Ureter-Haut-Fistel*. Bei der überwiegenden Zahl der Betroffenen muss die Harnleitermündung mittels eines dauerhaft eingelegten Schlauches gegen Verschluss durch die Haut geschützt werden. Beim Wechsel des Urostomie-Systems ist darauf zu achten, dass eine ungewollte Lageveränderung dieser Schiene in *beide* Richtungen unterbleibt.
Bei der *Feuchten Colostomie* muss flüssige und feste Ausscheidung (Urin + Stuhl) in *einem* Drainagesystem aufgefangen werden. Ein Ausstreifbeutel mit Filter ist hier als Versorgung der Wahl anzusehen. Da das Volumen

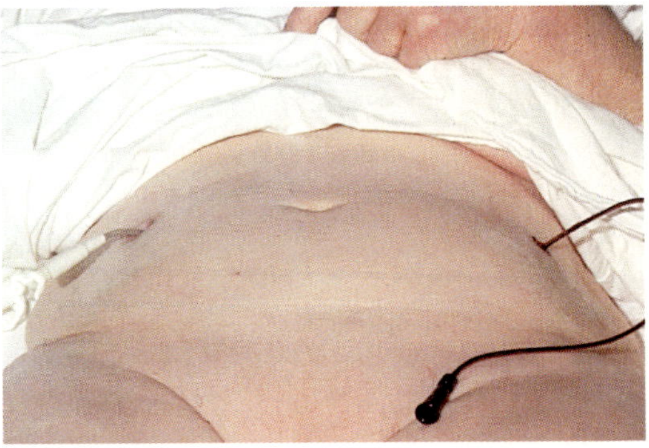

Harnleiter-Haut-Fistel bds., links disloziert

der Ausscheidung entsprechend groß sein kann, muss ein Beutel mit „normaler" Kapazität ggf. auch nachts entleert werden.
Eine Ileo-Nachtdrainage kann helfen, die Nachtruhe zu fördern.

Stellenwert der „Kontinenz"

An dieser Stelle muss der Begriff *Kontinenz* kritisch betrachtet werden. Für Betroffene ist die ganz persönliche Lebensqualität nach Anlage der Harnableitung ein entscheidender Maßstab. Sorge bereitet nicht selten bei den *kontinenzerhaltenden Methoden* das hohe Maß an Disziplin, das bis ans Lebensende für die regelmäßige Entleerung der katheterisierbaren Pouche aufgebracht werden muss oder eine eventuell eintretende Analsphinkter-Insuffizienz mit zunehmendem Alter bei einer Harnleiter-Darm-Implantation.
„Was ist, wenn mich einmal eine schwere Grippe erwischt. Komme ich dann noch klar?" Hinter dieser berechtigten Überlegung verbirgt sich die Angst, bei Krankheit und steigendem Alter in eine missliche Situation zu geraten, d. h. den Pouch nicht mehr selbst entleeren zu können oder Inkontinenz-Episoden zu *erleben*.
Umgekehrt bieten *Methoden mit Kontinenzverlust* durch die Speicherleistung der Beutel ungestörte Nachtruhe und relative Unabhängigkeit. Hier ist eine *Fremdversorgung*, sei es zur Überbrückung einer akuten Krankheitsphase oder aber dauerhaft, zwar auch ein schmerzlicher Verlust an Eigenständigkeit, aber immerhin leichter zu akzeptieren. Solche Gesichtspunkte können im Beratungsgespräch von Bedeutung sein!

OP – Vorbereitungen

Reinigungsmaßnahmen

Sollen Darmsegmente zur Harnableitung verwendet werden, müssen diese für die Operation natürlich 100%-ig sauber sein. Eine gründliche Darm-Lavage mittels abführender Trinklösung oder orthograder Spülung per Magensonde am Tag vor der Operation bleibt dem Patienten nicht erspart.
Reinigungsbedarf hat auch die Nabelgrube, wenn sie für die Anlage eines katheterisierbaren Pouches vorgesehen ist. Über die Nacht kann eine Abdeckung mit einem in Braunol® getränkten Tupfers erfolgen.

Stomamarkierung

Urologische Stomaanlagen erfolgen nie notfallmäßig, eine Stomamarkierung ist also immer praeoperativ möglich. Bei jeder Cystektomie, auch wenn eine Neoblase geplant ist, wird vorsorglich eine Markierung für ein Conduit vorgenommen, damit intraoperative „Überraschungen" (ausgedehnte Briden verhindern eine Isolierung von 60 cm Ileum), die den geplanten Eingriff undurchführbar machen, zumindest in eine *vorbereitete* Stomaanlage münden.
Das Hautstoma der **katheterisierbaren Pouche** liegt *aus kosmetischen Gründen*

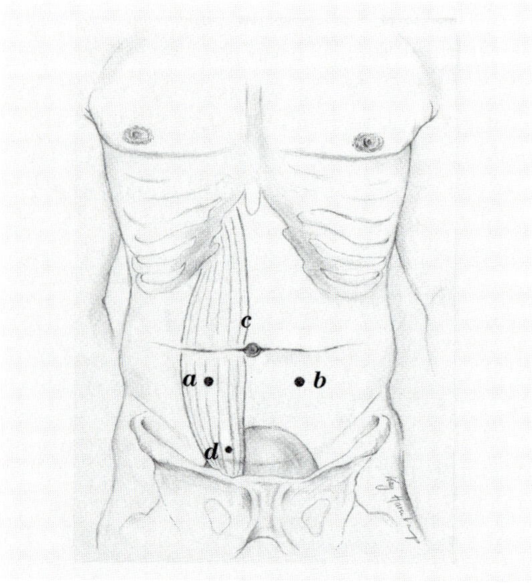

a Typische Lage eines Ileum-Conduits sowie mögliche Lage eines Appendixstomas (MAINZ-Pouch I)
b Typische Lage eines Colon-Conduits sowie alternative Lage eines Ileum-Conduits
c Typische Lage eines Appendixstomas (MAINZ-Pouch I) in der Nabelgrube
d Typische Lage eines Appendixstomas bei Appendikovesikostomie

normalerweise im Nabeltrichter. Nur in Ausnahmefällen muss der Zugang zum Pouch in den rechten Unterbauch verlegt werden. Dies ist der Fall, wenn der Betroffene schon mehrfach durch die „Mittellinie" operiert wurde und daher mit reichlich Vernarbung in allen Wandschichten zu rechnen ist. Keine guten Voraussetzungen für so ein zartes Gebilde wie etwa ein *Appendix-Stoma*!

In typischer Lage im rechten Unterbauch ist das **Ileum-Conduit** angesiedelt. Eine Verlagerung nach links ist im Bedarfsfall leicht durchführbar. Das seltener angelegte **Colon-Conduit** wird primär als Sigma-Segment ausgeleitet und liegt damit grundsätzlich links. Allerdings ist auch eine Ausleitung des Quercolon möglich, wenn in Ausnahmefällen eine Urostomie im Oberbauch therapeutisch sinnvoller erscheint (Rollstuhlfahrer, Bestrahlung im kleinen Becken).

Wird die Anlage einer **Feuchten Colostomie** geplant, ist die Lokalisation des Ausganges abhängig von der Ausdehnung des Tumorbefundes. Es empfiehlt sich, ein Stoma im rechten und linken Oberbauch sowie eine „klassische" Sigmoidostomie zu markieren.

Ureter-Haut-Fisteln werden im rechten und linken Unterbauch nach den selben Grundsätzen wie alle anderen Urostomien angezeichnet.

Eine besondere Situation ergibt sich bei der **Vesikostomie nach dem Mitrofanoff-Prinzip**. Hier ist die Blase funktionell voll intakt, die nachfolgenden Organstrukturen fallen aber für die Harnableitung aus. Dennoch kann die Blase weiterhin als Speicherorgan genutzt werden. Solche Situationen ergeben sich z. B. nach Vulvektomie (Cervixkarzinom) oder Penektomie (Penis-/Harnröhrenkarzinom). Der Abfluss über die Harnröhre wird

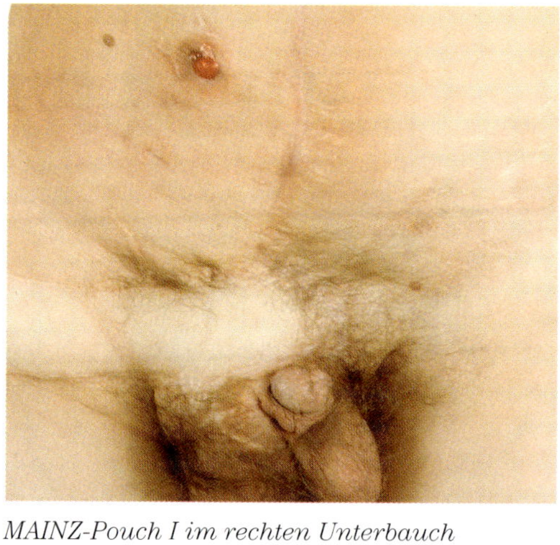

MAINZ-Pouch I im rechten Unterbauch

durch eine katheterisierbare Verbindung zwischen Blase und Bauchdecke ersetzt. Häufig geschieht das über die Appendix. Ist diese nicht mehr vorhanden oder ungeeignet, erfolgt die Ausleitung eines plastisch umgeformten Blasenlappens. Die Stomaöffnung liegt im rechten Unterbauch zwei Querfinger oberhalb der Symphyse und muss praeoperativ markiert werden.

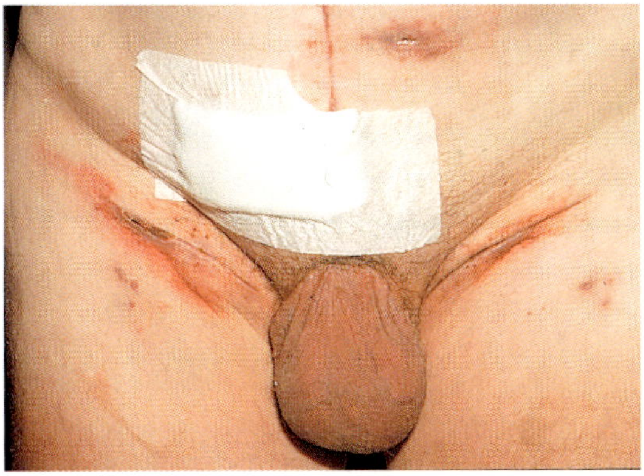

Appendiko-Vesikostomie nach Mitrofanoff

Postoperative Pflege

Immer wenn die Harnleiter von der Blase abgetrennt und an anderem Ort neu implantiert werden, erfolgt ein Schutz der Anastomosen durch eingelegte 8-Charrière-Uretersplinte, die nach außen abgeleitet sind:

- bei *Urostomien* durch das Stoma,
- bei der *Neoblase* transcutan,
- bei den *Harnleiter-Darm-Implantationen* transanal.

In vielen Kliniken muss die Harnausscheidung der Nieren über diese Splinte für einen vorgegebenen Zeitraum seitengetrennt bilanziert werden. Damit von vornherein kenntlich ist, welcher Splint zu welcher Niere gehört, ist der linke Schlauch an seinem äußeren Ende immer schräg, der rechte Schlauch dagegen gerade abgeschnitten. Die notwendige Ausleitung der Ureteren-Katheter durch die Folie des Urostomiebeutels gestaltet sich häufig nicht ganz einfach und erfordert deshalb etwas Übung. Nur von einem Hersteller (Hollister) wird hierfür eine spezielle Fixierhalterung zum Abdichten der durchstochenen Folie angeboten. Solche Versorgungswechsel bewältigt man am besten zu zweit. Das Motto lautet hier: Steril ist kaum machbar – also bitte so keimarm wie möglich!

Vielfach dürfen diese Splinte nach einigen Tagen gekürzt und bis zur endgültigen Entfernung in den Beutel geleitet werden. Eine geringere Zahl von Beuteln bedeutet, z. B. im Rahmen der postoperativen Mobilisation, weniger Aufwand für den Patienten und die Pflegekraft. Nach der Anlage einer Feuchten Colostomie bleibt diese *Vereinfachung* allerdings grundsätzlich *verboten*, weil bei einset-

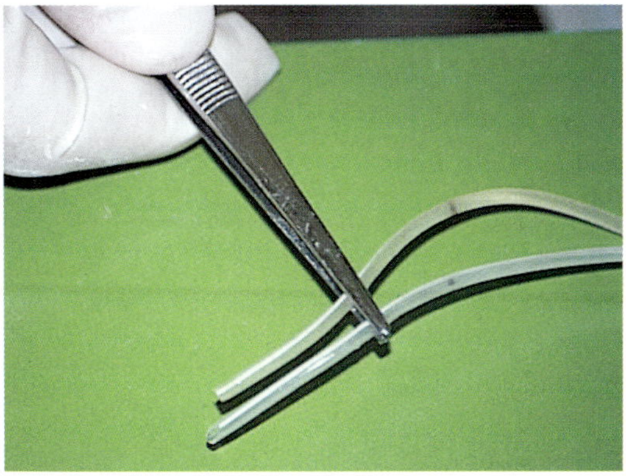

Harnleitersplinte: durch die schräge (linker Harnleiter) bzw. gerade (rechter Harnleiter) Schnittkante sind Verwechslungen ausgeschlossen

zender Stuhlproduktion Fäkalkeime über das Lumen der Harnleitersplinte in den oberen Harntrakt gelangen könnten.

Bei der Anlage von Urostomien geht es auf dem Bauch des Patienten ganz schön eng zu. Neben dem Verband der Bauchdecken-Incision müssen das Stoma versorgt und die Austrittsstellen von zwei bis drei Wunddrainagen abgedeckt werden. Aus dem Stoma führen die beiden Harnleiter-Splinte und ein Ballonkatheter. Dieser soll Blut und Wundsekret aus dem Conduit/Pouch ableiten. Alle drei Schläuche sind außerhalb des Stomas mit einem cutanen Haltefaden fixiert. Operateure mit Blick für Pflegetechnisches nähen diese möglichst dicht am Stoma an – sie müssen nämlich samt Annaht durch den *Plattenausschnitt* – und leiten Drainagen möglichst *weit* vom Stoma aus. (👁)

Die Harnleiterschienen verstopfen leicht durch kleinste Gewebsstücke oder Blutkoagel. Ist dies der Fall, kann der Schlauch mit 2 ml NaCl 0,9% angespült werden. Wird sofort aspiriert, ziehen sich solche Teilchen nur noch tiefer in die Schlauchöffnung, dann geht nichts mehr. An der Stomaöffnung sammelt sich in der ersten Zeit reichlich Darmschleim an. Der stört nur dann, wenn der darunter liegende Darm nicht mehr richtig beurteilbar ist.

In einigen Kliniken werden postoperativ mukolytische Substanzen in die Pouche instilliert, um den zähen Darmschleim leichter abzuleiten. Sinnvoll ist eine ab dem 5. postoperativen Tag zweimal täglich per Blasenspritze über den Ballonkatheter durchgeführte Spülung des Reservoirs mit 50-100 ml NaCl 0,9%. Es ist wichtig, den Patienten in diesen Vorgang aktiv einzubeziehen – eventuell sind auch später Spülungen notwendig!

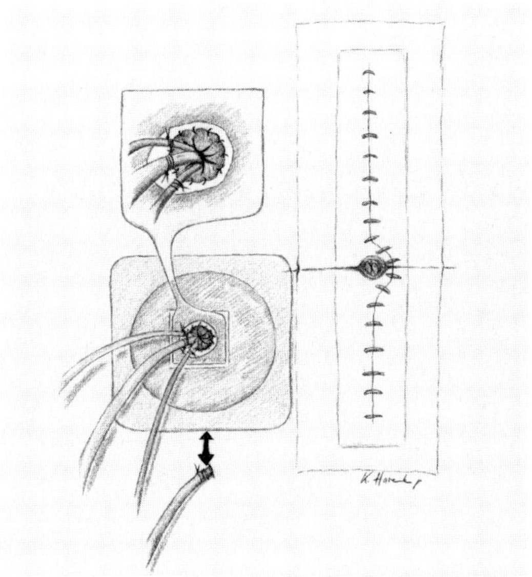

Postoperative Ausleitung der Ureteren-Katheter, Pouch- bzw. Conduit-Drainage und Wunddrainage.

Gewusst wie!

Pflegekonzepte und Problemlösungen

Pflege

Bei den katheterisierbaren Pouchen steht nach 2-3 Wochen (je nach Klinik) die Röntgen-Kontrastdarstellung zur Überprüfung der Dichtigkeit aller Nähte und Anastomosen mit anschließender Entfernung des Drainage-Katheters in der Stomaöffnung an. Einerseits muss der Pouch nun an steigende Füllmengen gewöhnt werden, andererseits soll sich der Patient in der Technik des Selbstkatheterismus üben. Allerdings darf zu keiner Zeit der Druck im Pouch so hoch werden, dass Harn von allein austritt. Deshalb ist über die erste Zeit ein sorgsam geführtes Ein- und Ausfuhrprotokoll zu führen, bis der Betroffene weiß, wie sich *Trinkmenge-Harnproduktion* und *Pouchfüllung* zueinander verhalten. Dabei kann ein Füllvolumen von maximal 500 ml ohne nächtliches Katheterisieren angestrebt werden.

Zunehmend findet sich seit einiger Zeit die Praxis, Patienten mit liegendem Verweilkatheter aus dem Krankenhaus zu entlassen und die Anleitung zum Einmalkatheterismus in die Hände vielfach unerfahrender Pflegekräfte zu legen. Wer je die Anspannung von Patient und Pflegekraft erlebt hat, wenn es darum geht – hoffentlich *klappt* die erste

Katheterisierung des Pouches – der weiß: diese Anleitungsphase gehört ins Krankenhaus, wo eine urologische Poliklinik mit *Know-how* und geeigneten technischen Mitteln (z. B. Sondierung nach Kontrastmittelfüllung unter Bildwandler) einen beruhigenden Hintergrund bietet. Denn wer wollte leugnen, dass bei allen Beteiligten auch eine erhebliche Portion Erfolgszwang mitschwingt.
Bei der Anleitung des Patienten zum intermittierenden Selbstkatheterismus kommt es darauf an, dass eine hygienisch einwandfreie Technik vermittelt wird. Im nächsten Kapitel ist eine der geeigneten Methoden erläutert.
Nach der Entleerung des Pouches schützt eine, mit hautfreundlichem Pflaster fixierte, kleine Kompresse oder eine speziell hierfür entwickelte Abdeckung das Stoma ausreichend. Mit dieser Abdeckung kann auch geduscht werden. Vor einem Vollbad ist der Pouch zu entleeren und mit einer wasserdichten Folie zu verschließen.
Ebenfalls 2-3 Wochen nach der Operation wird die Ileum-Neoblase in Funktion genommen. Hier muss der Betroffene lernen, durch den richtigen Einsatz seiner Bauchpresse eine vollständige Entleerung der Neoblase zu erreichen.

Komplikationen

Bei beiden Verfahren kann die Schleimproduktion der verwendeten Darmareale zu Problemen führen. Verbleibt der zähe Schleim im Pouch bzw. in der Neoblase, ist dies u. U. die Grundlage aufsteigender Infektionen oder der Beginn einer Schleimtamponade, die aufgrund ihrer Harnabflussbehinderung letztendlich operativ-endoskopisch beseitigt werden muss. Während der Anleitung zum Selbstkatheterismus soll der Patient deshalb lernen, den Pouch bzw. die Neoblase im Anschluss an die „normale" Entleerung zu spülen. Hierfür stehen spezielle Faltbalg-Flaschen mit physiologischer Kochsalzlösung zur Verfügung. Viele Betroffene übernehmen aber auch in der Klinik die Technik, mittels Blasenspritze zu spülen.
Eine Reihe von Betroffenen mit Anlage einer Ileum-Neoblase haben zudem Schwierigkeiten, das neue Reservoir generell (primär Frauen) oder restharnfrei zu entleeren. Gerade hohe Restharnbildung leistet der Entstehung von Harnwegsinfekten Vorschub. Der intermittierende Einmalkatheterismus wird also hier eventuell unabdingbarer Bestandteil der Harndrainage. Im Falle hoher Restharnbildung sollte 1 x täglich, unmittelbar vor der Nachtruhe, die Entleerung der Neoblase erfolgen.
Bei all den vorgenannten „guten" Gründen für den Einmalkatheterismus, sei ausdrücklich darauf hingewiesen: All zu häufiges Katheterisieren kann eine Verletzung der betroffenen Schleimhäute mit Blutungen und voranschreitender Vernarbung der Stomaöffnung bewirken. Ein Speichervolumen von 400 ml sollte also mindestens auftrainiert werden.

Pflege und Komplikationen bei Harnleiter-Darm-Implantation und Mainz-Pouch II

Pflege

Nach einer Harnleiter-Darm-Implantation treten aus dem Anus die beiden Uretersplinte sowie ein Darmrohr aus. Alle Schläuche sind per cutaner Hautnaht hinsichtlich einer Dislokation gesichert. Das Darmrohr leitet zunächst Blut und Wundsekret ab, im Verlauf des Kostaufbaus aber ebenso den ersten dünnflüssigen Stuhl. In dieser Phase muss vordringlich darauf geachtet werden, dass die perianale Haut keinen Schaden leidet (Einstichstellen von Haltefäden zur Fixierung von Drainageschläuchen, Wundsein durch Ausscheidung). Das Darmrohr wird am 7. postoperativen Tag entfernt. Sind nach Röntgendarstellung die Harnleiterschienen gezogen, wird auch hier die Speicherleistung trainiert. Für eine Übergangszeit soll der Patient 4- bis 6-stündlich abführen. Alle rektalen Manipulationen müssen künftig äußerst kritisch abgewogen werden und bedürfen in jedem Fall der ärztlichen Anordnung.

Komplikationen

Nach der Anlage eines Mainz-Pouch II bildet sich im Enddarmbereich ein Gemisch aus Harn und Stuhl. Da die Colonpassage eine normale Stuhleindickung bewirkt hat, findet hier nur eine „Aufweichung“ statt, die Stuhlanteile bleiben geformt – ein wesentlicher Unterschied zum typischen Bild des Durchfalls.
Hatten Betroffene bei den praeoperativen Halteeinläufen schon ihre liebe Mühe, die *zumindest* erforderlichen 2 Stunden zu erfüllen, kann sich jetzt eine dramatische Situation entwickeln. Es kommt zu Inkontinenz-Episoden, vor allem nachts, wenn die willentliche Kontrolle des Analsphinkters fehlt. Unter der falschen Vorstellung, nun gegen eine „Art Durchfall“ angehen zu müssen, wird versucht, *eine zusätzliche Stuhleindickung* zu bewirken. So wird die Trinkmenge auf ein Minimum reduziert, was alle negativen Folgen solch einer *Austrocknung* nach sich ziehen kann. Oder es wird angestrebt, mit allen möglichen natürlichen (Bananen) und medikamentösen (Quantalan®) Mitteln dem Stuhl weiter Wasser zu entziehen. Das kann nicht wirklich gelingen. So bleibt hier als einzige Möglichkeit, auch nachts regelmäßig zur Toilette zu gehen.

Pflege und Komplikationen bei Conduit, Harnleiter-Haut-Fistel und Feuchter Colostomie

Pflege

Bei den hier erörterten Urostomien wird der Harn an der Körperoberfläche von einem Beutelsystem aufgenommen und bei entsprechender Füllung entleert. Der Urostomie-Beutel weist zwei Konstruktionsmerkmale auf, die Beachtung verdienen. Zum einen ist dies die im oberen Teil des Beutels angebrachte Rücklaufsperre. Sie soll den Rückfluss von Urin aus der unteren Reservoirkammer zum Stoma hin unterbinden, da hier in aller Regel eine massenhafte Keimvermehrung stattgefunden hat. Daneben ist die Bauart des Ablassventils ( ) an der unteren Kante des

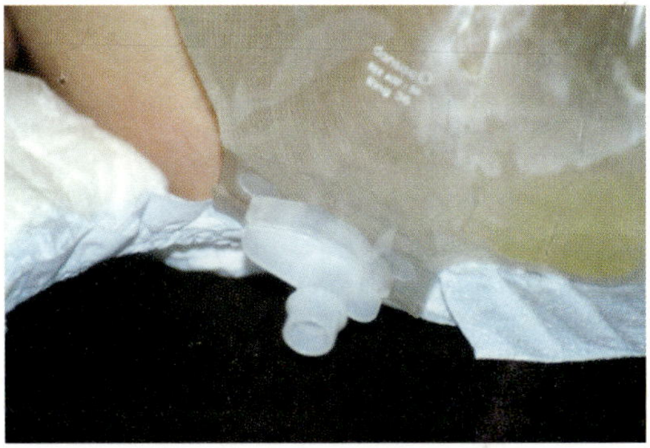

Ablassventil bei Urostomiebeutel, hier: Dansac

Beutels wichtig. Das Öffnen und Schließen sowie das Verbinden mit dem Nachtbeutel sollen möglichst einfach zu bewerkstelligen sein und kein zusätzliches Problem für den Betroffenen darstellen!

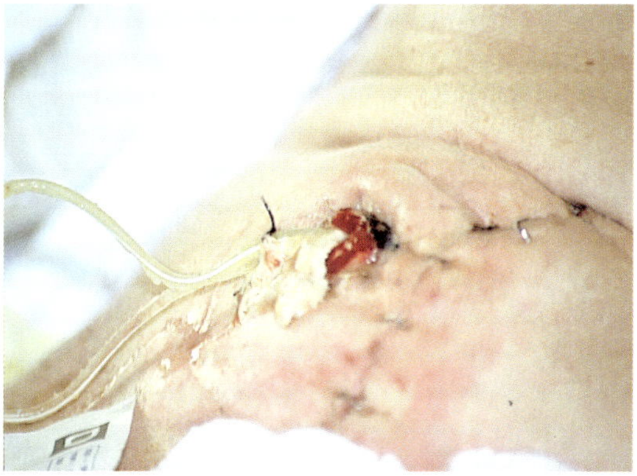

Normale Schleimabsonderung des Conduits

Der postoperative Situs der **Conduits** stellt sich wie folgt dar: zwei Ureteren-Katheter und ein Drainageschlauch münden aus dem Stoma und sind daher für einige Tage mit dem Stoma zu versorgen. Wenn alles dicht ist, steht der erste Versorgungswechsel am 3. oder 4. Tag nach der Operation an. Auch wenn von außen noch alles gut aussieht, sollte nicht länger gewartet werden – die peristomale Haut ist an so viel Feuchtigkeit nicht gewöhnt und nimmt deshalb leicht Schaden. Ein weiterer Versorgungswechsel erfolgt am 7. Tag, bei dieser Gelegenheit kann die Drainage aus dem Conduit entfernt werden. Zeigt die retrograde Röntgen-Darstellung über die Harnleiterschienen, dass die Anastomosen gut verheilt sind, wird ein Splint am 11. und der andere zusammen mit den Stomafäden – am 12. Tag gezogen. Danach beginnt das Patiententraining. Auch hier ist eine möglichst weit reichende Selbstständigkeit des Betroffenen das Ziel der Anleitung.

Da eine sterile Versorgung des Conduits wegen der Keimbesiedlung der Haut unmöglich ist, muss das Augenmerk im klinischen Bereich und der stationären Pflege auf die Gefahr der Verschleppung polyresistenter Keime gerichtet werden. Der Betroffene beginnt den Versorgungswechsel mit einer gründlichen Händedesinfektion. Das neue Versorgungssystem, Hautschutzpaste und

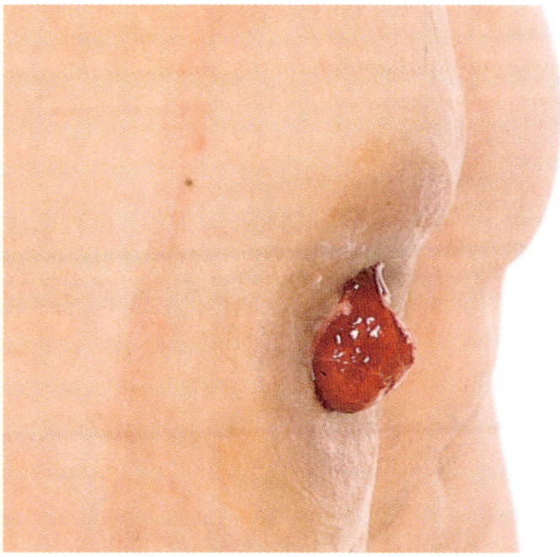

Versorgungsfreundliche prominente Anlage eines Ileum-Conduits

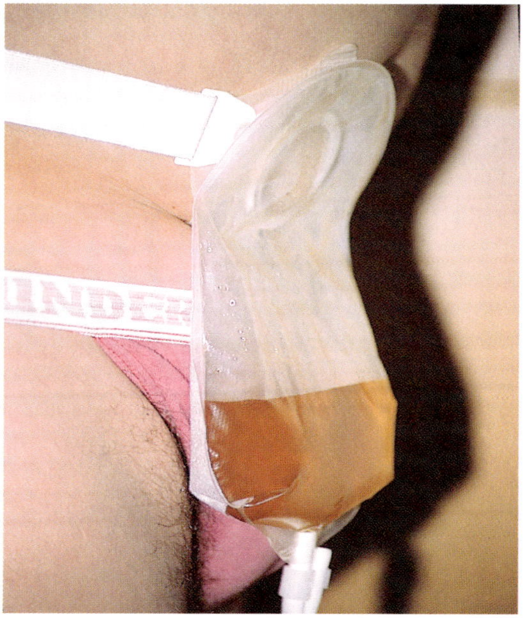

2-teilige Urostomieversorgung mit Gürtel beim Ileum-Conduit

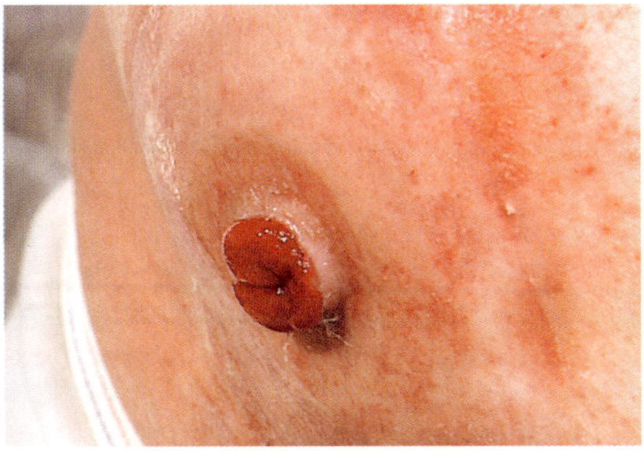

Follikulitis, peristomal aufgequollene Haut bei zu langen Versorgungsintervallen

eine ausreichende Menge Kompressen (10 mal 10 cm, unsteril) liegen bereit. Ein Teil der Kompressen wird angefeucht, die Adhäsivplatte am Lochausschnitt rundum mit Paste versehen. Ist die alte Platte vorsichtig entfernt, erfolgt die Reinigung des peristomalen Hautbereiches, der Kontakt mit Urin hatte. Eine pH-neutrale Flüssigseife kann – muss aber nicht – verwendet werden. Im Gegensatz zu den intestinalen Stomata gibt es keinen Grund, die Urostomien wie eine septische Wunde von außen nach innen zu versorgen.

Wenn nach der Hautreinigung, aber vor dem Aufbringen des neuen Beutels noch einmal etwas Urin über die Bauchhaut läuft, kann einfach *nachgewischt* und dann die neue Platte angebracht werden. Alle Manipulationen am Conduit, um diesen spontanen Harnfluss zu vermeiden, sind überflüssig und eher schädlich.

Morgens, vor der ersten Flüssigkeitsaufnahme, ist die Urinausscheidung etwas geringer als zu den nachfolgenden Tageszeiten, deshalb ist dies eine günstige Zeit zum Versorgungswechsel. Die Reinigung der das Stoma umgebenden Haut kann auch unter der Dusche erfolgen. Benutzt der Betroffene Waschlappen, so sind im Stomabereich nur Einmal-Waschlappen erlaubt. Anschließend wird die peristomale Haut mit Kompressen abgetrocknet. Baden sollte der Stomaträger zur Vermeidung von Keimverschleppungen über das Badewasser nur mit kompletter Versorgung; diese muss anschließend gewechselt werden.

Ein Versorgungswechsel ist bei 2-teiligen Urostomieversorgungen spätestens jeden dritten Tag erforderlich. Längere Intervalle sind ungeeignet, weil das Adhäsivmaterial um das Stoma herum dann durch Urin aufgequollen und damit in seiner Funktion als Hautschutz erschöpft ist. Entzündungen der Haut mit nachfolgender Vernarbung können zur Stoma-Stenose führen. Die Beutel sollten täglich gewechselt werden. Dies gilt auch für Einteiler.

Versorgungsempfehlung

Bei Verwendung eines zweiteiligen Systems

- Wechsel der Adhäsivplatte
  jeweils Mo-Mi-Fr/Sa
- Wechsel des Urostomiebeutels
  täglich
- Wechsel des Bettbeutels zur Nachtdrainage
  jeweils montags
- Wechsel des 1x-Beutels zur Nachtdrainge
  täglich
- ggf. peristomale Rasur bei Männern
  jeweils montags

Bei Verwendung eines einteiligen Systems

- Wechsel des Versorgungssystems
  täglich

Eine convexe Versorgung, die Verwendung von Hautschutzpaste und das Tragen eines Gürtels sollten heute nicht unreflektiert vorgegeben werden, sondern an eine entsprechende Indikation gebunden sein: Stomaanlage in oder unter Hautniveau, ungünstige anatomische Verhältnisse („Kugelbauch"), außergewöhnliche Abscherkräfte bei Arbeit und Freizeit.

Über Nacht sorgt die Verbindung mit einem Nachtbeutel für refluxfreien Abfluss in der Horizontalen und durch erhöhte Kapazität für eine ungestörte Nachtruhe. Hier kann entweder für 7 Tage ein Urostomie-Bettbeutel oder, als kostengünstigere Variante, täglich ein neuer einfacher Sekretbeutel verwendet werden.

Nach der Anlage einer **Harnleiter-Haut-Fistel** stellt sich die Versorgungssituation in der Regel aufwändiger dar. Zunächst besteht kein Unterschied zum Versorgungsplan eines Conduits. Allerdings ist bei den meisten Patienten dauerhaft eine Harnleiterschienung erforderlich, um einer verschließenden Hautgranulation im Bereich der Stomaöffnung entgegenzuwirken. Bei diesen *Schienen* (👁 s. u.) handelt es sich um Schläuche, die bis in das Nierenbecken reichen und hier über ein *selbstfixierendes Pigtail-Ende* verfügen.

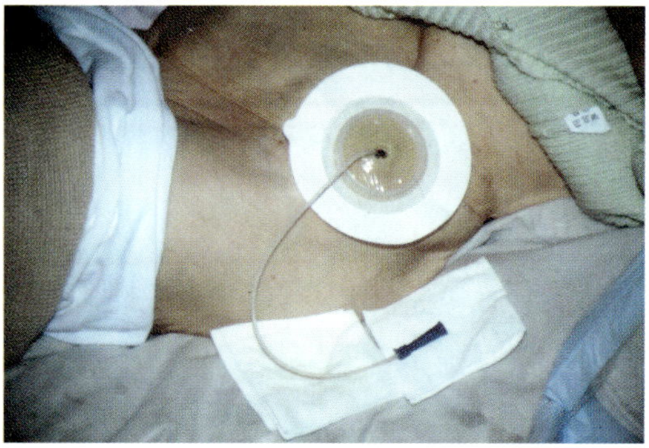

Trotzdem muss bei manchen Betroffenen eine zusätzliche Befestigung des Schlauches am unteren Ende erfolgen, damit dieser, z. B. beim Versorgungswechsel, nicht versehentlich dislociert wird. Der Haus-Urologe wechselt die Schiene alle 6-8 Wochen.

Die Anlage einer **Feuchten Colostomie** stellt für Betroffene oftmals eine enorme psychische Belastung dar. Harn- und Stuhlkontinenz sind durch immerwährenden Fluss in den Beutel abgelöst. Charakteristisch ist von nun an ein hohes Ausscheidungsvolumen und die reichliche Bildung von Darmgasen. Deshalb wird die Feuchte Colostomie sinnvollerweise mit einem Ausstreifbeutel mit Wasser abweisendem Filter versorgt. Bei solch einer „normalen" Beutelversorgung muss der Betroffene sicher zumindest *einen* nächtlichen Toilettengang in Kauf nehmen. Alternativ bietet vielleicht die Anwendung der Assura Ileo-Nachtdrainage® (Coloplast) Vorteile. Hier kann ein großes Ausscheidungsvolumen körperfern abgeleitet werden.

Komplikationen

Das **Ileum-Conduit** gilt als komplikationsärmste Methode des Blasenersatzes mit Kontinenzverlust. Tritt Fieber auf, könnte ein Harnwegsinfekt mit Nierenbeteiligung die Ursache sein. So lange das Fieber andauert und während der antibiotischen Behandlung ist es sinnvoll, einen 16-Charrière-Ballonkatheter in das Conduit einzulegen. Damit wird ein Reflux in den oberen Harntrakt vermieden. Ebenfalls für die Zeit einer Chemotherapie oder eines Diagnoseverfahrens, bei dem radioaktive Substanzen über den Urin ausgeschieden werden, wird das Conduit mit einem Katheter versorgt, um den Harnabfluss zu beschleunigen.

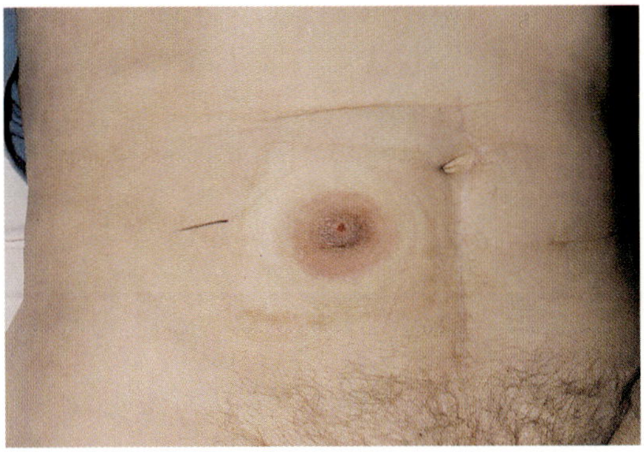

Hochgradige Stenose eines Ileum-Conduits mit typischer Hyperpigmentierung der peristomalen Haut infolge permanenter Reizung durch Urin.

In der Rangfolge der Komplikationen nimmt die Conduit-Stenose einen der vordersten Plätze ein. Diese entwickelt sich häufig nach einem gängigem Muster von Versorgungsfehlern:

- Die Hautschutzplatte wird mit zu großem Lochausschnitt gewählt bzw. angefertigt.
- Die Wechselintervalle für die Hautschutzplatte sind viel zu lang bemessen.

In beiden Fällen kommt es zu einer dauerhaften Urinbenetzung der peristomalen Haut. Unter der Vorstellung, dass ein convexes Versorgungssystem in jedem Fall bei allen Anlagen eines Conduits, einer Ureter-Haut-Fistel oder einer Feuchten Colostomie die beste Versorgungsvariante sei, kamen diese Systeme vielfach zu unkritisch zur Anwendung. Dabei übersah man, dass gut angelegte Stigmata mit ausreichender Prominenz keine convexe Versorgung benötigen. Bei einer Reihe von Betroffenen bildete sich in Folge des erhöhten Drucks auf den schmalen peri-

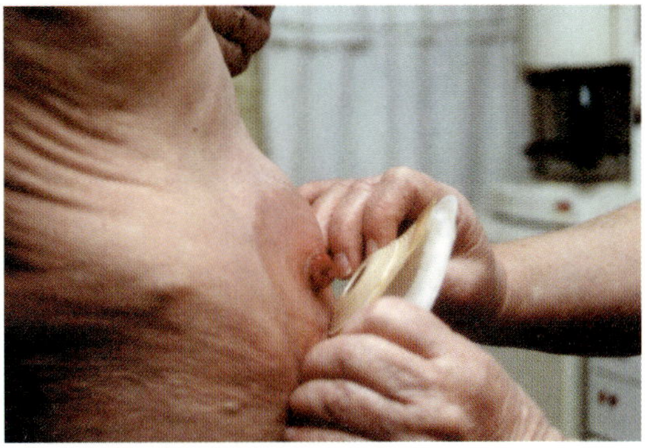

Anbringen einer 1-teiligen convexen Urostomieversorgung bei einem Ileum-Conduit: kritsches Hinterfragen erlaubt!

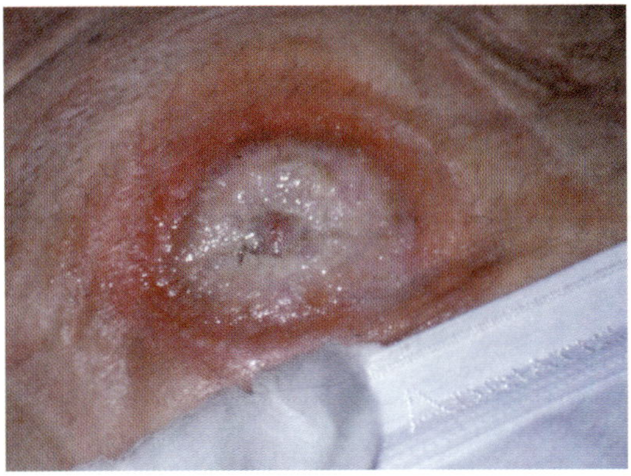

Massiv entzündete, aufgequollene peristomale Haut durch permanente Urinbenetzung.

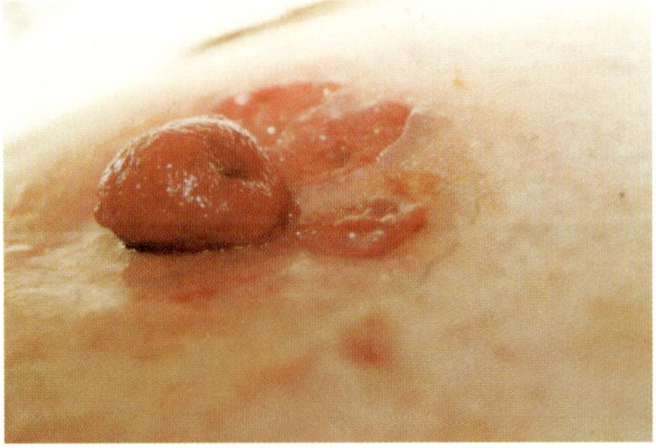

Massive Hautschädigung im Sinne eines Druckulcus bei unsachgemäßem Einsatz eines convexen Versorungssystems.

stomalen Hautbereich, verstärkt durch einen Gürtel, eine Drucknekrose aus. Convexe Hautschutzplatten sollten daher nur bei solchen Anlagen angewendet werden, die in oder unter Hautniveau liegen.
Die regelmäßige Dehnung des Conduits, um einer stenotischen Einengung vorzubeugen, sollte nur bei entsprechender Prognose Anwendung finden (z. B. infauster Verlauf).
Die häufig gesehene Stenose der Harnleiter-Conduit-Anastomose mit Harnstau und entsprechenden Symptomen entsteht völlig unabhängig von äußeren Faktoren.

Probleme ganz eigener Art ergeben sich nach der Anlage einer **Harnleiter-Haut-Fistel**. Die regelmäßig erforderliche *Harnleiterschienung* begünstigt das Aufsteigen von Keimen in das obere Hohlsystem. Es drohen Entzündungen des Nierenbeckens mit ausgeprägter Beschwerdesymptomatik. Immer wiederkehrende Pyelonephritiden haben außerdem einen zunehmenden Funktionsverlust der Nieren zur Folge.

Ein Wechsel des Urostomie-Versorgungssystems bei liegender Harnleiterschiene überfordert viele (ältere) Betroffene. Ein Verlust an Eigenständigkeit!
Der 6-8-wöchentlich anstehende Austausch der Harnleiterschiene stellt eine zusätzliche Belastung dar. Blutungen der Harnleiterschleimhaut, verbunden mit technischen Schwierigkeiten, die Schiene bis in das Nierenbecken vorzuschieben, können diese Prozedur auf Dauer zum Martyrium machen. In einigen Fällen geht schließlich nichts mehr ohne Aufenthalt in der Klinik und Maskennarkose.

Uro-specials

Externe, transurethrale und percutane Harnableitung

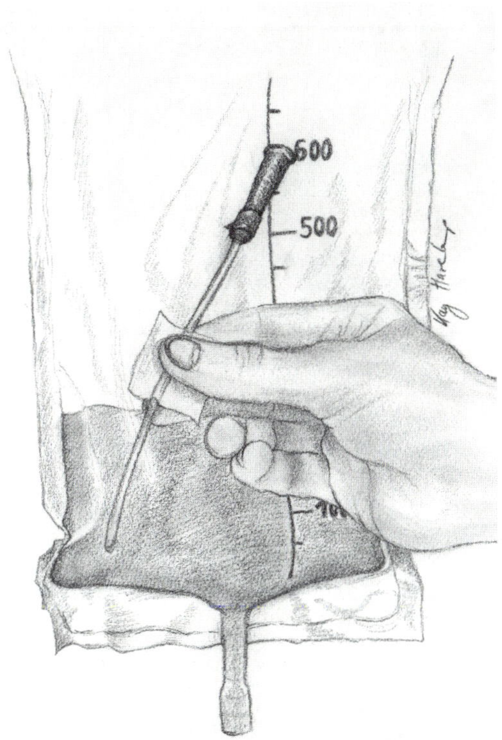

Externe Harnableitung

Das Kondomurinal

Die Harninkontinenz beim Mann versuchte man bereits im Mittelalter mit Konstruktionen aus Tierhaut, die an heutige Kondomurinale erinnern, zu behandeln. Hinsichtlich der Anwendungstechnik sind selbstklebende Urinale von solchen zu unterscheiden, die mittels eines zusätzlichen Klebestreifens oder eines speziellen Hautklebers befestigt werden. Ganz unabhängig davon, welche Klebemethode gewählt wird, gibt es Versorgungsgrundsätze:

- Das Urinal muss dicht anliegen. Die Größe des Urinals wird gemäß den Herstellerangaben ermittelt.
- Schamhaare dürfen nicht unter die Klebefläche geraten. Sie müssen am Penis entfernt, zum Schamhügel hin gekürzt oder abgedeckt werden.
- Die Haut des Gliedes soll sich in intaktem Zustand befinden. Gute Hautbeobachtung und Pflege sind hier wichtig.
- Das Urinal soll morgens, aber nicht direkt nach dem Waschen angebracht werden, weil die Haut dann zu viel Feuchtigkeit aufweist.
- Ölhaltige Pflegemittel beeinträchtigen die Haftung des Urinals.
- Kleinere Hautverletzungen am Penis können unter dem Urinal mit Hydrokolloid-Verbänden versorgt werden.

Das bei der Herstellung von Urinalen am häufigsten verwendete Material ist Latex. Vorteilhaft sind die elastischen Eigenschaften dieses Naturstoffes, Probleme kann es geben, wenn der Betroffene allergisch auf Latex reagiert. Immer mehr Hersteller haben inzwischen Kondomurinale aus Silikon in ihrem Sortiment, so dass hier genügend Auswahl besteht.

Die häufigste Fehlerquelle ist die Verwendung von Urinalen falscher Größe. Sind sie zu eng gewählt, verursachen sie Missempfindungen oder Schmerzen – sind sie zu weit, geht der

Hautkontakt rasch verloren und es tritt Urin aus. Anwender sollten deshalb in der Anleitungsphase über einen kompletten Größensatz eines Anbieters, besser noch über ein weiteres Produkt mit anderer Klebetechnik verfügen.

Ein haariger Pflegefehler – Schamhaare dürfen nicht unter die Klebefläche geraten

Der Harnkollektor

In erster Linie weitgehend immobile Frauen, die unter unwillkürlichem Harnverlust leiden, kommen für die Anwendung eines Harnkollektors in Betracht (Hollister). Es handelt sich dabei um ein einteiliges System, bestehend aus einer Hautschutzplatte mit aufgeschweißtem Beutel, das den Vulva-Bereich umschließt und den Urin auffängt. Ein Ablassventil dient zur Entleerung des Beutels, kann ggf. aber auch mit einem großlumigen Beutel verbunden werden. Ein entsprechend groß bemessener Genitalbereich muss regelmäßig rasiert werden, damit zwischen Haut und Adhäsivplatte eine möglichst bewegungsstabile Haftung entstehen kann. Im Hinblick auf eine weitgehende körperliche Mobilisierung der Betroffenen ist die Anlage einer suprapubischen Blasenfistel allerdings Erfolg versprechender, sofern Kontraindikationen dem nicht entgegenstehen.

Transurethrale Harnableitung

Der transurethrale Verweilkatheter

Unter normalen Bedingungen bleibt die Keimbesiedlung der Harnröhre konstant. Dies ändert sich, wenn ein Verweilkatheter eingelegt wird. Ab dem dritten Tag erhöht sich das Risiko der Keimaszension aus der unteren Harnröhre sowie der zusätzlichen Infektion von außerhalb des Körpers sprunghaft.

Nachfolgend sollen Faktoren erläutert werden, die hierauf einen wesentlichen Einfluss haben. Im Einzelnen sind dies:

- die hygienischen Bedingungen beim Legen des Katheters,
- das Material des verwendeten Katheters,
- die Liegedauer des Katheters bis zum Wechsel,
- die Bauart und die Handhabung des Urin-Auffangsystems,
- der Modus der Katheterpflege.

Das Legen eines Katheters setzt ein hohes Maß an Sorgfalt voraus. Berufsmäßig Pflegende sollten professionellen Standard beweisen, indem sie sich immer wieder an drei ganz entscheidenden Vorgaben orientieren. Es gilt:

- eine Technik des sterilen Katheterismus *perfekt* zu beherrschen,

- Infektionswege im Patientenumfeld zu erkennen und geeignete Maßnahmen zu deren Beseitigung zu ergreifen,
- Grundkenntnisse hinsichtlich der Handhabung von Haut- und Flächendesinfektionsmitteln auf einem aktuellen Stand zu halten.

Die *aufsteigende Infektion* ist das größte Problem beim Dauerkatheterismus. Diesbezüglich müssen zwei Infektionsmechanismen voneinander unterschieden werden:

- *Über das Lumen des Katheters und des sich anschließenden Schlauches zum Urinbeutel* können Keime eindringen, wenn die Verbindung zwischen Katheter und Schlauch unsachgemäß unterbrochen wird.
- *Der Spaltraum zwischen Katheteraußenwand und Harnröhre* bietet mit seinem feuchten Milieu ideale Bedingungen zur Keimvermehrung. Eine zunächst örtlich umschriebene Harnröhrenentzündung ist die Folge. Eitriger Ausfluss und das Auftreten stärkster Schmerzen, wenn Katheterbewegungen in die Harnröhre übertragen werden, sind sichere Zeichen dafür. Von hier aus kann infiziertes Sekret durch Rutschbewegungen des Katheters weiter in Richtung Blase transportiert werden und so Infekte auf den oberen Harntrakt übertragen.

Eine aufsteigende Infektion ist in aller Regel nicht zu verhindern. Ein Grund ist die bereits angeführte physiologische Keimflora der unteren Urethra. Es muss aber angestrebt werden, eine zusätzliche aszendierende Keimbesiedlung der Harnröhre von außerhalb des Körpers, womöglich durch multiresistente Erreger, einzuschränken bzw. so lange wie möglich aufzuhalten. Daneben besteht aber noch ein zweiter wichtiger Aspekt, der pflegerische Maßnahmen dringend erforderlich macht: Durch eine problembewusste Katheterpflege kann eine Entzündung und nachfolgend narbig stenosierende Abheilung der Harnröhrenöffnung (Meatusstenose) in den meisten Fällen vermieden werden.

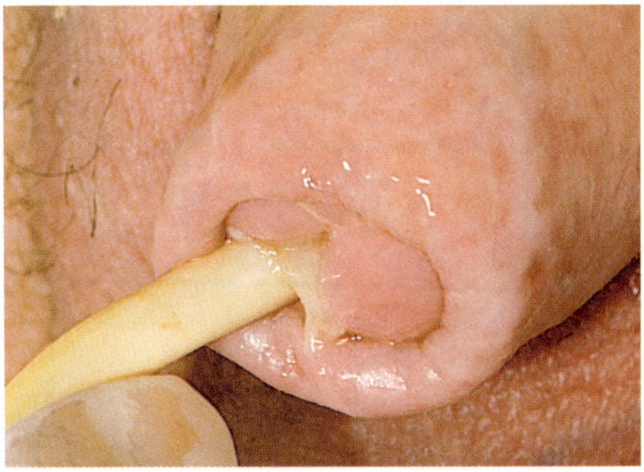
Katheterpflege contra Meatusstenose

Katheter

Der Standardkatheter, der sich in jeder Klinik, in jedem Pflegeheim und in jeder Ambulanz findet, ist aus Latex gefertigt. Seine Oberflächenstruktur besitzt allerdings eine deutlich stärkere Tendenz, eine haftende Verbindung mit Harnröhrensekret einzugehen, als dies bei anderen Materialien der Fall ist. Insbesondere Silikon weist in dieser Hinsicht sehr viel bessere Ergebnisse auf. Wenn die geplante Liegedauer des Katheters 5 Tage übersteigt, ist der Silikon-Katheter daher als *Standardversorgung* zu betrachten. Sein Wechsel erfolgt in 4-6-wöchentlichem Abstand.

Geschlossenes System

Die Verwendung eines *Geschlossenen Systems* ist ein absolutes „Muss“ bei der Dauerableitung über einen transurethralen Verweilkatheter. Der Katheter wird dabei mit einem speziellen Drainagebeutel verbunden, der über ein Abflussventil an der unteren Kante entleert werden kann. Außer zum Wechsel dieses Beutels soll die Verbindung zum Katheter nicht unterbrochen werden. Zudem muss eine belüftete Tropfkammer vorhanden sein, die als Bakterienschranke dient. Damit diese Tropfkammer bei Schräglage des Beutels nicht überflutet wird, dichten Antireflux-Vorrichtungen die Tropfkammer gegen das Reservoir hin ab. Ganz entscheidend ist eine konsequente vertikale Führung und Fixierung des Beutels unterhalb des Blasenniveaus.

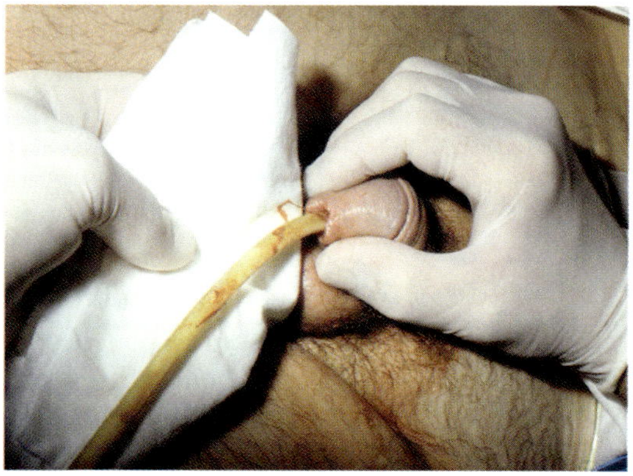
Katheterpflege

Katheterpflege

Durch Katheterpflege kann eine aufsteigende Infektion *nicht* vermieden werden. Unter einem anderen Aspekt ist sie aber dennoch unerläßlich. Sie ist eine geeignete Maßnahme zur Vermeidung einer Meatusstenose.

Die Katheterpflege wird im Rahmen der morgendlichen und abendlichen Körperreinigung durchgeführt. Bei Männern wird die Vorhaut zurückgezogen, der Penis unter Verwendung von Seife und reichlich Wasser gewaschen. Anschließend umfasst eine Hand das Glied, Daumen und Zeigefinger liegen beidseits der Harnröhrenöffnung und schieben diese vorsichtig etwas zurück. Ein Stück des Katheters, das sich bisher hinter der Harnröhrenöffnung befand, liegt nun frei. Hier beginnend werden ca. 5 cm des Katheters gründlich von allen Belägen gereinigt.

Bei Frauen muss die Wischrichtung von der Scheide zum Anus beachtet werden. Der Bereich besonderer Katheterpflege liegt hier zwischen den Schamlippen und der Harnröhrenmündung.

Natürlich kann die Katheterpflege auch unter der Dusche erfolgen. Vor einem Vollbad wird der Beutel entleert. Nach dem Bad folgt die Katheterpflege. Benutzt der Betroffene Katheterventile, so sollten diese nach einem Vollbad mit einem geeigneten Desinfektionsspray abgesprüht werden.

Der intermittierende (Selbst-)Katheterismus

Bei einigen Erkrankungen kann die Blase spontan gar nicht entleert werden oder aber es verbleiben große Restharnmengen, was wiederum eine Keimvermehrung begünstigt.

Für solche Patienten wurden spezielle Katheter entwickelt, um die Blase 4-6 mal täglich restharnfrei zu entleeren. Im klinischen Bereich und in der stationären Pflege ist steriles Vorgehen unverzichtbar, weil hier häufig *Hauskeime* Probleme verursachen. Für den häuslichen Bereich gilt die Anordnung des behandelnden Arztes. Hier kann ggf. auf die Desinfektion des Genitalbereichs und die Verwendung von sterilem Wasser zum Gleitfähigmachen bestimmter Katheter verzichtet werden.

Zwei unterschiedliche Katheter-Systeme sind

im Handel. Bei beiden bietet es sich an, die sterile Umhüllung im Sinne einer *non-touch-Methode* für den Katheterismus zu nutzen. Zum einen gibt es solche Katheter, die beim Vorschieben aus ihrer Hülle heraus mit Gleitgel benetzt werden. Die anderen Katheter sind mit einer trockenen Beschichtung versehen, die zunächst entsprechend den Herstellerangaben mit Wasser gleitfähig gemacht werden muss. Dazu wird die Katheterhülle an der markierten Seite geöffnet und mit Wasser gefüllt. Innerhalb der nächsten 30 sec. quillt die Beschichtung auf. Nachdem das Wasser aus der Katheterhülle abgelassen wurde, schiebt man den Katheter seiner ganzen Länge nach innerhalb dieser zu einer Seite hin. Die Hülle erhält danach von ihrem unteren Ende nach 5 cm und weiteren 3 cm einen Einschnitt bis dicht an den Katheter. Nun wird der Katheter auf die gegenüberliegende Seite der Hülle geschoben und diese vollständig durchtrennt. Über den verbliebenen Streifen kann der Katheter mit einer Hand steril geführt werden. Die andere Hand bleibt zum Spreizen der Schamlippen bzw. zum Halten des Penis und Leiten des Katheterendes frei. Bei Frauen ergeben sich manchmal hygienische Probleme, weil die Harnröhrenöffnung nicht direkt einsehbar ist und erst nach einigen Fehlversuchen getroffen wird. Ein speziell für den Selbstkatheterismus der Frau entwickelter Spiegel löst meistens dieses Problem. Er wird im richtigen Blickwinkel mit einem Stretchband am Oberschenkel befestigt.

In der Anleitung zum Selbstkatheterismus ist ein ruhiges, planvolles Vorgehen angezeigt. Es beginnt damit, dass der Ort, an dem katheterisiert werden soll, vorbereitet wird. Zunächst werden die benötigten Utensilien bereit gelegt: Einmalwaschlappen und Seife aus dem

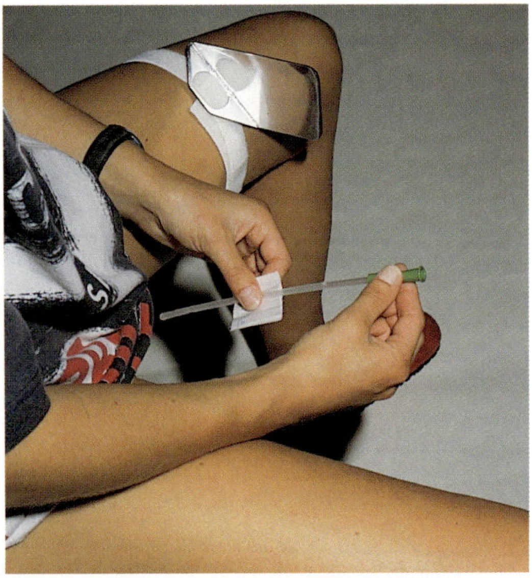

Perfektes Handling beim sauberen intermittierenden Selbstkatheterismus der Frau mit Spiegel Vialog®-Optilux (Medical Service) und Lofric®-Einmalkatheter (AstraTech)

Spender zur Reinigung des Genitalbereiches und der Hände sowie der Katheter und bei Frauen der bereits angesprochene Spiegel. Erst wenn alles nach einer gewohnten Reihenfolge gerichtet ist, beginnt der Katheterismus. Dies kann sitzend auf der Toilette bzw.

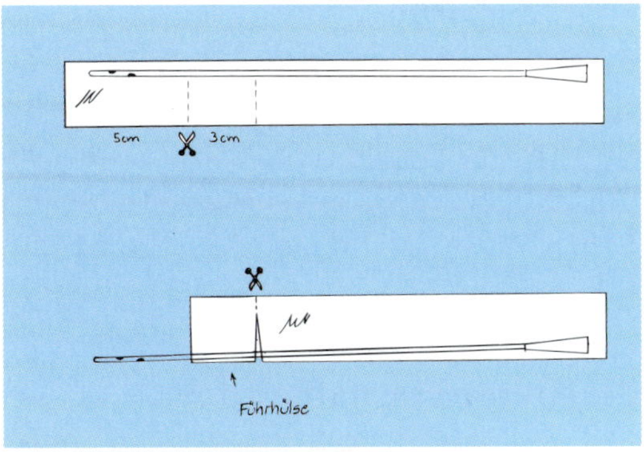

Verwendung der Katheterhülle für den intermittierenden Katheterismus.

Intermittierender Selbstkatheterismus im Stehen mit Lofric®-Einmalkatheter (AstraTech)

stehend mit direkter Harneinleitung in das Toilettenbecken oder liegend auf dem Bett mit Ableitung in einen Urinbeutel sein.

Die Erfahrung hat gelehrt, dass es sich lohnt, trotz anfänglicher Schwierigkeiten nicht zu schnell aufzugeben. Eventuell sind die äußeren Bedingungen noch einmal zu überprüfen. Das gemeinsame Überlegen mit einer vertrauten Person kann hilfreich sein.

Je nach Trinkmenge variiert die Ausscheidung im Tagesverlauf erheblich. Als maximale Grenze der einzelnen Urinportionen gelten 500 ml. Ein während der ersten Zeit geführtes Ausscheidungsprotokoll hilft, den individuell richtigen Rhythmus zu finden. Normalerweise ist ein 4-6- maliger Katheterismus ausreichend. Wird sehr viel häufiger katheterisiert, steigt die Gefahr einer Schleimhautverletzung der Harnröhre. Liegt die erste Urinmenge am Morgen deutlich über 500 ml, muss 1 mal nachts katheterisiert werden.

Percutane Harnableitung

Die suprapubische Blasenfistelung

Im vorstehenden Abschnitt, der die Versorgung des transurethralen Verweilkatheters beschreibt, ist deutlich geworden, dass diese Methode der Harnableitung eine Reihe von Problemen mit sich bringt, die pflegerisch nur zum Teil befriedigend gelöst werden können. Muss ein Patient mit einer Dauerableitung der Blase versorgt werden, erhält daher heute immer häufiger die suprapubische Fistelung den Vorzug. Der Grund dafür liegt im wesentlich geringeren Infektionsrisiko. Allerdings muss beachtet werden, dass mit dem Vorliegen eines Blasentumors oder einer Antikoagulations-Therapie mit Marcumar® Kontraindikationen bezüglich einer suprapubischen Fistelung vorliegen.

Die suprapubische Blasenpunktion erfolgt bei gefüllter Blase ultraschallkontrolliert in örtlicher Betäubung. Oberhalb des Schambeins wird ein dünner Katheter über eine Hohlnadel eingeführt und nach dem Entfernen der Nadel nahe der Einstichstelle mit einem Haltefaden fixiert. Der Wechsel dieses Schlauches geschieht in 4-6-wöchentlichem Abstand über einen Führungsdraht – das macht ein jeweils erneutes „Stechen" überflüssig. Bei einer auf

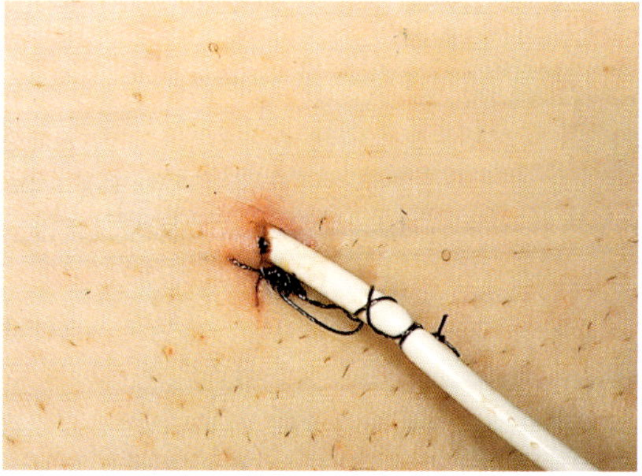

Suprapubischer Blasenkatheter mit Fixierung durch Haltefaden – gute Pflege des Hautbereiches um die Punktionsstelle

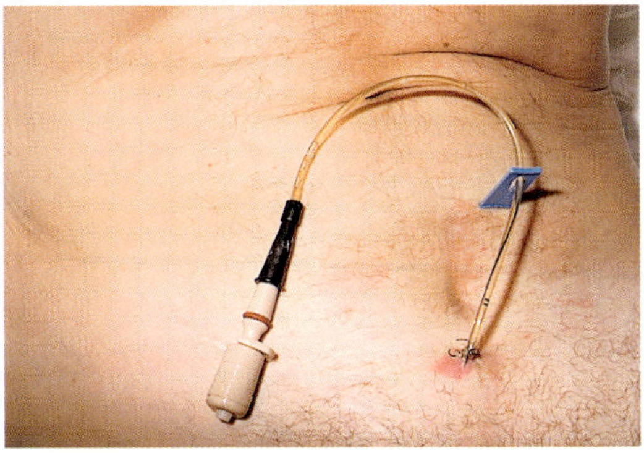

Schlecht versorgter suprapubischer Blasenkatheter: Einstichstelle entzündet und verkrustet, ungenügende Rasur. Die Blase wird über ein Stäubli®-Katheterventil (pfm) entleert

Dauer angelegten suprapubischen Ableitung kann sofort ein 12-Charrière-Silikon-Ballonkatheter verwendet werden, bei dem keine Hautfixierung notwendig ist.
Beim suprapubischen Katheter handelt es sich um eine percutane Methode der Harnableitung. Ein besonderes Augenmerk richtet sich hierbei auf die Einstichstelle. Der Verbandwechsel sollte jeden zweiten Tag erfolgen. Eine vorsorgliche Verwendung von antiseptischen Salben empfiehlt sich nicht, weil die Haut aufgeweicht wird und ein Durchwandern der Fixationsnaht mit unerwünschter Lageveränderung des Katheters droht. Krusten und Beläge am Stichkanal entfernt man mit Kochsalzlösung 0,9 %. Zwei um 180° gegeneinander versetzt aufgelegte Schlitzkompressen decken die Punktionsstelle ab, mit einem passenden Stück hautfreundlichem Pflaster werden sie befestigt.
Das Ende des Katheters verursacht durch Reibung an der Blasenschleimhaut gelegentlich Blutungen. Wenn dies der Fall ist, muss der Arzt aufgesucht werden. Es droht ein Verstopfen durch Blutkoagel. Häufig liegt aber auch eine Abflussbehinderung durch Urinausfällungen vor. Mit 5 ml physiologischer Kochsalzlösung wird der Schlauch angespült. Ist der Katheter nicht rückläufig, muss er unverzüglich gewechselt werden.
Um die Mobilität des Betroffenen zu erhöhen, ist eine Beinbeutelversorgung, wenn irgend möglich, anzustreben. Hier stehen Beutel mit Befestigungen an Ober- und Unterschenkel bzw. per Hüftgürtel in vielen Varianten zur Verfügung. In allen Fällen bleibt die Harnableitung für Außenstehende unsichtbar.

Die percutane Nierenfistel

Kann der in den Nieren gebildete Urin nicht über den (die) Harnleiter zur Blase geleitet werden, kommt es zum Stau im oberen Hohlsystem. Um den Harnabfluss sicherzustellen,

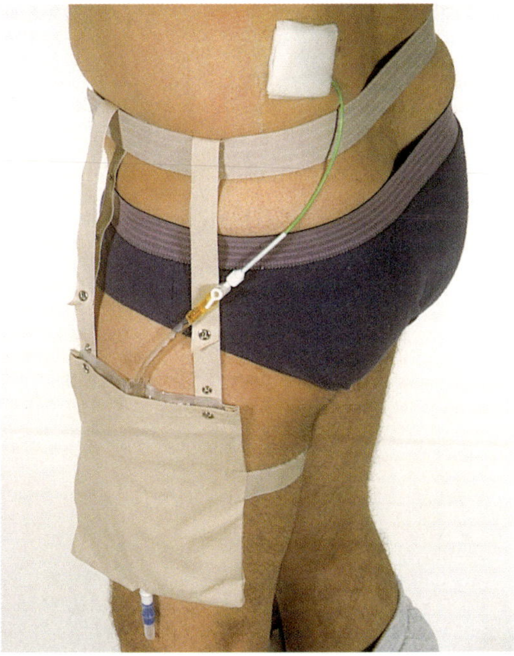

Beinbeutelversorgung bei percutaner Nierenfistel links – Urimed®-Beinbeuteltasche (B. Braun)

kann ein **Doppel-J-Katheter** eingelegt werden, der sich durch seine beiden Krümmungen in Blase und Nierenbecken selbst fixiert. Ist dies technisch nicht möglich, muss das gestaute Nierenbecken von der Körperflanke aus ultraschallgesteuert anpunktiert und über einen Führungsdraht ein Schlauch eingelegt werden. Dieser Katheter ist neben der Einstichstelle mit einem Haltefaden an der Haut angenäht. In 4-6-wöchentlichem Abstand stehen jeweils Wechsel über einen Führungsdraht an. Der Verbandwechsel erfolgt nach dem gleichen Modus wie beim suprapubischen Katheter.

Gelegentlich ist der Abfluss durch abgestoßene Gewebsstücke verlegt. Der Katheter sollte ausschließlich durch einen Arzt oder Pflegepersonal angespült werden. Ist nach langsamer Injektion von 2 ml Kochsalzlösung 0,9 % der Schlauch nicht rückläufig, besteht akuter Handlungsbedarf. Es muss unverzüglich ein Wechsel des Schlauches erfolgen.

Besondere Sorgfalt muss dem dünnen PU-Schlauch gelten. Wird er abgeknickt oder korkenzieherartig verdreht, droht die Einengung des Lumens oder gar der Bruch des Katheters. Eine sichere Fixierung mit hautfreundlichem Pflaster sichert gegen ungewünschte Drehungen.

Ist die percutane Nephrostomie als Dauerableitung vorgesehen, wird der Stichkanal zur Niere auf entsprechende Größe aufgeweitet und ein Silikon-Ballonkatheter eingelegt. Dieser an der Spitze offene Katheter wird ebenfalls über einen Führungsdraht alle sechs Wochen gewechselt. Seine Vorteile liegen neben den günstigen biochemischen Eigenschaften des Silikons hauptsächlich darin, dass er nicht per Hautnaht fixiert werden muss und unsanfte Aktionen in der Regel unbeschadet übersteht.

Ableiten, Auffangen, Fixieren

Versorgungsprodukte für die Urologie

Aus Gründen der Übersichtlichkeit sind die folgenden Produkte in 3 Gruppen eingeteilt:

A Urostomie-Versorgungssysteme
B Ableitungs- und Auffangsysteme
C Verbindungs-, Fixierungs- und Haltevorrichtungen

Produktgruppe A

Für die Versorgung von Conduit, Ureter-Haut-Fistel und Feuchter Colostomie stehen ein- und zweiteilige Urostomie-Systeme von mehreren Herstellern zur Verfügung. Convexe Hautschutzplatten tragen den häufig schwierigen Versorgungssituationen Rechnung.

Besonders interessant ist die Idee der ***Assura Ileo-Nachtdraimage®*** von *Coloplast*. Dieses System kann das hohe Ausscheidungsvolumen nach der Anlage einer Feuchten Colostomie bewältigen und damit die Nacht der Betroffenen ruhiger zu gestalten.

Produktgruppe B

Hier soll die Rede sein von Kathetern, Kondomurinalen und den dazu gehörenden Auffangsystemen.
Katheter für den intermittierenden Selbstkatheterismus sollten in besonderer Weise sowohl in punkto Hygiene als auch durch einfaches Handling imponieren. Diesen Anforderungen kommen besonders nahe der ***Actreen-Cath®*** von *B.Braun*, der ***Speedi cath®*** von *Coloplast* so wie der ***Incare Advance®*** von *Hollister*.
Die Firmen *AstraTech* und *Medical Service* bieten neben einer umfassenden Produktpalette für den intermittierenden Katheterismus auch Besonderheiten. So findet sich bei *AstraTech* neben einer Palette besonders weicher Katheter auch ein Katheter mit Luer-Lock-Ansatz zur Instillation von Medikamenten in die Blase. Bei *Medical Service* gibt es mit dem ***VIALOG MobiStom®*** einen Katheter mit zusätzlichen „Augen“ an der Spitze zur effektiveren Schleimableitung bei Pouch und Neoblase. Außerdem ist der

Spiegel ***VIALOG OptiLux®*** zur Fixierung am Oberschenkel beim Selbstkatheterismus der Frau in neuem Design und strapazierfähigem Edelstahl erhältlich.
Bei den Kondomurinalen sei erwähnt, dass heute von mehreren Firmen solche mit kurzer Abrollfläche angeboten werden. Besonders hervorzuheben sind die ***Conveen®-Kondomurinale*** der Firma *Coloplast* wegen der kollabiergeschützten Spitze sowie die Urinale der Firma Sauer, die besonders auf die Anforderungen von Rolli-Fahrern zugeschnitten sind und mittels hautfreundlichen Klebern am Penisschaft fixiert werden.
Das ***Incare Kondomurinal mit abnehmbarer Spitze®*** von *Hollister* stellt eine Besonderheit dar, da es bei belassenem Kondomurinal den intermittierenden Selbstkatheterismus ermöglicht.
Eine Alternative zum selbstklebenden Kondomurinal ist das ***Uroclean®***-System der Firma *Mentor Healthcare*.
Der ***Conveen®Beinbeutel 5161*** von *Coloplast* zeichnet sich durch seinen geriffelten, „unabknickbaren" Schlauch aus, der segmentartig auf individuell erforderliches Maß gekürzt werden kann.
Der Bettbeutel ***Cystocare 2000 VHF®*** von *Mentor Healthcare* hat einen sehr hohen Qualitätsstandard (Tropfkammer zum Komprimieren geeignet, mit Silikonventil) mit besonders variabler und stabiler 2-Punkt-Aufhängevorrichtung, ist aber wie auch der ***Monoflo®*** von *Tyco Healthcare* wegen des hohen Preises nur sinnvoll im Einsatz ohne Dekonnektierung (bis zu 14 Tage).
Lobenswerterweise bieten heute 2 Firmen eine auf die Bedürfnisse von Rollstuhlfahrern abgestimmte ***Rolli-line*** an. Hier sind zu nennen die Firma *Sauer,* deren kompletter Außendienst – vornehmlich in Reha-Kliniken – auf dem Hintergrund eigener Betroffenheit schon seit vielen Jahren eine entsprechende Produkt-Palette anbietet. Die Firma *Coloplast* ist mit den ***Moveen®*** – Produkten „nachgezogen".

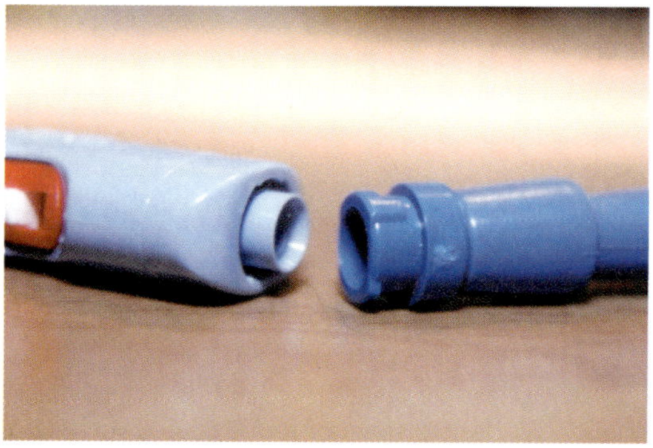

Katheterventile bieten dem mobilen Patienten – nach Rücksprache mit dem behandelnden Urologen – über Tag die Chance, ein „beutelfreies Daseins" zu genießen. Eine Konnektierung für einen großvolumigen Nacht-Bettbeutel ist im Regelfall möglich. Hervorzuheben ist in diesem Zusammenhang das KV der Firma *Uromed* ( ), das durch sein sicheres Handling (u. a. Luer-Lock-Konnektion) überzeugt.

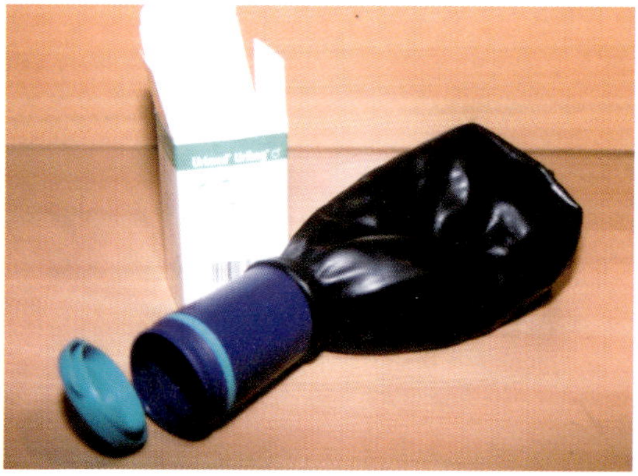

Für den in der Mobilität eingeschränkten Patienten ist es eine Art „Notklo“: der ***Uribag®*** ( ), der von *B.Braun und Sauer* angeboten wird. Sogar eine weibliche Variante steht zur Verfügung, wobei der Funktionalität hier durch fehlende „Prominenz“ des Zielorgans eindeutig Grenzen gesetzt sind.

Produktgruppe C

Katheter müssen sicher ausgeleitet/abgeleitet werden, ihre Auffangsysteme sicher fixiert und gehalten sein. Im Folgenden ist die Rede von solchen Produkten:

Die ***Incare Universalfixierhalterung®*** von *Hollister* **(Seite 131)** dient der getrennten Ausleitung von Drainagen, z. B. von Harnleiterschienen zum Zweck einer getrennten Bilanzierung.

Die Firma *Mentor Healthcare* bietet eine überragend große Auswahl an Adaptern, z. B. auch sog. Y-Stücke, für die Urologie.

Irgendwie lustig, aber sinnvoll und ebenfalls von *Mentor Healthcare*: der ***Urocare Kondomslip®*** dient der besseren Fixierung von Kondomurinalen.

Einfach im Handling, selbstklebend und hilfreich bei der Fixierung und Zugsicherung von Kathetern und Drainageschläuchen sind die ***Urimed Klett®*** von *B.Braun*.

Dem selben Zweck dient auch der ***Foley Katheterhalter®*** von *Mentor Healthcare*, allerdings ohne Kleber, sondern mittels elastischem Haltegurt. Die Zugsicherung wird durch eine sog. “Konterarretierung“ hergestellt. ( )

Die ***Beingurte*** für die Conveen-Beinbeutel von *Coloplast* sind individuell kürzbar, oben sehr breit und werden eingeknöpft.

Urocare Holster® + ***Netti Einbeinhose®*** von Mentor Healthcare so wie die ***Urimed Beinbeuteltasche®*** von *B.Braun* fangen das Füllgewicht des Beinbeutels in der Hüfte ab und ermöglichen ein selbstständiges Entleeren des Beutels ohne Bücken. Ihre Anwendung bietet sich für die Ableitung von percutanen Nierenfisteln an, wenn Betroffene nicht den idealen Oberschenkel für die anderen Haltesysteme aufweisen.

Teil 3

Thomas Boelker
Wolfgang Webelhuth

Bridge over troubled water

Die Entlassung aus der Klinik und wie man dafür Brücken baut

Home sweet home – nach einem oftmals langen, körperlich und emotional anstrengenden Krankenhausaufenthalt ist es für die Patienten in aller Regel ein Lichtblick, wieder in die eigenen 4 Wände zu kommen. Und doch beginnt mit der Entlassung aus der Klinik für den Patienten ein neuer Lebensabschnitt auf absolutem Neuland. Er verlässt den relativ behüteten Raum der Klinik und steht vor der Herausforderung, den Alltag mit seinem Stoma mehr oder weniger neu ordnen und meistern zu müssen. Daher ist es wichtig, die Entlassung des Patienten sorgfältig zu planen. Das Leitziel aller Bemühungen in der Pflege und Betreuung von Stomapatienten ist eine möglichst weitgehende Rehabilitation der Betroffenen. Wo es der Stellenplan hergibt, kümmern sich heute Pflegende im Bereich der „Überleitungspflege" um manche Belange der Patienten. Viele Brücken, die dem Patienten hier gebaut werden sollten, liegen allerdings primär in der Verantwortung der stationär Pflegenden und können nicht einfach in die Überleitungspflege „abgeschoben" werden.

Oberstes Gebot ist die Hilfe zur Selbsthilfe: der Patient und/oder eine nahestehende Person (z. B. Verwandte oder Nachbarn) sollte(n) am Entlassungstag in der Lage sein, das Stoma sicher zu versorgen. Die folgenden Aspekte orientieren sich am Handlungsprinzip *Hilfe zur Selbsthilfe* und sind wichtig, um

- die Ressourcen des Patienten auszuschöpfen,
- das Selbstwertgefühl dadurch zu fördern, dass der Patient nicht in Abhängigkeit eines Fremd-Versorgers lebt,
- sicherzustellen, dass der Patient in der Lage ist, auch unliebsamen Überraschungen (z. B. Undichtigkeiten) spontan zu begegnen.

Ambulante Pflegedienste mit der alltäglichen Stomaversorgung zu betrauen geht an der Realität meilenweit vorbei, denn der zuweilen

akute Handlungsbedarf kann so nicht abgedeckt werden. Ambulante Dienste haben deshalb allenfalls eine unterstützende Funktion (z. B. für Plattenwechsel).
Die Anleitung zur Selbstversorgung ist somit elementare Aufgabe des stationären Pflegepersonals und bedarf vernünftiger zeitlicher Planung. Der Entlassungstermin sollte frühzeitig mit dem behandelnden Arzt abgeklärt werden. Seinem Allgemeinzustand angemessen muss die Anleitung des Patienten so früh wie möglich beginnen, damit er/sie am Entlassungstag nicht in ein großes Loch fällt.
Anleitung läuft idealerweise immer Schritt für Schritt ab: die Möglichkeiten der überwiegend älteren Patienten müssen Orientierungsrahmen sein, um eine Überforderung zu vermeiden. Wichtige Ressourcen des Betroffenen für die Selbstversorgung sind:

- gesunde Hände,
- gesunde Augen,
- klare geistige Verfassung,
- der Wille zur Selbstständigkeit.

Wenn gesundheitliche Einschränkungen an Händen, Augen oder auch der allgemeinen körperlichen Verfassung zu beklagen sind, ist diesen bei der Auswahl der Versorgungsmaterialien und entsprechend auch bei der Anleitung Rechnung zu tragen.
Prinzipiell ist folgende Vorgehensweise bei der Anleitung zu empfehlen:

1. Der Patient legt sich alle zur Versorgung erforderlichen Dinge zurecht: Kompressen, Abfallbeutel mit nach außen gekrempeltem Rand, ggf. Basisplatte, Beutel, notwendige Hilfsmittel. Die Schutzfolie des Adhäsivmaterials sollte bereits entfernt werden.
2. Der Patient entkleidet sich, soweit erforderlich und nimmt die Position ein, die ihm für die Versorgung am vorteilhaftesten erscheint – im Stehen, im Sitzen oder zum Anbringen einer Basisplatte auch halbsitzend. Wenn eine Selbstversorgung nicht möglich oder gewollt und eine andere Person anzuleiten ist, kann auch die liegende Position für den Versorgungswechsel bevorzugt werden.
3. Für das weitere Vorgehen ist es hilfreich, den Patienten dahingehend zu motivieren, mit seiner „freien“ Hand (beim Rechtshänder die linke) oberhalb des Stomas die Bauchdecke zu straffen, um es auch gut sehen zu können. Die freie Hand bleibt in dieser Position, und die „arbeitende“ Hand entfernt nun die alte Versorgung, nimmt die notwendige Reinigung der peristomalen Haut vor und bringt die neue Versorgung an. Wenn bei der 2-teiligen Versorgung nur der Beutel gewechselt werden muss, so ist eine penible Reinigung innerhalb des Rastringes nicht erforderlich. Sie wird aber von vielen Patienten gerne durchgeführt, weil sie sich so sauberer fühlen.
4. Die Entsorgung des entlüfteten und zugeknoteten Abfallbeutels erfolgt in den üblichen Hausmüll.

Wie schon allgemein betont, so geben auch hier gezielte und klare Informationen dem Patienten die notwendige Sicherheit.
Darüber hinaus sollte der Patient bei der Entlassung im Bilde sein über

- ILCO und/oder DCCV-Gruppe in seiner Nähe,
- den Einfluss bestimmter Nahrungsmittel auf seine Ausscheidungen,
- je nach Bedarf Versorgungsalternativen bei Sexualkontakt, sportlichen Aktivitäten oder bei Durchfall (Colostomie),

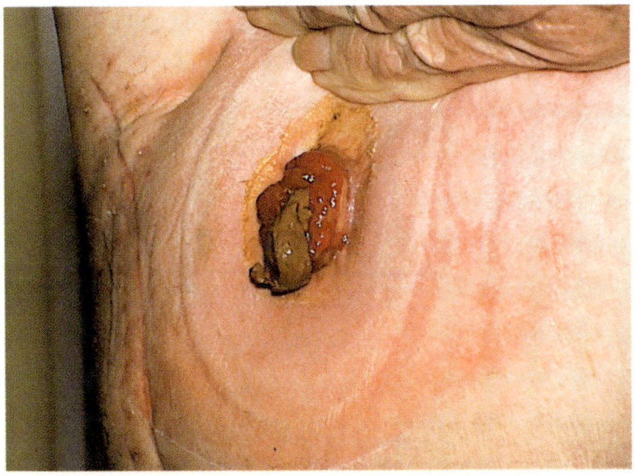

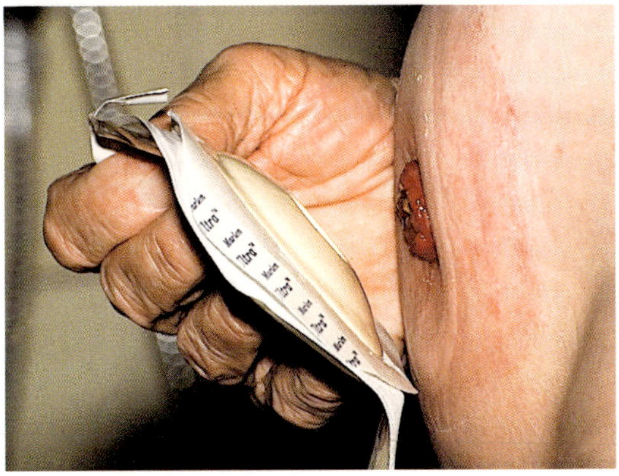

Anleitung C: Darstellung des Stomas durch Straffen der Bauchdecke mit der freien Hand, Reinigung der peristomalen Haut und Anbringen des neuen Beutels

- Kontaktadressen/Telefonnummer eines Stomatherapeuten (Klinik oder Stomafachhandel), soweit dieser Kontakt nicht bereits besteht,
- die Möglichkeit einer AHB (Anschlussheilbehandlung),
- notwendige Nachsorgeuntersuchungen wie Tumormarker und die Coloskopie via Stoma.

Patienten, die eine praeoperative Coloskopie noch in besonders leidvoller Erinnerung haben, können dadurch beruhigt und ermutigt werden, dass ihnen die veränderte Anatomie des Colonverlaufs (kein Sigma-S mehr!) erklärt wird.

Patienten mit einem doppelläufigen Stoma oder einer Hartmann-OP müssen darauf hingewiesen werden, dass periodische **Ausscheidungen über den aboralen Schenkel** bzw. den Rektum-Stumpf normal sind.

Besondere Hinweise für Patienten mit einer Ileostomie beziehen sich auf die Ernährung (s. d.) und das dringende Sicherheitsbedürfnis: Beutelwechsel sind vorzugsweise vor dem Schlafengehen vorzunehmen („frischer" Filter!). Eine Bettunterlage sowie eine Ileo-Nachtdrainage bei großer Nachtausscheidungsmenge sind, ebenso wie eine zweite „Sicherheitsklammer" am Ausstreifbeutel, in Erwägung zu ziehen.

Wenn eine Stomarückverlegung vorgesehen ist, muss praeoperativ der aborale Schenkel gespült werden. Eine praktikable und saubere Lösung ist hierbei der Einsatz eines Irrigations-Schlauchbeutels. Der aborale, zum Anus verlaufende Schenkel wird dann über die entsprechende Stomaöffnung mit Hilfe eines Irrigationskonus oder Ballonkatheters gespült, wobei der Patient auf einer Toilette sitzt.

Ist die Unterbringung eines Patienten in einem Pflegeheim unumgänglich, so sollte rechtzeitig Kontakt mit der jeweiligen Einrichtung aufgenommen werden, damit die Versorgung des Patienten auch angemessen weiterlaufen kann.

Unverzichtbar ist die Forderung, einen reibungs- und lückenlosen Übergang von der Klinik nach Zuhause zu gewährleisten: der Patient sollte die notwendigen Versorgungsartikel unmittelbar zur Verfügung haben.

Möglicherweise können Versorgungsartikel zur Überbrückung für einige Tage aus der Klinik mitgegeben werden. Einige Versorgungsmittelfirmen stellen als Service Entlassungssets (Kulturtaschen mit etwas „Füllung") zur Verfügung. Es gilt, sich im Sinne der Patienten dieses Angebot nutzbar zu machen.

Je nach Praxis der chirurgischen Abteilung wird dem Patienten ein Entlassungsrezept mitgegeben. Wenn diese Vorgehensweise nicht üblich ist, muss der zuständige Hausarzt die Rezeptierung übernehmen. Es ist sehr hilfreich, wenn die Pflegenden zu diesem Zweck ein Entlassungsformular erstellen, das dem Arzt Informationen über das Stoma (Entlassungsstatus) sowie die benötigten Versorgungsartikel vermittelt.

In jedem Fall – auch ohne das o. g. Entlassungsrezept – sollte dem Patienten ein kompetenter ambulanter Partner im Sanitäts- oder Stomafachhandel vermittelt werden. Auch hier können – wie schon bei der Produktauswahl – Empfehlungen ausgesprochen werden, denn es macht einfach keinen Sinn, den Patienten ins „Niemandsland" zu entlassen, wo er schließlich doch in der Apotheke landet. Da hat er definitiv nichts zu suchen!

Der Weg über Sanitäts- oder Stomafachhandel bietet dem Patienten und auch den Pflegenden besonders dann viele Vorteile, **wenn** dort durch kompetente Pflegekräfte, z. B. ausgebildete StomatherapeutInnen, eine qualifizierte Beratung und Betreuung gewährleistet ist:

- Unterstützung und Beratungskompetenz für die Klinik,
- Kontinuität in der pflegerischen Betreuung (die Patienten werden meist schon in der Klinik besucht),
- regelmäßige Kontrolle des Stomas und der verwendeten Versorgungsprodukte, ggf. Versorgungsumstellung,
- Bindeglied zwischen Klinik und Hausarzt,
- Lieferservice – dem Patienten bleiben gerade in der ersten Zeit und natürlich auch am Entlassungstag selbst belastende Wege erspart.

Aus eben diesen Gründen ist es nicht zu empfehlen, die Versorgungsartikel über eine Apotheke zu beziehen, denn die erforderliche Beratungskompetenz wird dort nicht geboten.

Der tief greifende Strukturwandel durch immer neue Reformen im deutschen Gesundheitswesen hat für Stomapatienten **noch** keine unmittelbaren Konsequenzen, denn bis heute werden die Versorgungsartikel völlig kostenfrei, d. h. ohne Zuzahlung und ohne Rezeptgebühr zur Verfügung gestellt. Welche Auswirkungen die Einführung der fallbezogenen Abrechnungspauschalen (*DRG*s) für die Finanzierung in den deutschen Kliniken und somit auch für Stomapatienten ab 2004 haben wird, ist abzuwarten.

Dass indirekt Auswirkungen der Gesetzgebungen spürbar sind, steht außer Zweifel. So haben z. B. die so genannten *Festbetragsregelungen* für Stomaversorgungsprodukte den Kostendruck auf Hersteller, Vertriebsfirmen und vor allem die Anbieter im Sanitätsfachhandel verlagert.

Deshalb haben nicht zuletzt auch die Einkaufskonditionen bei den verschiedenen Vertriebsfirmen Einfluss bei der Auswahl der Produkte, sowohl für die Pflegenden in Klinik und ambulantem Bereich als auch schließlich für den Endverbraucher, den Patienten!

Life must go on

Leben mit dem Stoma

Jenseits der Krankenhausmauern wartet das wirkliche Leben. So bekommen nun viele Dinge einen anderen Stellenwert, weil die Patienten vieles im Alltag anders erleben als vorher im Krankenhaus (wo sie nun mal wirklich die meiste Zeit im Bett verbringen!).

Je nach körperlicher und seelischer Verfassung bedeutet die Re-Integration ins tägliche Einerlei eine neue Herausforderung, der sich jeder irgendwie stellen muss. Dabei spielt es natürlich keine unerhebliche Rolle, ob man begleitende Hilfe durch Familienangehörige erfährt oder ganz auf sich allein gestellt ist.

Leben mit dem Stoma im Alltag – viele Fragen werfen sich da auf: Wie gehen der Betroffene und seine Familie miteinander um? Wie stabil erweisen sich Freundschaften und Bekanntschaften aus dem „*Leben davor*"? Gibt es ein Arbeitsleben nach dem Stoma? Und welche Freizeitaktivitäten sind möglich, welche verboten? All dies sind wichtige Teilaspekte des *neuen Lebens*. Entscheidend ist sicherlich, ob der Betroffene in der Lage ist, sein Stoma zu akzeptieren. Das ist die Basis für weitere Schritte in den Alltag.

Nicht jedem ist es vergönnt, so nüchtern und treffend sein Stoma zu beschreiben wie ein englischer Stomapatient in dem folgenden Zitat:

„I must regard my colostomy as a friend, for without it, I wouldn't be here on earth, but a friend I would very much like to have done without. But a friend in need is a friend indeed."

„Ich muss mein Stoma praktisch als Freund betrachten – schließlich hat es mir das Leben gerettet – wenn auch als einen Freund, auf den ich gut und gerne hätte verzichten wollen. Aber der wahre Freund zeigt sich eben in der Not !"

Ein wichtiger Schritt ist der Kontakt zu Freunden und Nachbarn, das ungehemmte, angstfreie Auftreten in der Öffentlichkeit, außerhalb der schützenden Wohnungsmauern. Unabdingbar hierfür ist die einwandfreie, sichere Versorgung des Stomas. Aber was in der Klinik gut funktioniert hat, muss nicht unbedingt auf Dauer Versorgung der Wahl sein.

So stellen Stomapatienten in der Zeit *danach* nicht selten ihre Versorgung um (bzw. sie wird umgestellt), und dafür gibt es eine ganze Reihe von Beweggründen:

- Die Versorgung muss sich dem gewohnten Lebensrhythmus und den notwendigen Bewegungsabläufen (im Haushalt, im Beruf, in der Freizeit) anpassen.
- Das Stoma verändert sich immer! Durchmesser und Prominenz (falls vorhanden) verringern sich, und natürlich muss darauf entsprechend reagiert werden.
- Auch Stomakomplikationen wie die Hernie oder Hautläsionen erfordern in der Regel eine Anpassung der Versorgung.
- Bei Tumorpatienten kann die Verschlechterung des Befindens zur Versorgungsumstellung zwingen. So ist z. B. die Irrigation oft nicht mehr durchführbar, weil sie für den Patienten zu anstrengend wird.
- Nicht zuletzt entwickelt sich bei manchem Betroffenen mit der Zeit eine gewisse Experimentierfreudigkeit. Da wächst die Neugier auf neue Produkte, in der Gewissheit, die eigene Versorgung in jedem Fall zu beherrschen.

Alle genannten Beispiele erklären die Notwendigkeit einer kontinuierlichen Bereuung und Beratung auch und gerade nach dem Klinikaufenthalt – eine wichtige Herausforderung für die ambulanten Pflegebereiche.

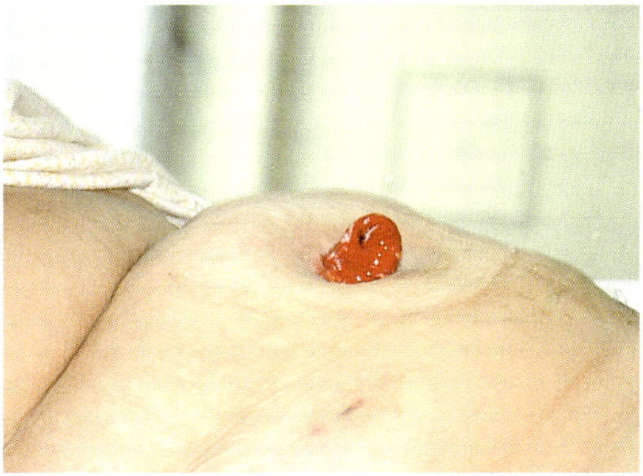

Typischer Befund bei gut prominenter Ileostomie nach Colitis ulcerosa: Appetit und Lebensfreude kommen wieder – die Bauchdecke spricht Bände!

Der **Rückkehr ins Berufsleben** steht prinzipiell nichts im Wege. Gerade im familiären, häuslichen Arbeitsfeld ist sie mehr oder weniger unausweichlich. Zudem hat die Wiederaufnahme der gewohnten Arbeit für manche Patienten auch beschäftigungstherapeutischen Wert. Einschränkungen ergeben sich z. B. durch den Grad der körperlichen Belastbarkeit, durch ungeeignete sanitäre Voraussetzungen am Arbeitsplatz und auch die Belastung der Bauchdecken bei der Tätigkeit (Hernien-Risiko).

Darüber hinaus sei erwähnt, dass Stomaträgern generell der Status der **Schwerbehinderung** zugestanden wird. Dies geschieht auf Antrag beim zuständigen Versorgungsamt und berechtigt, je nach Grad der Einstufung (50-100 %), zur Inanspruchnahme bestimmter Rechte und sozialer Hilfen. Einen sehr guten Gesamtüberblick über diese Rechte und Ansprüche vermittelt ein Faltblatt, das bei der Deutschen ILCO **(s. Anhang)** kostenfrei bestellt werden kann.

Für **Freizeitaktivitäten** gelten dieselben Einschränkungen wie für berufliche Tätigkeiten, und natürlich spielen auch persönliche Empfindungen eine Rolle. So ist beispielsweise das Schwimmen ein ausgesprochen empfehlenswerter Sport, der aber aufgrund von Hemmungen und Vorbehalten (Bin ich sauber? Hält der Beutel? Was sieht man davon? Werde ich von den anderen Badegästen geduldet?) nicht von jedem Stomaträger, dem es möglich wäre, ausgeübt wird. In punkto Sauberkeit hilft hier sicherlich das treffende Zitat eines Arztes aus einer Projektstudie von *Elisabeth Schöbel-Bossinger:*

„Wir alle müssen beim Besuch eines öffentlichen Bades davon ausgehen, dass sich Nicht-Stomaträger nach der Defäkation ihre Analregion nur mehr oder weniger ordentlich reinigen. Beim Stomaträger kann ich sicher sein, dass er sich dieses Problems mit wesentlich größerer Sorgfalt widmet, weshalb ich bezüglich einer möglichen Verunreinigung des Badewassers von ihm nichts zu befürchten habe. Dies befürchte ich eher von den zuerst genannten...“

Dass **Sexualkontakt** nach Anlage eines Stomas eine andere Dimension erfährt, liegt auf der Hand. Das liegt zum einen an den operativ bedingten Sexualfunktionsstörungen (s. 149 ff), zum anderen aber natürlich an dem veränderten Körperbild.

„Ich werde nie wieder ganz nackt sein ...“

Dieser Ausspruch einer jungen Ileostomiepatientin spricht Bände! Nur demjenigen, der trotzdem genügend Wertschätzung, Liebe und verständnisvolle Geduld vom Partner erfährt, wird es möglich sein, Selbstwertgefühl zu entwickeln und dem Sexualleben auch als Stomaträger einen angemessenen Spielraum zu geben. Selbstverständlich ist eine sichere Stomaversorgung unverzichtbare Voraussetzung dafür, dass sich der Betroffene auf sexuelle Begegnungen unter vermeintlich abenteuerlichen Bedingungen (mit Beutel auf dem Bauch) einlassen kann. Nicht unterschätzt werden darf bei all diesen Überlegungen, dass die Intimzone allen sexuellen

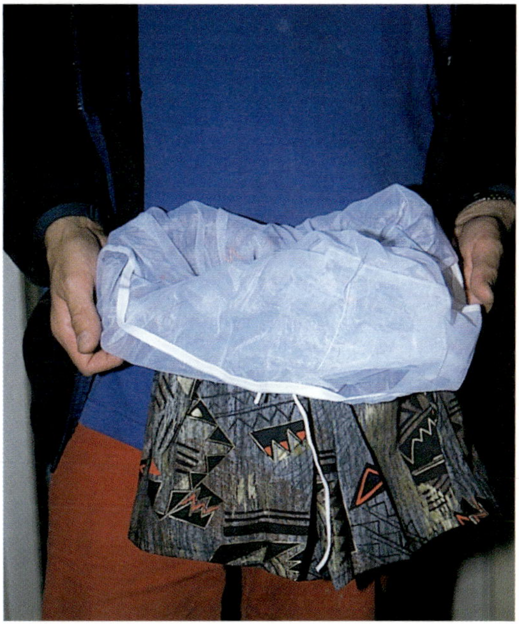

Spezielle Badehose für Stomaträger mit eingearbeiteten Beuteltaschen (for life)

Revolutionen zum Trotz nach wie vor stark tabubesetzt ist und hierbei statt offenem Umgang mit Problemen auch beim Gesunden nicht selten allgemeine Verunsicherung und Sprachlosigkeit vorherrscht.
Ist im Hinblick auf die Sexualfunktion alles beim Alten geblieben, stört aber der Beutel beim Geschlechtsverkehr, sollte ruhig einmal ein Blick auf Angebote von Herstellern im Sektor *Kleidung für Stomaträger* empfohlen werden. Dies gilt ebenso im Zusammenhang mit Sport- und Freizeitaktivitäten.
Übrigens: auch Stomaträgerinnen können (warum eigentlich auch nicht?) Mutter werden. Meistens wird das Baby dann per Kaiserschnitt entbunden. Ob medizinische Gründe vorliegen, die dringend von einer Schwangerschaft abraten lassen, muss der behandelnde Gynäkologe im Einzelfall entscheiden.

Drei Fragen beschäftigen Stomaträger in aller Regel so sehr, dass sie diese auch von sich aus ansprechen: Sicherheit der Versorgung, Körperreinigung und Ernährung. Aspekte zur Sicherheit der Versorgung sind ausreichend diskutiert worden, so dass wir uns den beiden anderen Fragen zuwenden können.
In punkto **Körperpflege** interessiert vor allem die Frage, ob Duschen möglich ist und wenn ja, wie? In dieser Frage schwingt oft die Vorstellung mit, der Darm wäre ein offenes Rohr, in das ja nicht einfach Wasser reinfließen dürfe. Und manchem, der das Stoma (immer noch) als Wunde ansieht, ist allein schon die Vorstellung, dass Wasser ungehemmt darüber läuft, sehr suspekt. Hier hilft wiederum eine klare, beruhigende Information über das Funktionieren des Darms sowie über die Alternativen der Versorgung. Der Patient hat die Möglichkeit, alles zu entfernen und natürlich nackt zu duschen. Eventuelle Ausscheidungen können unmittelbar über den Abfluss „entsorgt" werden. Sollte ihm diese Variante doch ein wenig zu abenteuerlich erscheinen und möchte er seinen Beutel lieber belassen, müsste er ihn dann nach dem Duschen auswechseln, da der Vliesbezug unter der Dusche nass wird. Auch ein Vollbad liegt im Bereich der Möglichkeiten. Hierbei ist allerdings zu empfehlen, die Stomaversorgung zu belassen, denn die Vorstellung von Stuhl im Wasser ist nicht gerade attraktiv. Die Angst davor, dass der Hautschutz sich bei Wasserkontakt lösen könnte, ist unbegründet.

Die meisten Fragen der Stomapatienten beschäftigen sich mit dem **Essen – ein wahrlich herausragendes Thema.**
Es überwiegt die Vorstellung, dass die Anlage eines Stomas per se eine Diät nach sich zieht. Diese Vermutung trifft so nicht zu!
Prinzipiell können **Colostomiepatienten** (ca. 80% aller Stomaanlagen) alles essen, was ihnen bekommt, und meistens stellen sich mit der Zeit ähnliche Ausscheidungsmuster in punkto Konsistenz und Häufigkeit wieder ein wie vor der Operation. Einschränkungen ergeben sich individuell und nicht im Sinne eines Verbots bei Reaktionen wie Blähungen, zu dünnem Stuhl oder auch intensiver Geruchsbelästigung. Der Patient selbst muss für sich klären, ob ihn eine dieser Reaktionen so sehr ärgert, dass er lieber auf die vermutlich verursachenden Nahrungsmittel verzichtet.
Um dem Patienten Tipps an die Hand zu geben, empfiehlt sich wiederum, Infobroschüren der Herstellerfirmen zu nutzen, die viele potentiell „verdächtigen" Nahrungsmittel tabellarisch auflisten. Aufgeführt werden dort auch solche, die u. U. positiven

Einfluss auf die genannten Reaktionen haben können: eher eindickend, blähungs- und geruchshemmend. Im Einzelfall sollte der Patient dazu motiviert werden, ein Ernährungs-Tagebuch zu führen, denn so lassen sich „Schuldige" für entsprechende Ausscheidungsreaktionen besser eingrenzen. Eine allzu starke Reglementierung, wie sie manche „Ernährungstipps" vorgeben, ist allerdings nicht sinnvoll und verunsichert nur.

Echte diätetische Vorgaben müssen **Ileostomiepatienten** beachten:

- Ausreichendes Trinken ist erste Bürgerpflicht, auch und gerade mit einem Ileostoma, denn der erhöhte Flüssigkeitsverlust durch die vermehrten, grundsätzlich flüssigen Ausscheidungen muss ersetzt werden.
- Mit dem Wasserverlust geht auch ein Verlust an Elektrolyten einher. Dieses Defizit muss bei Bedarf durch entsprechende Substitution bei engmaschiger Laborkontrolle ausgeglichen werden.
- Zu empfehlen ist die Einnahme mehrerer kleiner Mahlzeiten. Ein zusätzlicher Tipp: frühzeitiges Essen am Abend reduziert die oft als lästig empfundene Ausscheidung in der Nacht!
- Einer Verlegung (Blockade) des Darms im Bereich vor der Bauchwandpassage kann dadurch vorgebeugt werden, dass besonders faserhaltige Nahrungsmittel wie Spargel und Obstschalen, aber auch Pilze und Nüsse gemieden, in jedem Fall aber gut gekaut werden sollten.
- Ein möglicher Vitamin B_{12}-Mangel wie auch die reduzierte Rückresorption der Gallensäuren infolge der Resektion des terminalen Ileum müssen berücksichtigt werden. Unter regelmäßiger medizinischer Kontrolle kann Vitamin B_{12} substituiert

werden. Dem möglichen Mangel an Gallensäuren sollte durch Verzicht auf allzu opulente, vor allem fettreiche Mahlzeiten Rechnung getragen werden.

- Die Resorption von oral verabreichten Medikamenten kann beeinträchtigt sein. So reicht z. B. die Einnahme einer Antibabypille zur Empfängnisverhütung nicht mehr aus, da die vollständige Resorption nicht garantiert werden kann.
- Manchmal erscheint – natürlich in Rücksprache mit dem behandelnden Arzt – die Gabe von Präparaten zur Eindickung des Stuhls (z. B. Imodium®) sinnvoll.
- Grundsätzlich ist bei der Vielfalt an Ratschlägen für den Ileostomiepatienten eine Ernährungsberatung schon in der Klinik sehr zu empfehlen!

Sowohl bei Ileostomiepatienten als auch bei Tumorpatienten kann es sinnvoll sein, durch Zusatznahrung den allgemeinen Zustand zu verbessern.

Rien ne va plus

Störungen der Sexualfunktion

„Hauptsache, ich lebe und der Krebs ist weg!" Diese Aussage versinnbildlicht die Einstellung vieler Betroffener über Wochen und Monate nach der Operation. Der nicht zu unterschätzende Stress in der Klinik, Organverlust und Stomaanlage sowie die Sorge um die soziale Zukunft nehmen den Menschen vollkommen ein, binden seine gesamte Kraft. Erst wenn der Kopf allmählich frei wird von Ängsten, die immer nur um Krebs, Stoma und Versorgung kreisen, entwickeln sich wieder Gedanken an natürliche schöne Empfindungen. Ist die Scheide oder der Penis entfernt worden, oder haben Bestrahlungen irreversible (Haut-) Schäden im Genitalbereich hervorgerufen, die an Geschlechtsverkehr gar nicht denken lassen, ist dies ganz schlimm. Hier gibt es sicher nichts zu beschönigen, auch angetragenes Mitleid hilft wenig. Von denjenigen, die um das Schicksal des betroffenen Menschen wissen, wird ein Maß an menschlicher Nähe erwartet, das es dem Betroffenen ermöglicht, sich ohne Druck in der Beziehung *neu* zu orientieren.

Weitaus häufiger sind die Geschlechtsorgane nach Abschluss der Therapie unversehrt, deren Funktion aber dauerhaft gestört. Dieser Zustand ist dem Betroffenen als eine der möglichen Folgen im Rahmen der Einwilligung zur Operation genannt worden. Es ist aber nur zu verständlich, dass solche Gedanken, zusammen mit den anderen ganz seltenen „Horror-Komplikationen", zunächst vollständig verdrängt werden. Hat sich die vor dem Eingriff angedeutete Erektionsstörung nach einiger Zeit als bitter empfundene Wirklichkeit herausgestellt, schaffen es nur wenige Männer, mit ihrem Problem offen umzugehen. In manchen Zweierbeziehungen wird fortan *nie wieder* über Sex gesprochen! Bei direkter Nachfrage weichen Angesprochene mit Floskeln wie – *„Das ist nicht so wichtig"* – oder – *„Wir haben uns ja lieb"* – dem Thema aus.

Für uns, als Stomatherapeuten, gehören Sexualstörungen ganz selbstverständlich zu den Themen, die wir in geeigneter Situation als Ansprechpartner begleiten sollten. Die Kenntnis über die gängigsten Hilfsmittel ist deshalb wichtig.
Bei Frauen ist oft die Lubrikation der Scheide vermindert. Als Hilfen stehen eventuell eine Hormonsubstitution oder die Anwendung von Gleitmitteln zur Verfügung.

Viagra® (Sildenafil) hat vieles, aber nicht alles im Rahmen von Diagnostik und Therapie bei Erektiler Dysfunktion (ED) verändert. Die Rektumamputation bei Rektumcarcinom sowie die radikale Prostatektomie und die Cystektomie bei bösartigem Tumorleiden haben bei nicht nervenerhaltendem Vorgehen eine ED zur Folge. Nach solchen Operationen im kleinen Becken bietet die Anwendung von Viagra® eine günstige Prognose. Allerdings ist als Kontraindikation die Einnahme von Nitraten im Rahmen der Behandlung der koronaren Herzkrankheit zu beachten.
Bevor Hilfsmittel eingesetzt werden, muss die Ursache der Erektionsstörung abgeklärt werden. Ohne vernünftige Diagnostik geht es also auch hier nicht. Danach können mit dem Arzt die Methoden erörtert werden, die in Betracht kommen.
Hormonbehandlungen und Gefäßoperationen bleiben in der folgenden Darstellung ausgeklammert.

Erektionsring, Vakuumpumpe

Beide Methoden zielen darauf ab, ohne invasive Maßnahmen eine Erektion zu erzeugen. Das Prinzip besteht darin, den venösen Abfluss des Blutes aus den Schwellkörpern zu drosseln, während tiefliegende Arterien Blut zuführen. Hier hat allerdings die Entwicklung von Viagra® dazu geführt, dass diese Verfahren erheblich an Bedeutung verloren haben.

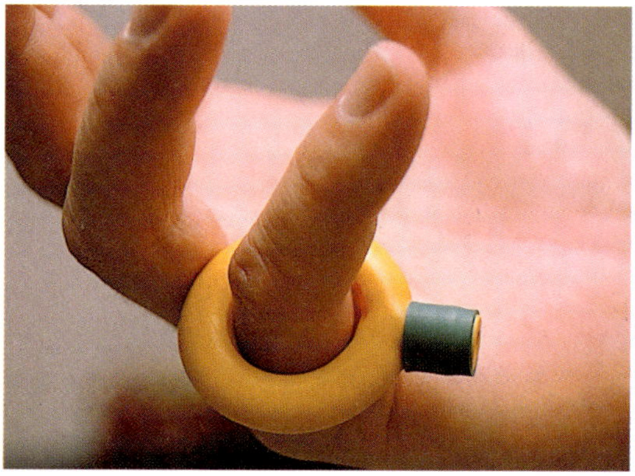

Erektionsring (Uromed)

Der Erektionsring wird zunächst bis zur Peniswurzel über das Glied gestreift. An seiner Innenseite befindet sich eine ringförmige Luftkammer, die mit einer Spritze durch ein Ventil mit Luft gefüllt wird und über erhöhten Andruck den Abfluss oberflächlicher Venen verringert. Eine bestehende, zum Geschlechtsverkehr aber nicht ausreichende Erektion, kann sich so verstärken.
Durch die Vakuumpumpe wird in den Schwellkörpern ein Unterdruck erzeugt. Dazu stülpt der Mann einen Plexiglaskolben über das Glied und erreicht durch das Abpumpen von Luft ein Vakuum, es wird passiv Blut in die Schwellkörper gezogen. Ist das Glied erigiert, erhält ein vom Plexiglaskolben auf die Peniswurzel abgestreifter Spannungsring die Erektion aufrecht.

Schwell-Körper-Autoinjektions-Therapie (SKAT)

Eine Erektion wird dadurch erzielt, dass gefäßerweiternde Substanzen mit einer dünnen Nadel direkt in die Schwellkörper gespritzt werden. Die Dauer der Erektion ist dosisabhängig und muss daher in der Klinik unter ärztlicher Kontrolle ermittelt werden. Bei zu hoher Dosis kann ein Priapismus (Dauererektion) entstehen. Hierbei handelt es sich um einen echten urologischen Notfall, der unverzügliche Behandlung erfordert. Auf lange Sicht können Infekte und Vernarbungen der Einstichareale Probleme verursachen.

Penis-Implantate

Wenn konservative Therapieansätze und SKAT nicht zu einem Therapieerfolg geführt haben, bleibt als letzte Behandlungsoption die Implantation einer Penisprothese.

Semiregide (biegsame) Implantate
Die einfachste Variante besteht aus zwei biegsamen Stahlfedern mit Silikonbeschichtung, die als Implantate in die Schwellkörper eingesetzt werden. Der Penis ist danach ständig erigiert. Dieser Umstand und auch die Tatsache, dass solche Prothesen durchbrechen können, muss also fortan beachtet werden. Wahrscheinlich sind das auch die Gründe, warum diese Penisprothesen kaum noch Anwendung finden.

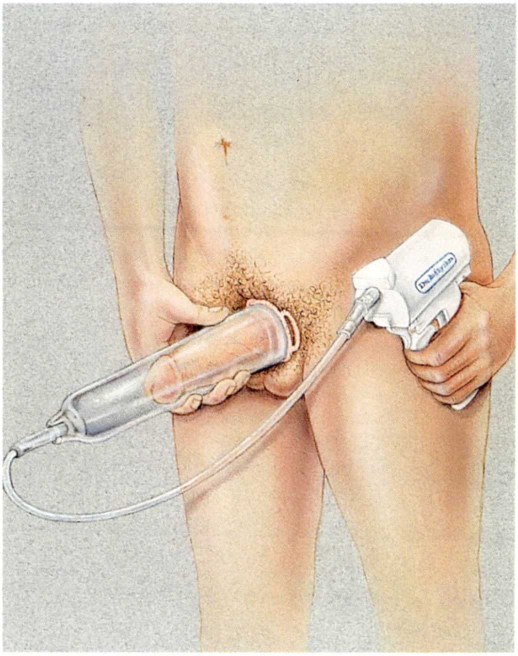

Osbon®-Vakuumpumpe (Medizintechnik Heise)

Mehrteilige hydraulische Implantate
Diese bestehen aus einem Flüssigkeitsreservoir, einem Pump- und Ventilmechanismus sowie den beiden Schwellkörper-Implantaten. Durch den Flüssigkeitsaustausch zwischen dem Reservoir und den länglichen Schwellkörperballons kann der Penis erigiert werden. Der Pumpmechanismus ist im rechten Skrotalfach untergebracht.

Zum guten Schluss

Was uns bewegt, ist der Umgang mit Qualität. In geradezu provozierender, oft schon lästiger Weise wird dieses Wort in einem dahinsiechenden Gesundheitswesen ge- oder besser gesagt missbraucht: Pflegequalität, Qualitätsmanagement, Prozessqualität, Lebensqualität und vieles mehr.

Damit wir uns richtig verstehen: wir haben gegen Qualität natürlich nichts einzuwenden. Gegen echte jedenfalls nicht.

Aber die kann nur gefördert werden, wenn die Rahmenbedingungen stimmen. Die stimmen in unserem hierarchischen Gesundheitswesen nicht! Das Gerede von Qualität ist substanzlos und blutleer.

Was bleibt, ist die Suche nach Echtem. Was macht echte Qualität in der Pflege (auch bei Stomapatienten) aus? Was dürfen die uns anvertrauten Patienten erwarten?

Im Wesentlichen kommt es auf 3 Dinge an:

Aufmerksamkeit

Treten wir dem Menschen „Patient" freundlich gegenüber? Nehmen wir Veränderungen an und in ihm wahr?

Kompetenz

Kennen wir uns aus? Haben wir noch Interesse an dem, was unsere Patienten betrifft und bewegt?

Authentizität

Pflegen wir so, wie wir sind?

Schließen möchten wir mit einem zweiten Zitat aus dem Munde eines Betroffenen. Es macht deutlich, wo der Schuh drückt, aber fordert uns auch auf, durch engagierte Arbeit den Bedürfnissen der Stomapatienten gerecht zu werden:

„Grundsätzlich habe ich vielerorts erfahren, dass das Pflegepersonal noch immer viel zu wenig über einen Anus Praeter informiert ist. Häufig heißt es, dass kein Stomatherapeut zur Verfügung steht und auch keine Zeit ist, das Personal vertiefend in die Thematik einzubeziehen. Also ist man oftmals auf sich allein gestellt ..."

Betreuung und Versorgung von Stomapatienten ist kein Privileg von Stomatherapeuten. Es handelt sich vielmehr um die Auseinandersetzung mit der Sonderform einer der so genannten *Aktivitäten des täglichen Lebens*: den Ausscheidungen. Dieser Herausforderung muss sich **jeder** Pflegende stellen, und es ist unser Wunsch, dass dieses Buch dazu ermutigt und befähigt!

Appendix multiformis

(Anhang)

Stichwortverzeichnis

Aboraler Schenkel 17, 21, 139
Absorber-Vlies 42, 52, 82
Adhesivplatte 49, 81
Adhesivpuder 40
Aether 45
Anschlussheilbehandlung (AHB) 55, 139
Akutes Abdomen 19
Allergie 34, 41, 50, 67, 68, 69
Analsphinkter 16, 20
Anastomose 95, 96
Angst 35, 53
Antibabypille 146
Antikoagulation 68
Appendix-Stoma 112
Augmentation 97
Ausscheidung 39, 40, 41, 42, 52
Azidose 103, 104
Ballaststoffe 16, 19
Ballonkatheter 107, 113, 120, 130
Bauchpresse 97, 102
Bauchspeichel 15
Bauhin'sche Klappe 16, 98, 102
Beinbeutel 129
Benzin 45
Beutel
-Ausstreifbeutel 42, 44, 46, 52, 58, 120
-geschlossener Beutel 42, 44, 52, 58
-Urostomiebeutel 58, 82,117
Blähungen 110
Blasenersatzplastiken 100
Blasenekstrophie 93, 102
Blasentumor 91, 94
Bougieren 73
Chemotherapie 19, 56
Coecostomie (Coecalfistel) 17, 21, 46
Colektomie 19
Colitis ulcerosa 18, 20, 21, 24, 30, 142
Coloncarcinom 18
Colon-Hochdruck 19
Colon-Kontraströntgen 19
Colostomie 19, 25, 31, 33, 64, 65
Conduit 92, 96, 97, 98, 110, 112, 117, 120
Convexe Versorgung 50, 70, 71, 72, 120, 121
Cystektomie 94, 98, 100, 102, 111
Darmspülung, orthograde 33, 35
Darmstenose 20
DCCV 35, 138
Descendostomie 17
Diabetes 40, 68
Dialyse 92
Dickdarm 16, 100
Disziplin 109
Divertikel 19, 21, 25, 55, 110
Doppel-J-Katheter 129
Dünndarm 15, 16, 100
Durchfall 20, 117
Einmalhandschuhe 107
Einmalkatheterismus 100
Einmalwaschlappen 106, 119, 127
Enterohepatischer Kreislauf 16
Erektile Dysfunktion (ED) 147, 148
Erektion 35, 90
Erektionsring 148
Erlanger Magnetverschluss 17
Ernährung 144
Erstgespräch 30
Externer Harnableiter 123
Familiäre Polyposis 18, 19, 22
Feuchte Colostomie 99, 110, 112, 113, 117, 120
Fieber 120
Filter 44, 46, 120, 139
Fistelbildung 21, 78, 82
Follikolitis 45, 70
Gallensäuren 16, 103, 146

Geschlossenes Harn-Drainagesystem 125
Gürtel 50, 72, 73, 80
Hämaturie 91
Hämorrhoidalleiden 18, 110
Händedesinfektion 107, 118
Harnblase 19, 88, 92
Harnleiter-Darm-Implantation 94, 95, 96, 97, 99, 109, 111
Harnleiter-Haut-Fistel 98, 110, 112, 117, 120
Harnleiter-Implantation 94, 95, 96, 97
Harnleitersplint (Ureter-Katheter) 113, 114, 118
Harnsäure 87
Harnsteine 88, 91
Harnstoff 87, 92
Harnwegsinfekt 90
Hartmann-OP 17, 19, 21, 22, 25
Haut, peristomal 32, 40, 43 - 46, 49, 52, 68, 79,118
Hautpflege 49
Hautschutzpaste 50, 71, 118
Hernienprophylaxe 118
Hintere Wunde 77, 78
Hernie, parastomale 27, 55, 64, 65, 67, 75
ILCO 11, 35, 138, 143
Ileostomie 17, 18, 20, 21, 22, 25, 28
Ileum-Neoblase 102, 109
Ileus 18, 21, 62, 104
Indikationen
-für Enterostomien 17, 18, 25
-zur Harnableitung 93, 94
Inneres Milieu 87
Intermittierender Katheterismus 108, 126
Irrigation 51, 53, 54, 55, 56, 78, 83, 142
Jejunostomie 17
Jucken und Brennen 41
Kalium 87, 92, 104
Kinder 80, 81
Katheter 103, 125
Katheterpflege 124, 126
Katheterventil 126
Kompressen 44,118, 119
Kontinenz 16, 34, 53, 54, 99, 102, 111
Kreatinin 92
Latex 123, 125
Laxantien 39, 79
Leibbinde (Stomabandage) 76
Lotion 44, 50
M. rectus abdominis 37, 111
Magen 15
Mazeration 66, 71
Meatusstenose 125, 126
Melanosis coli 39
Mercuchrom 45
Mesenterium 31, 40, 62
Miktionsdruck 88
Miktionsstörungen 19, 35
Miktionszentrum 88, 89
Mitrofanoff-Prinzip 112
Morbus Crohn 20, 24, 26, 30
Mucosa 20
Mundhöhle 15
Mykose 71, 72
Nekrotisierende Enterocolitis (NEC) 80
Niederdruck-Reservoir 100
Niere(n) 87
Null-Druck-Ableitung 96, 97, 98
Öl 45, 123
OP-Vorbereitung 111
Oraler Schenkel 17
Palliativmedizin 21, 38, 78, 99
Parastomaler Abszess 70
Pelotte 57, 78
Penisprothese 149
Pepsin(ogen) 15
Peristaltik 15, 16, 40, 88, 98, 100
Peritonitis 19, 25, 104
Percutane Nierenfistelung 129
Pflaster 34, 49, 50, 69, 73, 80, 81
Pflegeanamnese 34, 37, 41, 76
Plexus hämorrhoidalis 16
Polypen 66, 68, 110
Polyurie 92
Pouch
-Ileo-rektaler Pouch 20, 24
-Indiana-Pouch 101
-Kock'sche Tasche 46
-Mainz-Pouch I 100, 101, 103
-Mainz-Pouch II 99, 100, 109

Praecancerose 20
Procto-Colektomie 20, 21, 22
Prolapsplatte 75
Prominenz 31, 32, 67, 74, 142
Prostata 89
Pseudo-Epitheliale Hyperplasie 70
Psoriasis vulgaris 68, 71
Ptyalin 15
PVC 130
Radiotherapie 19, 56, 94
Rasur 33, 45, 70
Reflux 88, 96, 97
Rehabilitation 137
Reinigungsschaum 45
Reiter 27, 28, 39, 41, 46, 47, 62
Rektosigmoidoskopie 110
Rektumamputation, abdomino-perineale 18, 21, 23, 78
Rektumcarcinom 18, 24
Relaparatomie 40
Reponieren des Prolaps 74
Restharnbildung 105, 116
Säureschutzmantel 45
Schleim 40, 102, 116
Schrumpfblase 94
Schwangerschaft 144
Schwellkörperautoinjektionstherapie (SKAT) 149
Schwerbehinderung 143
Schwimmen 143
Seife 45, 50, 106, 119, 126
Sexualfunktion, Sexualität 19, 35, 77, 143, 144, 147
Sezernierende Wunde 82
Sigma 19, 28
Sigmacarcinom 54
Sigmoidostomie 17, 19, 21, 41, 99
Silikon 130
Siphonbildung 55
Skelettierung des Darms 62
Speichel 15
Speiseröhre 15
Sphinkterplastik 17
Spiegel für den Katheterismus 127

Stoma
-Blutung 67
-doppelläufig 17, 19, 25, 26, 28
-Durchblutung 39, 41
-endständig 17
-Komplikationen 27, 39
-Markierung 26, 27, 31, 35, 37, 38, 111
-Nekrose 40, 62, 67
-Neuanlage 66, 74, 75
-Oedem 27, 67
-Prolaps 55, 64, 65, 67, 74
-Retraktion 27, 50, 67, 72
-Stenose 21, 26, 55, 62, 63, 73, 119, 120
Stomafäden 39, 48, 118
Stomakappe 54, 55
Stuhlinkontinenz 20, 24, 30, 82, 83
Stuhlkonsistenz 40, 41, 46, 80, 81, 144
Suprapubische Blasenfistelung 128
Syndet 68
Terminales Ileum 16, 21
Toxisches Megacolon 20
Toxische Reaktion 70
Transurethrale Harnableitung 124
Transversostomie 17, 38
Urinal 123
Urin-pH 87, 108
Urologische Pflegegrundsätze 105
V. cava inf. 18
V. portae 18
Vakuumpumpe 148
Verdauungskanal 15
Versorgungsprodukte
-für die Harnableitung 131-133
-für intestinale Stomata 57-60
-Auswahlkriterien 41, 42
Versorgungswechsel 41, 119
Vitamin B12 15, 103, 145
Vollbad 116, 119, 143
Wahrheit 35, 36
Zellstoff 45
Zwölffingerdarm 16

Bildnachweis

Titel
Boelker, Th., Noreiks, T., Webelhuth, G.

Zeichnungen
Harenkamp, K. – 1, 85, 88, 97, 101, 106, 112, 114, 123
Noreiks, N. – 13
Noreiks, T. – 1, 8, 135
Reisenberg, U. – 21, 22, 55
Webelhuth, W. – 89, 127

Fotos / Dias
Boelker, Th. – 10/11, 23, 24, 27, 28, 29, 31, 32, 33, 34, 37, 39, 40, 41, 42, 43, 44, 46, 47, 48, 49, 50, 51, 53, 54, 55, 56, 57, 58, 60, 61, 63 links, 66, 67, 69, 70, 72, 73, 74, 75, 76, 77, 78, 79, 80, 81, 82, 87, 93 oben, 103, 105, 109, 115, 117, 118 oben + unten rechts, 120, 121 Mitte + unten, 128 oben, 131, 132, 133, 137, 139, 141, 142, 143, 145, 147, 151

B.Braun Medicare – 83, 129 unten

Coloplast – 46, 60, 83

3M Medica – 52

Heise Medizintechnik – 149

Hollister Inc. – 59

Neuhaus, B. – 17, 18, 19, 20

Raulf, F. – 63, 65

Schaefers Medizintechnik – 59

Singer, M. – 62

Sorbion AG – 52

Webelhuth, W. – 91, 92, 93 unten, 99, 107, 110, 111, 112, 113, 118 links, 119, 121 oben, 124, 125, 126, 127, 128 unten, 129 oben, 148

Zöller, G. – 95

Literaturverzeichnis

Altwein, J.E. und Rübben, H.,
Urologie,
Ferdinand Enke Verlag, Stuttgart, 4. Aufl. (1993)

B. Braun-Medicare,
Auch morgen wird die Sonne scheinen,
C. Petzold Vertriebs-GmbH (1991)

Boldt, H.,
„Von der Achtung zur Ächtung –
Die Geschichte der Ausscheidungen"
in: *Magazin* Stoma + Inkontinenz, No. 19-21 (04-12/99)
DVET Fachverband Stoma und Inkontinenz e. V.

Englert, G.,
Die Rehabilitation des Stomapatienten –
eine multidisziplinäre Aufgabe,
Deutsche ILCO e.V. (1988)

Englert, G. und Winkler, R.,
Verbesserung der Lebensqualität von Stomaträgern,
ILCO Verlags-GmbH (1982)

Englert, G. und Winkler, R.,
Die Versorgung des Stomapatienten –
Fortschritte und Defizite,
Deutsche ILCO e.V. (1992)

Ersfeld, H.,
„Verbände in der Urologie",
in: Die Schwester / Der Pfleger, 32. Jg. 3/93 Bibliomed
Medizinische Verlagsgesellschaft, Melsungen

Feil-Peter, H.,
Stomapflege. Enterostomatherapie,
Schlütersche Verlagsanstalt und Druckerei, Hannover,
5. Aufl. (1993)

Hampton, B.G. und Bryant, R.A.
Ostomies and continent diversions –
Nursing management,
Mosby Year Book, St. Louis, Missouri (1992)

Hohenfellner, R.,
Ausgewählte urologische OP-Techniken,
Georg Thieme Verlag, Stuttgart (1994)

Kretschmer, K.P.,
Der künstliche Darmausgang – Ostomien des Darmes,
Indikationen, Operationsmethoden, Versorgung,
Rehabilitation,
Georg Thieme Verlag, Stuttgart (1975)

Lamerton, R.,
Sterbenden Freund sein,
Herder-Verlag, Freiburg Basel Wien,
Herder-Spektrum (1993.)

Meister, B.,
„Pflege bei Stuhlinkontinenz"
in: *Magazin* Stoma + Inkontinenz, No. 29 (08/02)
DVET Fachverband Stoma und Inkontinenz e. V.

Mosenthin, E.,
Am Ende bleibt die Menschlichkeit,
Herder-Verlag, Freiburg Basel Wien,
Herder-Spektrum (1991)

Pietzonka, V.
„More than words – oder: was Pflegeanamnese bringt"
in: *Magazin* Stoma + Inkontinenz No. 29 (08/02)
DVET Fachverband Stoma und Inkontinenz e. V.

Raulf, F.,
„Stuhlinkontinenz – Ätiologie, Diagnostik, Therapeutische Möglichkeiten"
in: *Magazin* Stoma + Inkontinenz, No. 28+29 (04+08/02)
DVET Fachverband Stoma und Inkontinenz e. V.

Rettberg, H. und Weidner, W.,
„Harnwegskatheterismus und urologische Endoskopie",
in: Hygiene in Krankenhaus und Praxis 1-7 (1995)
Beck/Eickmann, Landsberg/Lech

Romünder, M., von Kries, A.
„Begleiten . Ermuntern . Fördern . Fordern – Psychologische Hilfen im Umgang mit Stomaträgern"
in: *Magazin* Stoma + Inkontinenz, No. 13 (04/97)
DVET Fachverband Stoma und Inkontinenz e. V.

Säuberli, H., Hefti, M.L. und Landolt, R.,
Intestinale Stomata. Indikationen, Vorbereitung, operative Technik, Rehabilitation und Nachsorge,
Verlag Hans Huber, Bern (1985)

Salomo,
„Sprüche Salomos",
Die Bibel

Saunders, C.,
Hospiz und Begleitung im Schmerz.
Wie wir sinnlose Apparatemedizin und einsames Sterben vermeiden können,
Herder-Verlag, Freiburg Basel Wien,
Herder-Spektrum (1993)

Schäffler, A. und Schmidt, S.,
Mensch Körper Krankheit.
Anatomie, Physiologie, Krankheitsbilder,
Jungjohann Verlag, Neckarsulm (1993)

Schöbel-Bossinger, H.,
„Schwimmen – ein Tabu für Stomaträger? – Rückgewinnung von Lebensqualität in einer Rehabilitationsklinik",
in: *Magazin* Stoma+Inkontinenz, No. 11 (1996),
DVET Fachverband Stoma+Inkontinenz

Seuß, Ch.,
„Und ich beschließe, glücklich zu sein..." – Die psychische Situation des Stomapatienten",
in: *Magazin* Stoma+Inkontinenz, No. 7 (1995),
DVET Fachverband Stoma+Inkontinenz

Singer, M.,
„Radiotherapie bei Stomaanlage – ein Problem? – Pflege von Patienten mit Radiotherapie",
in: ET-Journal, No. 10 (1991) und No. 11 (1991),
DVET Fachverband Stoma+Inkontinenz

Sporken, P.,
„Begleitung des kranken Menschen – Luxus oder ethische Aufgabe",
Referat auf dem X. Internationalen Kongress für Pflegeberufe, Salzburg (1986)

Süskind, P.,
Das Parfum, ('85)
Die Taube, ('90)
beide Diogenes Verlag, Zürich

Thomas, C.,
Ein ganz besonderer Saft – Urin,
Verlagsgesellschaft Köln, 13. Aufl. (1994)

Winkler, R.,
Stomatherapie,
Atlas und Leitfaden für intestinale Stomata,
Georg Thieme Verlag, Stuttgart, 2. Aufl. (1986)

Wyss, H.,
„Vorsicht: Nebenwirkung! – Druckschäden bei der Anwendung konvexer Stomaversorgungen",
in: *Magazin* Stoma + Inkontinenz, No. 15 (12/97)
DVET Fachverband Stoma und Inkontinenz e. V.

Zegelin, A. et al.,
„Anfangs sieht alles schlimmer aus"– Erfahrungen und Erwartungen von StomaträgerInnen",
in: *Magazin* Stoma+Inkontinenz, No. 10 (1996),
DVET Fachverband Stoma+Inkontinenz

Adressen

Fachverbände

DCCV e. V.
Deutsche Morbus Crohn /
Colitis ulcerosa Vereinigung
Paracelsusstr. 15
51375 Leverkusen
✆ 02 14 - 87 60 80
FAX: 02 14 - 8 76 08 88
www.dccv.de
info@dccv.de

DEUTSCHE ILCO e. V.
Lanshuter Str. 30
85356 Freising
✆ 0 81 61 - 93 43 01
FAX: 0 81 61 - 93 43 02
info@ilco.de
www.ilco.de

DEUTSCHER BERUFSVERBAND FÜR PFLEGEBERUFE
DBfK
Geisbergstr. 39
10777 Berlin
✆ 030 - 21 91 57 - 0
FAX: 030 - 21 91 57 - 77
www.dbfk.de
dbfk@dbfk.de

DVET FACHVERBAND STOMA UND INKONTINENZ e. V.
Virchowstr. 14
38642 Goslar
✆ 0 53 21 - 5 10 80
FAX: 0 53 21 - 38 95 14
www.DVET.de
DVET@gmx.de

ECET – SEKTION DEUTSCHLAND
Christel Ravenschlag
Finkenstr. 42
48147 Münster
✆ 02 51 - 29 67 51
christel.ravenschlag@mednet.uni-muenster.de

GIH
Gesellschaft für Inkontinenzhilfe e. V.
Geschäftsstelle
Postfach 410457
34066 Kassel
✆ 05 61 - 7 78 06 04
FAX: 05 61 - 77 67 70
www.gih.de
GIH.kassel@t-online.de

WCET
World Council of Enterostomal Therapists
Hans-Jürgen Markus (c/o BRD)
Herderstr. 28
49078 Osnabrück
hans-juergen.markus@sanimed.de

Adressen

Hersteller/Vertriebsfirmen

AMS Deutschland GmbH
Kronenstraße 3
10117 Berlin
✆ 030-20 64 39 0
FAX: 030-20 64 39 99
www.americanmedicalsystems.com
ulrike.hayton@americanmedicalsystems.com

Astra Tech GmbH
An der kleinen Seite 8
65604 Elz
✆ 0 64 31-98 69 0
FAX: 0 64 31-98 69 30
www.astratech.de
E-mail: mareike.zeuke@astratech.de

B. Braun Medicare GmbH & Co. KG
Spangerweg 17
34212 Melsungen
✆ 0 56 61-71 19-11
FAX: 0 56 61-71 19-44
freecall: 0 800-2 27 28 32
www.bbraun.de
britta.hot@bbraun.com

Büttner-Frank GmbH
Am Wolfsmantel 9-11
91058 Erlangen
✆ 0 91 31-79 05 38
FAX: 0 91 31-60 27 69
www.buettner-frank.de
kundenservice@buettner-frank.de

Convatec Vertriebs GmbH
Sapporobogen 6-8
80809 München
✆ 089-1 21 42-0
FAX: 0 800-7 60 10 00
freecall: 0 800-7 86 62 00
www.convatec.de
convatec.servicede@bms.com

Coloplast GmbH
Kuehnstr. 75
22045 Hamburg
✆ 040-66 98 07-77
FAX: 040-66 98 07-48
hotline: 0180-2 65 67 52 78
www.coloplast.de
devks@coloplast.de

Dansac GmbH
Kalscheurener Str. 2a
50354 Hürth
✆ 0 22 33-3 97-0
FAX: 0 22 33-3 97-100
freecall: 0800-8883388
www.dansac.de
dansac.deutschland@dansac.com

For Life GmbH
Tabbertstr. 12
12459 Berlin
✆ 030-6 50 73 60
FAX: 030-6 57 22 64
www.stomocur.de
For_Life_GmbH@t-online.de

Hollister Inc.
Niederlassung Deutschland
Postfach 1323
85767 Unterföhring
✆ 089-99 28 86-0
FAX: 089-99 28 86-45
freecall: 0 800-4 65 54 78
www.hollister.de
hollister.deutschland@hollister.com

Manfred Sauer GmbH
Neurott 7
74931 Lobbach
✆ 0 62 26 - 96 01 00
FAX: 0 62 26 - 96 00 10
www.manfred-sauer.de
helpline@manfred-sauer.de

Medical Service Vertriebs-GmbH
Luisenstraße 8
75378 Bad Liebenzell
✆ 0 70 52 - 40 31 00
FAX: 0 70 52 - 40 31 20
www.medical-service.de
info@medical-service.de

Medizintechnik Heise Vertriebs-GmbH
Berghofer Straße 201
44269 Dortmund
✆ 02 31 - 48 84 45
FAX: 02 31 - 48 22 98
Iwww.dipl-ing-heise.de
info@dipl.ing-heise.de

Mentor Healthcare · Porgès GmbH
Ludwigstr. 45 Haus C
85399 Hallbergmoos
✆ 08 11-6 00 50-80
FAX: 08 11-6 00 50-81
freecall: 0 800-0 18 86 18
www.porges-deutschland.de
info@porges-deutschland.de

Rüsch GmbH
Willy-Rüsch-Str. 4-10
71394 Kernen-Rommelshausen
✆ 0 71 51-4 06-0
FAX: 0 71 51-4 06-5 30
www.ruesch-care.de
info@ruesch-care.de

Schaefers
Medizin- und Elektrotechnik
Borkener Str. 50
46342 Velen-Ramsdorf
✆ 0 28 63-9 50-24
FAX: 0 28 63-9 50-25
Heinz.Schaefers@t-online.de

Sorbion AG
Hobackestr. 91
45899 Gelsenkirchen
✆ 02 09 - 95 71 88-0
FAX: 02 09 - 95 71 88-20
www.sorbion.de
info@sorbion.de

Uromed · Kurt Drews GmbH
Meessen 7
22113 Oststeinbek
✆ 040 - 71 30 07 0
FAX: 040 - 71 30 07 99
www.uromed.de
service@uromed.de

Weitere Literatur der Autoren

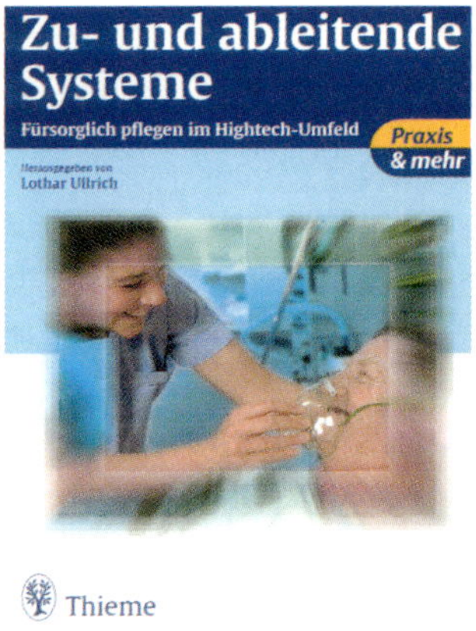

Zu- und ableitende Systeme

Fürsorglich pflegen im Hightech-Umfeld

Kennen Sie auch das Gefühl der Hilflosigkeit, wenn Ihnen ein Patient gegenübertritt, bei dem am nächsten Tag ein künstlicher Darmausgang angelegt werden soll und Sie um Rat und Zuspruch bittet?
Können Sie sich in die Welt eines tracheotomierten Patienten hineinversetzen, die oft von „Sprachlosigkeit“ und „Nicht-verstanden-werden“ geprägt ist?
Haben Sie auf der anderen Seite noch einen Überblick über die Vielzahl der verschiedenen zu- und ableitenden Systeme in der Pflege, die Sie fachgerecht und ohne Gefährdung für den Patienten versorgen müssen?
Fragen, auf die dieses Buch in breit gefächertem Umfang Antworten und Erklärungen anbietet!
Thomas Boelker hat in diesem Buch den Teil „Unterstützende Systeme zur Darmentleerung“ geschrieben. Weitere, gerade für Pflegende im Bereich Stomatherapie interessante Kapitel in diesem aktuellen und sehr praxisorientierten Buch sind „Unterstützende Systeme zur Urinausscheidung, ...zur gastro-enteralen Zu- und Ableitung, ...zur Schmerztherapie“.

ISBN 3-13-118051-X
Ullrich, Lothar:
Zu- und ableitende Systeme
104 Abbildungen, 52 Tabellen
2000 · Georg Thieme Verlag · Stuttgart · New York
Preis: EUR 29.95

aus der Pflege für die Pflege

Uro care

Das Buch für urologische Pflege

Frisch aus der Druckerpresse in der „Edition Leander" erschien im Januar 2003 mit *Uro care* ein neues urologisches Fachbuch von Wolfgang Webelhuth.
Nach der Darstellung von Anatomie und Physiologie beginnt der Grundlagenteil des Buches mit einem Einblick in die vielschichtigen Arbeitsabläufe im Rahmen urologischer Behandlung und Pflege. Grundlegend beschrieben werden die wichtigsten diagnostischen Schritte und die jeweiligen Behandlungskonzepte bei urologischen Erkrankungen.
Der größte Teil des Buches ist aber der Pflege gewidmet. Umfassend und aktuell werden die vielfältigen Aufgabenbereiche urologischer Pflege dargelegt. Dabei spannt sich ein Bogen von den Aspekten der psychosozialen Begleitung über wesentliche Verrichtungen bei diagnostischen Maßnahmen bis hin zur Versorgung von Drainagesystemen und Harnableitungen.
Nachdem die urologische Fachliteratur bislang maßgeblich medizinische Aspekte behandelt, liegt nun mit *Uro care* erstmals ein Fachbuch aus der Pflege für die Pflege vor. Alles in allem ein detailgenaues, praxisnahes Kompendium, bei dem auch der lesefreundliche Aspekt große Beachtung verdient. Das Buch richtet sich besonders auch an Pflegekräfte in der Altenpflege und im ambulanten Bereich – für Pflegende in der Urologie ist es ein absolutes Muss!

ISBN 3-00-0-010608-1

Webelhuth, Wolfgang:
Uro care
104 überwiegend farbige Abb.
Edition Leander
Preis: EUR 22.-

Zu bestellen bei W. Webelhuth:
© Eigenverlag
Bestell-FAX : 05594 / 943855
Bestell-Mail: w.webelhuth@onlinehome.de

Das *Aller*letzte...

Nicht jeder,
der in der Tinte sitzt,
sollte auch zur Feder greifen.

(Thomas Romanus Bökelmann)